D1365517

Du même auteur
Chez le même éditeur

Asunaro
Le Loup bleu
Lou-lan
La Mort, l'amour et les vagues
Vent et vagues

Titre original : *Yokihi den*

© 1963-65, Yasushi Inoue.
   Originally published in Japan. All rights reserved.
© 1991, 1994, Éditions Philippe Picquier, pour la traduction
   en langue française et la préface

Le Mas de Vert
13200 Arles

Conception graphique : Picquier & Protière

ISBN : 2-87730-197-4
ISSN : 1251-6007

Yasushi INOUE

LA FAVORITE

Le roman de Yang Kouei-fei

Roman traduit du japonais
par Corinne Atlan

Éditions
Philippe Picquier

C'est en 1949 que s'ouvre la carrière d'Inoue (1907-1991). La même année paraît *Le Fusil de chasse* qui sera traduit dans le monde entier, en même temps que *Combat de taureaux* qui lui vaudra le prestigieux prix Akutagawa.

« L'œuvre d'Inoue trouve sa singularité dans son extrême diversité et aussi dans un art qui allie la concision, la sobriété formelle à l'ampleur du jeu d'ombres où s'exaspèrent les destinées. » Cette phrase d'André Velter donne la mesure de sa production littéraire. Dans ses récits intimistes (*Le Fusil de chasse, La Mort, l'amour et les vagues, Asunaro*) ce sont des destins croisés qu'il met en scène : des harmonies qui se dérobent devant des aveux, des secrets, des faux-semblants d'amour, des existences qui, entre ombre et lumière, révèlent avec plus d'intensité leurs exigences en même temps que leurs maladresses devant les incertitudes de la vie.

Inoue est célèbre aussi comme auteur de romans historiques qu'il situe en Asie Centrale (*Les Chemins du désert, Lou-Lan*), en Chine (*La Favorite*), en Mongolie (*Le Loup bleu*). Dans *Le Loup bleu*, il explore le destin exceptionnel de Gengis-Khan, tourmenté par le problème de l'identité. « Qu'y avait-il à la source de son désir de conquête ? C'est ce mystère qui m'a attiré », écrit-il. Il s'attache à ces destins qui sont pour lui autant de prestigieuses énigmes, à ces vies fugitives sur le théâtre de l'Histoire et qui retournent, le livre fermé, au mystère d'où l'écrivain les avait tirées. La réponse du romancier n'est pas tant de réconcilier les contraires que de rendre compte de ces zones d'ombre où les hommes se cherchent comme des « fugitifs » et des « faussaires ».

Préface

L'histoire des tragiques amours de l'empereur Siuan-tsong et de Yang Kouei-fei est aussi célèbre en Chine que celle de Tristan et Yseult chez nous. Cet empereur de la dynastie T'ang a réellement existé : il régna sur la Chine de 712 à 756, accompagné, seize ans durant, par la « Précieuse Epouse » Yang Kouei-fei. Ce personnage d'amoureuse finalement sacrifiée aux exigences de l'Etat offrait un magnifique sujet aux poètes et chroniqueurs chinois, qui firent d'elle une héroïne de légende. Nombre de poèmes retracent son histoire, celui de Po Kiu-yi, *Le chant de l'éternel regret*, composé un demi-siècle après la mort tragique de Yang Kouei-fei, est le plus long et le plus célèbre. (On en trouve une belle traduction française dans l'*Anthologie de la poésie chinoise classique* aux éditions Gallimard.) Une biographie de Tch'en Hong (traduite par J. Pimpaneau dans *Biographie des regrets éternels* aux éditions Philippe Picquier), conte en détail son histoire, qui a également inspiré des pièces de théâtre. La favorite Yang Kouei-fei est en outre citée dans les annales et les chroniques historiques T'ang, car elle fut impliquée dans un épisode lourd de conséquences pour l'empire : la révolte d'An Lou-chan.

Sous la dynastie des T'ang, du ve au viiie siècle, la Chine a en effet connu l'une des périodes les plus fastueuses de son histoire, et c'est au cours de la première moitié du viiie siècle, sous le sage gouvernement de l'empereur Siuan-tsong, que l'empire T'ang connaît son apogée, après le règne sanglant de l'impératrice Wou Tsô-tien, la propre grand-mère de Siuan-tsong (dont l'histoire est contée dans *L'Impératrice de Chine* de Lin Yutang, aux éditions Philippe Picquier). Dans la paix revenue, la civilisation chinoise étend son rayonnement sur toute l'Asie, tout en étant perméable aux influences de l'étranger, notamment d'Asie centrale. Les arts, la poésie, le bouddhisme connaissent une période de grand raffinement et d'épanouissement. Mais la politique d'expansion militaire sera à l'origine de la chute des T'ang. Car pour préserver l'hégémonie de la Chine, les chefs militaires, les « commissaires impériaux » qui contrôlent d'immenses régions aux frontières du Nord et du Sud, disposent de pouvoirs de plus en plus étendus ; et Siuan-tsong, inconscient du danger, les comble de faveurs. L'un d'eux, le général barbare An Lou-chan, finira par se révolter à la fin de 755, et tentera de renverser l'empereur. Cette crise, dont les conséquences seront capitales pour l'empire T'ang, marque un tournant dans l'histoire chinoise : le pouvoir central ne retrouvera jamais le contrôle exclusif qu'il exerçait sur l'ensemble du territoire, et de nombreuses régions « barbares » annexées par la Chine retrouveront leur indépendance. La rébellion d'An Lou-chan marque la fin de la période médiévale d'expansion et de rayonnement de l'empire chinois.

C'est dans ce contexte crucial pour le devenir de la Chine que se situe *La Favorite*, et le grand écrivain japonais Yasushi Inoue réussit le tour de force de transformer des personnages historiques en êtres de chair et de sang : ce roman à épisodes, aux nombreux rebondissements, qui se lit comme un roman d'aventures, redonne vie avec brio à des personnages que l'on n'avait vu jusqu'ici que figés dans les poses hiératiques des portraits officiels. Que ce soit Yang Kouei-fei, la naïve amoureuse devenue peu à peu ambitieuse et dominatrice, Siuan-tsong, le sage monarque sombrant dans la sénilité, Kao Li-che, l'eunuque intrigant et manipulateur, An Lou-chan, le général obèse et roué qui entretient une relation ambiguë avec sa mère adoptive Yang Kouei-fei, Yang Kouo-tchong, l'ambitieux cousin de la belle qui conduira l'empire à sa perte, Li Lin-fou, le ministre sanguinaire, tous les protagonistes de ce roman ont une profondeur humaine qui les rend totalement véridiques, sous la plume fine et pleine d'humour de Yasushi Inoue. La Chine médiévale s'anime ainsi sous nos yeux, sur la toile de fond de la vie luxueuse et insouciante du palais et des intrigues parfois sanglantes nouées autour d'un pouvoir qui semble saisir tous ceux qui s'en approchent dans son piège maléfique. En arrière-plan des enjeux du pouvoir, les incursions barbares aux frontières cernent la Cour d'un danger toujours pressant qui se rapproche inexorablement jusqu'au tragique dénouement.

Siuan-tsong, souverain chéri de l'histoire chinoise, monarque juste et dont le règne restera synonyme de paix, apparaît surtout ici comme un vieillard un peu faible, pantin manipulé par des favoris avides de pouvoir, qui se laissera mener presque sans réagir jusqu'au drame final. Yang Kouei-fei, au début jeune amoureuse plutôt fade, évolue vers une de ces héroïnes dont la Chine a le secret : femme dominatrice assoiffée, elle aussi, de pouvoir, ses relations avec l'empereur seront d'une nature passionnée et trouble, et l'on admirera l'analyse psychologique pleine de finesse de ces amours, qui leur confère une modernité fort éloignée du caractère un peu mièvre des poésies chinoises qui les ont chantées.

Siuan-tsong fera finalement passer la raison d'Etat avant la passion éprouvée seize ans durant pour Yang Kouei-fei, et celle-ci mourra, sacrifiée à ce pouvoir qui est finalement le cœur même du roman, trahie par tous ses anciens alliés. Sacrifice qui permettra à Siuan-tsong de recouvrer pour un temps son empire et son hégémonie. Elle, au fond, aimait surtout le plaisir, et s'intéressait peu à la politique. Même si le pouvoir manqua parfois de l'entraîner sur la trace des cruelles impératrices d'autrefois, elle ne céda jamais à son appel, et grâce à son sacrifice même, reste pour l'éternité la pure héroïne victime des ambitions de son entourage.

Roman historique donc, où l'on reconnaît, comme

dans les autres œuvres de Inoue, un constant souci d'exactitude et de vérité, mais où l'énorme travail de recherche qui sous-tend l'histoire n'alourdit jamais le cours passionnant des événements, nous faisant entrer de plain-pied dans un huitième siècle chinois d'une étonnante actualité. Roman qui peut se lire comme un pur divertissement, une histoire d'amour éternel et tragique, comme le sont les vraies histoires d'amour, ou comme une page importante de l'histoire de la Chine.

Le lecteur souhaitant de plus amples informations sur cette période de l'histoire chinoise consultera, avec profit, *Le monde chinois* de Jacques Gernet (éd. Armand Colin), ainsi que le *Traité des fonctionnaire et de l'armée* de Robert des Rotours (B.I.H.E.C., vol. VI, éditions Brill, Leide). *Chine* de Jacques Pimpaneau (éditions Philippe Picquier) fourmille de détails passionnants sur la vie quotidienne dans la Chine de cette époque. On trouvera également dans *La femme au temps des empereurs de Chine* de Danielle Elisseef (éditions Stock) un intéressant chapitre qui éclaire d'un jour nouveau le personnage de Yang Kouei-fei.

Enfin, la traductrice remercie vivement le sinologue Patrick Carré de son aide amicale pour la transcription en français des noms propres chinois, ainsi que pour la traduction de certains titres de fonctionnaires civils ou militaires. Le système de transcription adopté est celui de l'Ecole Française d'Extrême-Orient, qui nous a paru convenir le mieux au cadre ancien de l'histoire, et a été parfois légèrement « revisité » pour la commodité de la lecture.

Corinne ATLAN
Les Praz, février 1991

Chapitre 1

Le dixième mois de l'an vingt-huit de l'ère de la Fondation (740 ap. J.-C.), l'empereur Siuan-tsong, qui séjournait en son palais des Sources Chaudes au mont du Cheval Noir, à six lieues de la capitale, envoya un messager à la résidence du prince de Cheou à Tch'ang-an : un ordre impérial enjoignait à l'épouse du prince, Yang Yu-houan, de se rendre immédiatement au palais des Sources Chaudes pour entrer au service de l'empereur.

Mei, prince de Cheou, était le fils né des amours de l'empereur avec Wou Houei, la Précieuse Epouse, sa préférée parmi les trois mille femmes des appartements intérieurs[1]. C'est donc à l'épouse de son propre fils, ancien prétendant au trône, que s'adressait l'ordre de l'empereur. Ni le prince de Cheou, ni Yang Yu-houan, la principale intéressée, ne pouvaient ignorer la portée de pareil ordre.

Le prince de Cheou comprit dès l'instant où lui parvint le message de son père Siuan-tsong qu'il lui fallait renoncer à sa bien-aimée. Il transmit l'injonction de son impérial parent à Yang Yu-houan, lui demandant d'y bien réfléchir et de choisir la voie à suivre selon son propre souhait. Puis, se gardant d'exiger immédiate-

---

1. Le terme « appartements intérieurs » désignait le harem impérial.

9

ment une réponse, le prince se retira dans ses appartements.

Une heure plus tard environ, une suivante vint lui porter la réponse de la dame : il lui était impossible d'enfreindre un ordre venant de l'empereur son père. « Qu'il en soit selon votre volonté », lui fit dire le prince, sans se départir de son impassibilité. En cet instant où se décidait la perte de sa favorite, il ne ressentait que soulagement. Eût-elle refusé de se conformer à l'ordre impérial, il ne leur eût resté d'autre issue que la mort. Sans doute, son père lui-même ne pouvait exiger à la légère la femme de son propre fils, et ce n'est que tout bien pesé qu'il avait dû formuler sa demande.

Trois années exactement s'étaient écoulées depuis la mort de la Précieuse Epouse Wou Houei, mère du prince de Cheou. En tant qu'épouse impériale, Wou Houei était bien évidemment de rang inférieur à l'impératrice, mais comme l'impératrice Wang, la fidèle compagne de Siuan-tsong, n'avait pas eu d'enfant, cette supériorité sur elle lui avait permis de l'évincer dès le départ. Et quand, en l'an douze de l'ère de la Fondation, Wang, déchue et rabaissée au rang du commun peuple pour un crime commis par son frère aîné, mourut dans le désespoir, la position de Wou Houei s'en trouva affermie d'autant. Dans l'entourage de Siuan-tsong évoluaient d'autres femmes, telles que la dame née Yang, mère de Heng, l'actuel prince héritier, ou la favorite Tchao-li, célèbre par sa beauté, mais toutes deux moururent jeunes et Wou Houei put ainsi jouir seule à sa guise de l'impériale faveur. Traitée avec les mêmes égards qu'une impératrice, elle procura des postes importants à toute sa famille, et eut recours à nombre de stratagèmes pour élever son fils le prince de Cheou au rang de prince héritier. La rumeur disait même que la disgrâce et la condamnation à mort du prince impérial Ying, fils de Tchao-li, étaient dues aux calomnies de Wou Houei.

Wou Houei mourut le douzième mois de l'an vingt-cinq de l'ère de la Fondation, mais si elle avait vécu un peu plus longtemps, le prince de Cheou serait sans nul doute devenu l'héritier du trône. Seule la mort de sa mère, peu après les délibérations concernant la destitution de l'ancien prince héritier, empêcha le fils d'accéder à son tour à ce titre. Wou Houei s'étant montré de son vivant par trop despotique, sa disparition mit le prince de Cheou dans une position extrêmement délicate. Siuan-tsong avait jusqu'alors aimé son fils, mais uniquement parce qu'il était l'enfant de Wou Houei, et si son affection diminua après la mort de celle-ci, la différence ne fut guère sensible. N'importe laquelle de ses trois mille concubines pouvait donner un fils à l'empereur, mais l'enfant appartenait pour toujours à la mère. Wou Houei était morte, et avec elle l'enfant qu'elle avait mis au monde. Les dignitaires les plus influents avaient veillé spécialement sur lui, chose impensable pour le simple fils de Wou Houei. Maintenant que la favorite était morte, le prince de Cheou n'était plus celui d'autrefois, choyé par les puissants. Siuan-tsong, tout comme le prince de Cheou d'ailleurs, trouvait cela tout à fait normal. Et voilà qu'aujourd'hui les sentiments réels de l'empereur envers son fils se manifestaient pour la première fois.

Le jeune prince au teint clair, dont les traits rappelaient ceux de sa mère, se garda d'opposer la moindre résistance aux exigences déraisonnables de son père. Le triste sort subi dans le passé par des princes nés d'autres concubines pouvait lui échoir à tout moment. Quant à Yang Yu-houan, dès l'instant où elle prit connaissance de l'ordre impérial, elle sentit sa propre vie de femme comme broyée par une immense force. Même jusqu'à ce jour, elle n'avait jamais réussi à considérer l'empereur comme le père de son époux. Siuan-tsong était le monarque absolu du Grand Empire des T'ang, et en comparaison de cela, son époux, le prince de Cheou, n'était plus maintenant qu'un nobliau sans aucun pouvoir.

Depuis que son époux lui avait exposé en détail cette affaire, Yu-houan se sentait en proie à une étrange exaltation. Près de cinq années s'étaient écoulées depuis qu'elle était devenue officiellement l'une des épouses du prince de Cheou, au douzième mois de l'an vingt-trois de l'ère de la Fondation. Si cette soudaine destinée, dont elle n'avait pas même rêvé, l'avait désorientée à l'époque, que dire alors d'aujourd'hui ? Après avoir envoyé sa suivante porter sa réponse au prince, Yu-houan s'était allongée sur le lit, dans un état second. Que cela lui plaise ou non, si elle voulait rester en vie il lui fallait entrer au gynécée impérial.

Le lendemain de la visite du messager, Yang Yu-houan quitta Tch'ang-an, la capitale, avant l'aube. Elle partait pour le palais des Sources Chaudes avec une suite de trente vassaux et cavaliers, sans avoir revu le prince depuis qu'il lui avait fait part des volontés impériales. Elle avait quitté le domaine de Cheou sans lui faire ses adieux, et le prince lui-même, tout comme elle, préférait qu'il en soit ainsi. « Je ne retournerai sans doute jamais dans ce palais, se disait-elle, et ne reverrai plus le prince en qualité d'épouse. » Elle avait jusqu'alors éprouvé de l'affection pour lui, éblouie par sa position de fils des deux plus puissants personnages de l'empire, l'empereur Siuan-tsong et sa favorite Wou Houei. Seulement, elle se trouvait maintenant élevée à une position sans commune mesure avec tout cela.

C'est dans le palanquin qui l'emmenait vers le mont du Cheval Noir que Yang Yu-houan commença à se rendre compte de son essor vers un nouveau destin dépassant ses plus folles espérances, et du sens véritable de ce destin. Faisait-elle route vers le bonheur ou au contraire le désespoir, elle l'ignorait. Là où on l'attirait, rien ne serait facile, voilà tout ce qu'elle savait, sachant aussi qu'il était inéluctable de s'y rendre. Là-bas, se trouvait un être tout-puissant, que nul au monde ne pouvait prétendre égaler, capable de briser d'un mot autant de vies qu'il le désirait, et cet être presque mythique l'attendait, elle.

Mais aussi, là-bas, trois mille concubines entouraient le souverain. Le protocole des T'ang exigeait le classement par rangs des femmes qu'entretenait l'empereur. Juste en dessous de l'impératrice, venaient quatre épouses impériales de premier rang : la Précieuse Epouse, puis la Vertueuse, la Gracieuse et la Sage. En dessous d'elles se trouvaient neuf épouses de second rang, suivies de neuf « Grâce », neuf « Beauté », et neuf « Talentueuse ». Enfin, chacun des trois rangs inférieurs, « la forêt de trésors », « la noble dame » et « l'amoureuse », comptait chacun vingt-sept femmes. Il existait en outre un grand nombre de dames de cour. Si Siuan-tsong avait apporté quelques améliorations à ce système, cela n'avait en rien modifié l'atrocité du monde du gynécée. Les trois mille concubines nouaient entre elles des alliances de pouvoir, et cherchaient toutes à attirer et à retenir l'amour du vieux monarque. Ce terme d'« amour » est certes inexact, car il s'agissait de bien autre chose que de l'amour qui unit ordinairement un homme et une femme. La prospérité de ces femmes et de leur famille dépendait de l'obtention des faveurs du souverain, et la violence de leur rivalité autour de l'empereur devait être insupportable à voir. C'est dans ce monde-là que Yan-houan s'apprêtait à entrer.

La résidence impériale vers laquelle elle se dirigeait se trouvait à six lieues au sud de la capitale, au pied du mont du Cheval Noir. Franchissant la rivière Tch'an, puis la Pa, le palanquin progressait lentement vers le sud, dans la plaine où venaient mourir comme des vagues les basses collines. A mi-chemin, la route devenait abrupte, et le cortège se mit à peiner, s'arrêtant, repartant pour s'arrêter encore...

Enfin, le palanquin arriva au palais du mont du Cheval Noir. Passant les triples battants des portes du palais, Yu-houan descendit de son palanquin devant le pavillon impérial, auquel faisait face un étang. Un nombre considérable d'hommes et de femmes se trouvaient là pour l'accueillir, debout, courbant la tête, sans un tressaillement. La jeune femme ne leur accorda pas un regard. Ignorant leur présence, elle descendit du palanquin, et resta ainsi, les yeux dirigés légèrement au-dessus de leurs têtes. Son regard embrassait les auvents et les toits de tuiles des bâtiments du palais, échelonnés sur différents niveaux, avec à l'arrière-plan les buissons nains des chênes et des pins couvrant la colline. Yu-houan perçut alors le gémissement du vent dans la forêt, heurtant les cimes des arbres. Peu après, conduite par quelques suivantes, elle s'enfonçait d'un pas tranquille vers l'intérieur du palais.

Le mont du Cheval Noir était de longue date la résidence d'hiver traditionnelle des empereurs de Chine. Des sources d'eau chaude jaillissaient au pied du mont, et le palais avait été construit de façon à les englober dans son enceinte. Le long gémissement du vent dans la montagne résonnait sans trêve aux oreilles de la jeune femme, menée par les suivantes à travers les interminables galeries reliant les différents bâtiments du palais.

A mi-chemin, Yu-houan s'arrêta. En dehors du vent lui parvenait maintenant un écho lointain de chutes d'eau. C'était le tumulte des sources jaillissantes : tout en bas de la série de splendides pavillons qui se succédaient, comme empilés les uns sur les autres le long de la pente de la montagne, se trouvait en effet le pavillon des bains. Les galeries reliant les différents pavillons étaient par endroits en pente douce, ailleurs extrêmement raides. Yu-houan fut conduite à la chambre qui serait sienne durant son séjour. Après un court repos, elle quitta cette pièce pour une entrevue avec l'empereur. De nouveau elle fut escortée à travers les longs corridors. Plusieurs femmes la précédaient, dix autres marchaient derrière elle. Yu-houan commençait à ressentir un léger vertige. Des deux côtés de la galerie s'étendaient des jardins soigneusement entretenus tout du long, on y voyait même des étangs et de petites collines artificielles, mais tout cela flottait comme une brume irréelle devant les yeux de la jeune femme.

Elle dépassa maints pavillons obscurs, tous sans exception nantis d'une large plate-forme dallée. Ces porches de pierre déserts et empreints de fraîcheur donnaient l'impression d'un lieu de promenade construit au fin fond du palais, de façon à ne pouvoir être aperçu de l'extérieur.

Yu-houan s'arrêta devant l'un des pavillons. Comme les dames de compagnie qui la précédaient avaient fait halte d'un seul mouvement, elle avait dû naturellement s'arrêter aussi. La galerie tournait à angle droit quel-

14

ques mètres plus loin, et un petit groupe en déboucha soudain. En tête venaient deux dames de compagnie, suivies de quelques hommes. Yu-houan remarqua que les femmes qui l'entouraient inclinaient profondément la tête. Ne sachant qui pouvait s'approcher ainsi, elle baissa aussi légèrement le visage, juste assez pour éviter une impolitesse.

Au moment où le groupe les croisait, Yu-houan aperçut au milieu un vieil homme et comprit qu'il s'agissait de l'empereur Siuan-tsong en personne. Elle sentit son regard la transpercer. Elle-même avait gardé la tête inclinée mais à cet instant, mue par une irrésistible impulsion, elle leva le visage vers cet homme : serait-il pour elle dieu ou démon ? Elle n'en savait rien. Tandis qu'elle restait debout, la tête levée sous l'effet de ce geste parfaitement involontaire, Siuan-tsong s'arrêta un instant pour la contempler fixement. Les coins de sa bouche remuèrent légèrement, comme s'il allait dire quelque chose, mais aucun son ne sortit de ses lèvres. Après son passage, elle resta un moment figée dans la même position, incapable de la moindre pensée. Elle s'aperçut que les suivantes étaient restées immobiles, sans relever la tête.

Yu-houan pensa avoir su garder son quant-à-soi vis-à-vis du monarque. Elle n'avait manifesté devant lui ni vénération ni profonde politesse. Elle lui avait simplement rendu son regard sans savoir pourquoi, s'attardant à contempler son visage de vieillard exigeant.

Les suivantes se remirent en route et la reconduisirent dans la pièce où elle s'était reposée un instant plus tôt pour lui servir un repas. Les servantes amenèrent successivement des plats luxueux dressés sur de grands plateaux, que Yu-houan touchait à peine. Les mets étaient aussitôt remportés, et remplacés par d'autres. Depuis qu'elle avait mis le pied dans ce palais, la jeune femme n'avait pas échangé un mot avec quiconque, tout se passait en silence.

Peu après la fin du repas, elle fut conduite dans sa chambre à coucher et s'allongea sur le lit. Sans doute voulait-on qu'elle prît quelque repos, après le long voyage et les secousses du palanquin. En fait, elle se sentait épuisée, corps et esprit réduits en lambeaux par cette trop grande tension qui durait depuis la veille, par le manque de sommeil et la fatigue du voyage.

Elle dormit. Combien de temps dura son sommeil, elle n'aurait su le dire, mais quand elle s'éveilla la nuit tombait. A la lumière blafarde qui flottait devant le pavillon, à l'atmosphère stagnante, elle reconnut le crépuscule. Une servante d'âge moyen apparut aussitôt, comme si elle avait attendu son réveil. Lui adressant la parole pour la première fois, elle l'informa d'un ton courtois que l'empereur la faisait mander auprès de lui pour la nuit et qu'elle devait donc se rendre aux bains sur-le-champ.

Dix-huit salles de thermes se succédaient, la première étant celle de l'empereur. Yu-houan fut conduite à celle des concubines, une pièce entourée d'un muret de marbre située à l'angle sud-ouest du bain impérial, sur lequel elle offrait une vue d'ensemble. La salle d'eau impériale possédait une immense baignoire tapissée de jade blanc, bordée de poissons, dragons et oies sauvages en relief ; un lit de jade blanc était placé au centre de la baignoire, permettant de prendre un bain allongé. L'eau bouillonnante jaillissait du cœur d'une fleur de lotus sculptée dans le même jade blanc.

La salle de bains des concubines était beaucoup moins spacieuse que celle de l'empereur mais possédait aussi une baignoire de jade. Jaillissant de quatre ouvertures, l'eau chaude s'éparpillait en s'écoulant sur les larges plateaux de marbre rouge placés sous les bouches des fontaines. Les eaux limpides dégageaient une légère odeur de soufre, leur jaillissement intarissable emplissait la pièce d'un brouillard tiède et lumineux. Yu-houan s'allongea dans la baignoire. C'était là son premier bain thermal. Elle avait bien entendu parler du mont des Sources Chaudes, à côté du mont du Cheval Noir, à proximité de la capitale, mais sans y être jamais allée.

« Par un frileux printemps, elle eut l'honneur du bain,
            [au Bassin des Candeurs florales.

Dont la source chaude, au flot caressant, lustra ses
                                    [blancheurs onctueuses.
Des suivantes la relevèrent, délicate et tout alan-
                                    [guie... »

C'est ainsi que le poète Po Kiu-yi décrit dans *Le
Chant de l'éternel regret*[2] le premier bain de Yang
Yu-houan au palais des Sources Chaudes.

Après s'être rhabillée au sortir du bain, Yu-houan fut
conduite au salon de maquillage avoisinant la salle
d'eau. Une foule de suivantes l'y attendaient pour la
farder. A son entrée, elles poussèrent en chœur un cri
d'admiration puis baissèrent les yeux comme éblouies,
incapables de la regarder en face. Ce qui les éblouissait
ainsi était certes cette beauté qui fait l'orgueil des
femmes, mais aussi un autre sentiment peu plaisant
typiquement féminin : en proie à ces deux sentiments
contradictoires, les suivantes fascinées contemplaient
en elle à la fois l'alliée et l'ennemie de leur propre sexe.

Menée devant un grand miroir, la jeune femme s'enfonça dans un fauteuil de style étranger trop vaste pour
elle. Une des suivantes la contourna, une autre se plaça
derrière elle, mais Yu-houan, sans leur confier le soin
de la maquiller, leur donna ses propres directives. Pour
la première fois renaissait en elle une sorte de volonté
de vivre. Celui qui la désirait n'était autre que le monarque absolu de ce monde, et, si elle ne pouvait se
refuser à lui, autant lui offrir sa beauté dans son total
épanouissement. Pendant le voyage en palanquin, son
maquillage était si léger qu'elle était pratiquement au
naturel, mais maintenant elle aspirait à être lourde-
ment fardée. Quand elle en exprima le souhait, les suivantes inclinèrent la tête en signe d'assentiment.

---

2. Ce long et célèbre poème de Po Kiu-yi (772-846) conte les
amours de l'empereur Siuan-tsong et de Yang Yu-houan. La traduction de ce passage du *Chant de l'éternel regret*, de même que tous
les extraits de ce poème figurant dans le présent ouvrage, a été empruntée à l'*Anthologie de la poésie chinoise classique* sous la direction de Paul Demiéville (éd. Gallimard). (Tr. anonyme, Etudes fran-
çaises, Pékin, 1941.)

Yu-houan observa son visage dans la glace. Pour participer à un banquet nocturne, le maquillage pouvait être très épais. Ses cheveux seraient relevés en chignon, retenus par une épingle d'or et de pierres précieuses, et d'autres épingles à pendeloques. Ses sourcils ne seraient plus maquillés en antennes comme dans la journée, mais épaissis. Les dames de la cour de cette époque fardaient leurs sourcils de façon extrêmement variée : canard mandarin, colline, cinq montagnes, trois-pics, cascade de joyaux, croissant de lune, brindilles, fumée, nuage fuyant, halo renversé, et autres styles encore, mais Yu-houan ne s'inspira d'aucun d'eux. Elle traça simplement une ligne bien épaisse, l'affinant vers le nez comme la pointe d'un sabre, brouillant légèrement l'autre extrémité comme avec une étoffe. Après s'être poudré les joues à blanc, elle y appliqua du carmin ; puis elle passa plusieurs couches de rouge sur ses lèvres pour obtenir un effet d'épaisseur pulpeuse, et n'eut de cesse que sa bouche prenne la forme renflée d'une clochette. Par contraste, elle se fit des yeux aussi grands que possible : avec leurs coins remontant légèrement, on eût dit deux poissons renversés.

Son maquillage terminé, elle y mit la touche finale avec une épingle à chignon au motif floral et un petit losange vert pâle appliqué entre ses sourcils. Enfin elle dessina avec le plus grand soin une fossette sur chacune de ses joues. Ces fossettes, normalement invisibles, étaient uniquement destinées à embellir son sourire.

La séance de maquillage avait duré environ une heure. Quand Yu-houan fut prête, les suivantes s'écartèrent pour la laisser se lever. Elle scruta son visage dans le miroir puis en détourna les yeux.

« Quand, coulant un regard, elle vint à sourire, on vit
[éclore tant de charmes,
Que, dans les six harems, sous les fards et les khôls,
[nulle autre n'eut plus nul éclat. »

dit Po Kiu-yi dans *Le Chant de l'éternel regret*, et en vérité, il en était bien ainsi. Et il fallait qu'il en fût ainsi.

L'heure de l'audience avec l'empereur approchait. Une fois prête, Yu-houan se retira dans son pavillon pour se reposer, installée sur une chaise, en attendant que les suivantes viennent la chercher. Pour la première fois depuis son départ de Tch'ang-an, ses pensées allèrent au prince de Cheou. Durant six années, de ses dix-sept ans à ses vingt-deux ans actuels, ils avaient vécu comme mari et femme, pourtant l'existence du prince lui semblait maintenant si lointaine ! A la réflexion, c'est hier seulement que tous deux avaient discuté de l'invitation impériale, et même s'ils ne s'étaient pas revus depuis, cela faisait à peine vingt-quatre heures qu'elle l'avait quitté. Elle songeait pourtant à lui comme à un époux quitté il y a fort longtemps. Elle inspecta sa tenue, entièrement nouvelle pour elle. Rien ne lui appartenait, des vêtements aux ornements de chignon en passant par la lingerie, rien, pas même les chaussons incrustés de perles. Quant à son visage et sa coiffure, elle avait beau les avoir apprêtés selon son goût, ils différaient néanmoins totalement de son aspect ordinaire.

L'évocation des traits de son époux ne suscitait pas en elle le moindre chagrin. En livrant son corps à l'empereur, elle sauvait la vie du prince, mais n'avait aucunement le sentiment de s'offrir en victime. A vrai dire, cette séparation définitive avait coupé tous les liens qui l'unissaient à lui. Elle ressentait cependant une angoisse diffuse, qui augmentait d'instant en instant. Lors de sa rencontre avec l'empereur dans cette galerie au fond du palais, elle n'avait vu qu'un homme déjà enlacé par l'ombre de la vieillesse et que seul, peut-être, son regard perçant rendait un peu différent des autres. La perspective de se consacrer tout entière à cet homme l'inquiétait, cependant elle se soumettait au destin qui lui était échu, avec l'irruption dans sa vie de l'homme le plus puissant de l'empire chinois. Et maintenant elle allait rencontrer cette destinée : telle était sans doute la cause de son angoisse.

Soudain éclatèrent au loin les accents solennels d'une musique, qui sembla ensuite se rapprocher. On ne pouvait imaginer que cette musique marquait la première entrevue du souverain avec la femme qui allait partager sa couche, tant elle était dépourvue de douceur et de beauté : elle rendait un son terriblement grave.

Une suivante vint lui expliquer que l'on venait de commencer à jouer *Vêtements de plumes couleur d'arc-en-ciel*. Yu-houan entendait ce morceau pour la première fois mais elle en avait déjà entendu parler. L'empereur Siuan-tsong aurait noté lui-même de mémoire ce morceau à son réveil, après l'avoir entendu lors d'une visite en rêve au palais de la lune. L'empereur, disait-on, avait un amour inné de la musique, pour laquelle il possédait un don d'appréciation peu commun. Yu-houan devait entendre l'année suivante de la bouche même de l'empereur une autre version concernant le morceau *Vêtements de plumes couleur d'arc-en-ciel* : il l'avait composé, lui dit-il, sous l'effet de l'inspiration un jour qu'il était monté au relais de San-siang contempler le mont Nu-houa. Selon son humeur du moment, l'empereur contait alternativement l'une ou l'autre anecdote, et nul ne savait laquelle était véridique. Toujours est-il que résonnaient maintenant les accents solennels de ce morceau. Le rythme changea soudain, tandis qu'apparaissaient une dizaine de suivantes, tête respectueusement baissée. L'une d'elles, le visage inexpressif, s'adressa à Yu-houan d'un ton monocorde :

– L'heure de l'audience avec Sa Majesté est venue. Veuillez nous suivre.

Yu-houan partit à leur suite. Dès qu'elle commença à marcher, son angoisse s'évanouit. Le visage levé vers son destin, elle s'avança d'un pas qu'elle voulait aussi lent que possible.

Elle fut conduite jusqu'à une salle de réception faisant face à la galerie où elle avait croisé l'empereur. Devant la pièce se trouvait une plate-forme dallée enserrant la galerie, donnant à penser que des chants et des danses s'y déroulaient dans la journée, en accompagnement de banquets. La plate-forme était assez vaste pour contenir facilement quatre cents personnes, mais il ne s'y trouvait à ce moment-là pas âme qui vive ; seule tombait sur les dalles glacées la lumière limpide d'une lune hivernale, découpant l'ombre noire de la balustrade de marbre qui courait sur trois côtés de la plate-forme. L'intérieur de la pièce était brillamment éclairé, il y faisait aussi clair qu'en plein jour. La musique s'élevait de nouveau : flûte de roseau, tambour, luth, xylophone, cliquettes, le son des divers instruments emplissait la salle. Yu-houan entra. Elle se rendit seulement compte de la présence d'un trône sur la droite ; combien de gens comptait l'assistance, où et comment étaient-ils assis, elle ne vit rien de tout cela. Elle s'avança au milieu des innombrables lampes derrière les dames de compagnie, et s'arrêta en même temps qu'elles. Elles disparurent sur une révérence, et Yu-houan se rendit compte qu'elle se trouvait devant le trône, à distance respectable du siège impérial. Elle s'inclina profondément puis releva la tête pour voir le visage du monarque. C'était à n'en pas douter un homme âgé, mais il ne dégageait pas la même impression de vieillesse que dans la journée. Dans son visage aux traits fermes, les yeux avaient une acuité qui semblait la transpercer. Comme plus tôt dans la galerie, Yu-houan lui rendit son regard et le contempla fixement. Chose curieuse, une fois qu'elle eut posé les yeux sur ce visage, elle ne put plus les en détacher.

Quelques suivantes s'approchèrent pour la conduire au siège voisin de celui de l'empereur. Une fois assise, elle regarda la salle pour la première fois. L'assistance était peu nombreuse : entre les quelques dizaines de lampes, on apercevait un groupe de musiciens alignés du côté droit, et du côté gauche un groupe de courtisanes, pareilles à des poupées, attendant tranquillement. La musique avait changé du tout au tout, et sur la scène improvisée devant eux, plusieurs femmes enveloppées de vêtements barbares dansaient maintenant avec des mouvements vifs. Les instruments d'accompagnement étaient-ils étrangers ? Yu-houan n'avait jamais entendu leur pareil : la mélodie se faisait tour à tour languissante, triste ou tendre.

Des coupes de différentes tailles furent déposées sur une petite table placée devant Yu-houan. Une servante en remplit une d'alcool de riz, et quand Yu-houan leva le petit récipient de verre la musique s'intensifia. Elle reposa la coupe, la musique baissa ; elle la reprit et, de nouveau, les instruments jouèrent plus fort. Elle porta la coupe à ses lèvres et la reposa, toujours accompagnée par la musique. Une troisième fois, elle saisit le verre et but, en harmonie avec la musique brusquement accentuée.

Des femmes allaient et venaient, apportant des mets d'accompagnement, versant du vin. A chaque gorgée, Yu-houan vibrait à l'unisson de la musique. Silencieuse, elle se laissait bercer par le son des instruments. Sur la scène, des femmes dansaient, ensuite ce fut un groupe de jeunes gens, puis des hommes de pays étrangers. Elle croyait voir des étoffes bariolées flottant toutes seules dans un brouillard en suspension.

Soudain, une voix basse et caverneuse résonna à son oreille :

– Yu-houan, ton pays natal est bien le pays de Chou ?

Il semblait à la jeune femme qu'elle n'avait pas entendu de voix humaine depuis bien longtemps.

– C'est juste, répondit-elle.

– C'est une danse du pays de Chou que tu viens de voir, cela ne te rend-il pas nostalgique ?

– J'ai quitté ma province natale encore tout enfant, et ignore tout de ses danses.

Ce bref échange eut lieu sans que Yu-houan tourne son visage vers le souverain. Son siège était situé juste à côté du trône, et un peu en contrebas, si bien que se tourner vers son interlocuteur l'aurait obligée à changer totalement de position et à lever la tête vers lui. Elle évitait instinctivement d'être regardée de haut, car, dans ce cas, le point vert pâle posé sur son front, certainement déformé, aurait pu produire un effet incongru. Son maquillage, soigneusement étudié, n'était pas destiné à être vu de cette façon, avec le front au premier plan.

Un remous parcourut un coin de la salle. Le groupe de danseuses qui attendait se sépara pour ouvrir un passage, tandis que quelques suivantes se dirigeaient vers l'entrée, où apparut un petit groupe de dames de cour. En voyant la jeune femme qui s'avançait en premier, Yu-houan comprit qu'il devait s'agir de la concubine Prunus, qui seule, selon la rumeur, bénéficiait des faveurs de l'empereur, et avait pris la suite des défuntes Wang et Wou Houei. D'ailleurs, l'arrogance qui émanait d'elle suffisait à le proclamer.

Fort différente de Yu-houan, elle était grande et mince, avec un visage aux traits fins bien assorti à son corps ; son menton petit, joliment formé, semblait un peu trop pointu, peut-être à cause de l'intensité des lumières.

Une suivante vint annoncer à Yu-houan « Son Altesse dame Prunus ». Elle vit Prunus dessiner un langoureux demi-cercle en faisant sa révérence devant le trône, les yeux levés vers l'empereur, comme pour inviter le vieux souverain à admirer sa silhouette sous toutes ses faces. Offrant tour à tour à l'examen son profil, son dos, sa démarche, son maquillage, et jusqu'à la robe qui l'enveloppait, elle semblait dire : « Eh bien, ne suis-je pas belle ainsi ? »

Après s'être ainsi offerte à l'appréciation du monarque, elle détacha enfin de lui son regard pour le porter du côté de Yu-houan, qui la vit de face pour la première fois. C'était effectivement une beauté, au visage empreint à la fois de douceur et de distinction. Sa petite bouche particulièrement attirante était soulignée, contrairement à celle de Yu-houan, d'un rouge à lèvres discret, suivant la mode classique. Ses petites lèvres bien ourlées s'entrouvrirent pour distiller une voix claire et fluette, telle que Yu-houan n'en avait jamais entendue :

– Existe-t-elle donc vraiment, la femme qui pleure des larmes de rubis, celle dont la sueur a le parfum des joyaux, et qui portait un anneau de jade[3] au bras gauche à sa naissance ? En tout cas, elle est ici cette nuit, dirait-on...

Puis elle éclata d'un rire cristallin, qui évoquait exactement le son d'une cascade de joyaux.

De sa vie, Yu-houan n'avait été aussi surprise. Non pas à cause du venin railleur dont ces mots étaient manifestement chargés, mais à cause du détail de l'anneau de jade passé à son bras à sa naissance. Cette histoire avait cours dans sa province natale, et n'était connue que de ses parents les plus intimes ; elle-même l'avait entendue raconter dans son enfance par sa mère aujourd'hui défunte, et n'en avait plus parlé à quiconque depuis fort longtemps. Véridique ou non, comment cette histoire, transmise seulement dans un cercle de proches parents de son pays natal, avait-elle pu parvenir aux oreilles de la concubine Prunus ? L'allusion aux larmes et au parfum de sa sueur se basait également sur un fait précis : un poète de la capitale avait en effet présenté une courte pièce, rédigée en guise de divertissement, au prince de Cheou pour marquer l'arrivée de Yu-houan dans son domaine :

« Ses larmes coulent, pareilles à des rubis de glace,
Sa peau exsude un parfum de joyaux. »

Ce poème était sans aucun doute un hommage à la beauté de la jeune femme, mais tant le prince de Cheou que Yu-houan, tout en l'appréciant, avaient jugé inutile de le rendre public. Comment Prunus avait-elle pu en avoir connaissance ?

Voyant la concubine s'approcher d'elle, Yu-houan se leva, mais Prunus venait seulement s'installer sur le siège qui faisait pendant au sien, de l'autre côté du trône impérial. Depuis l'arrivée de la concubine, le banquet s'était animé, des courtisanes circulaient autour des sièges, versant du vin.

Yu-houan n'échangea plus une parole avec le vieux

---

3. « Yu-houan » signifie littéralement « Anneau de Jade ».

monarque, mais celui-ci, sans se soucier si elle l'écoutait ou non, lui délivrait des explications sur les nouvelles liqueurs qu'on leur servait. Il s'agissait surtout de vins étrangers, que Yu-houan goûtait chaque fois par politesse.

Environ une heure plus tard, Prunus quitta son siège et sortit, emmenant quelques suivantes avec elle. En sa présence, les musiciens avaient cessé d'accompagner Yu-houan chaque fois qu'elle portait une coupe à ses lèvres, mais, après son départ, ils reprirent leur manège, et la musique se fit de plus en plus tumultueuse.

Pressée par les suivantes, Yu-houan se leva. Quand elle quitta la salle, après une révérence au souverain, les jambes légèrement tremblantes, elle sentit l'air froid de la nuit pénétrer sa peau, et la lumière glaciale de la lune emplir ses yeux. Elle n'avait jamais bu si grande quantité d'alcool, ni goûté qualités si variées : c'était sa première expérience de l'ivresse.

Elle fut conduite dans une chambre retirée, au fond de laquelle se trouvait un petit boudoir où quelques suivantes la rafraîchirent en épongeant tout son corps, rectifièrent son maquillage et la revêtirent d'une robe de nuit. La chambre, mieux chauffée que les autres pièces du palais, dégageait une atmosphère paisible.

Yu-houan se fit porter du thé. Tout en le savourant, elle sentait les effets de l'ivresse s'accentuer : ses membres lourds et alanguis refusaient de bouger. Jetant un manteau sur ses vêtements de nuit, elle s'approcha de la porte pour sentir la fraîcheur de l'air nocturne. Le long de cette pièce également, courait une galerie s'élargissant devant l'entrée en une plate-forme dallée, composée de pierres assorties de couleur pêche et vert diapré, jointes aux mêmes dalles blanches que dans la salle de réception.

L'une des dames de compagnie lui fit signe de retourner dans la chambre, mais Yu-houan voulait dissiper un peu son ivresse à l'air froid de la nuit. Quand l'air nocturne commença à glacer son corps, elle rentra, et ouvrit les tentures du lit qui occupait le fond de la pièce, plongée dans les ténèbres car les suivantes avaient soufflé les lampes avant de se retirer. Sentant une présence dans l'obscurité du lit, elle resta un instant figée, la main sur le rideau entrouvert, avant de reculer instinctivement : n'était-ce pas le prince de Cheou qui se dissimulait ainsi dans le lit ?

– Yu-houan, que désires-tu le plus au monde en ce moment ?

La voix grave qu'elle connaissait déjà, celle de l'empereur, venait de résonner.

– Je n'ai aucun désir, répondit la jeune femme, tendue, retenant son souffle.

– N'y a-t-il vraiment rien que tu désires en ce monde ?

– Si, être aussi belle que la concubine Prunus...

L'empereur Siuan-tsong ne répondit pas, mais reprit un instant plus tard :

– N'as-tu pas d'autre souhait ?

– Non.

– Tu dis ne rien désirer, alors que je voudrais exaucer tous tes vœux, voilà qui est gênant pour moi.

– Dans ce cas, je vais vous le dire : je désire tout ce que mon empereur lui-même désire.

– Ah, j'ai déjà comblé tous mes désirs, et même au-delà. Il n'y a rien de nouveau que je puisse souhaiter... Si, une seule chose : l'immortalité.

– ...

– Et, oui, si je me force à le dire, j'aimerais posséder tous ces trésors barbares que je n'ai jamais vus.

– ...

– J'aimerais une fois dans ma vie chevaucher cet animal qu'on appelle éléphant.

– ...

– Edifier à nouveau les Terrasses du Ciel, et y dédier un temple au Ciel.

– ...

– Connaître tous mes sujets rebelles, pour les mettre à mort sans en laisser un seul.

– ...

– Envoyer mon armée écraser à tout jamais les rebelles tibétains.

Yu-houan tremblait sans pouvoir s'arrêter. Elle acquiesçait en silence à chaque phrase, sans en saisir clairement le sens. Elle comprenait seulement que l'homme couché là devant elle avait le pouvoir de réaliser tous ces vœux, et les réaliseraient sans doute un jour.

– Mais peu m'importe tout cela. Ce que je désire plus que tout maintenant, c'est la femme du prince de Cheou.

Pendant qu'il parlait, elle sentit la main de l'empereur vieillissant sortir d'entre les rideaux et s'emparer de la sienne pour l'entraîner sur le lit. Elle n'opposa aucune résistance : elle voulait aimer cet homme qui se trouvait maintenant devant elle. Non, elle ne voulait pas l'aimer, elle l'aimait déjà en cet instant. Elle l'aimait plus que tout au monde : il était le tout-puissant Fils du Ciel, il était son destin même.

– Eh, le vieux !

Le cri de Siuan-tsong réveilla Yu-houan. Toutes lampes éteintes, l'obscurité emplissait la chambre.

– Le vieux, le vieux, vite !

C'était clairement la voix d'un homme en proie à l'épouvante. Un vent furieux courait sur les dalles devant la chambre ; après son passage, l'écho de son vacarme traînait parmi les arbres des coteaux cernant le palais, pareil au long mugissement de la mer.

– Où est le vieux ? Où est Kao Li-che ? Qu'on l'appelle, vite ! hurlait Siuan-tsong, à demi dressé sur le lit.

– Que se passe-t-il ?

Quand Yu-houan s'adressa à lui, elle le sentit reculer avec un sursaut d'effroi, comme si un grand pan de l'obscurité chancelait.

– Qui es-tu ?

– C'est moi, Yu-houan.

– Ah, Yu-houan...

Pour la première fois, Siuan-tsong parlait à voix basse, comme s'il reprenait ses esprits, puis il poussa un long soupir :

– Soyons sur nos gardes. Quelqu'un s'est introduit ici.

Inconsciemment, la jeune femme parcourut les alentours du regard. Quelqu'un se dissimulerait-il dans les ténèbres qui entouraient le lit ? Elle aussi se dressa, retenant son souffle. L'obscurité semblait s'épaissir, des épées pointées vers eux les guettaient de tous les recoins de la pièce. Comme eux, l'ennemi retenait sa respiration. Des yeux perçants d'assassins constellaient l'obscurité, Siuan-tsong poussa cette fois un hurlement très net :

– Appelle le vieux !

Yu-houan se demandait comment s'y prendre pour appeler ce fameux « vieux », quand des lumières apparurent, trouant l'obscurité, accompagnées de bruit de pas précipités : un groupe de dames de compagnie arriva, leur tenue aussi parfaite que dans la journée.

– Sa Majesté a appelé ?

Chacune d'elles, ployant légèrement les reins, maintenait bien haut à deux mains une lanterne. Yu-houan rajusta le devant de son vêtement. Son regard fit le tour de la chambre sans rien remarquer d'anormal. Bientôt, une flamme brilla sur le plus grand des candélabres, allumé par le soin d'une suivante, et les beaux meubles luxueux, tables, chaises, encoignures, grands vases, cages à oiseaux dorées, urnes, lanternes à suspension, jusqu'au lit et à la cruche à eau, le moindre objet apparut en pleine lumière avec sa forme et ses couleurs particulières.

– Le vieux est-il à son poste ?

– Il est couché, Majesté.

– Qu'on le fasse venir.

Courbant la tête d'un seul mouvement, les suivantes quittèrent la pièce avec leurs lanternes.

Yu-houan, tout le corps tendu, restait silencieuse. Un événement suspect avait-il eu réellement lieu ? Elle n'en avait aucune idée, pas plus qu'elle ne savait combien de temps elle avait dormi. Il lui semblait qu'elle venait à peine de sombrer dans le sommeil, mais plusieurs heures avaient aussi bien pu s'écouler. La chaude sensation du plaisir ne s'était pas encore effacée d'elle. L'intérieur de son corps restait brûlant, seule la surface de sa peau était aussi froide que la pierre. L'homme assis à côté d'elle était-il vraiment le même que le souverain qui tout à l'heure caressait son corps ? Dans les mots d'amour du plus puissant des monarques du monde alternaient à l'infini douceur et cruauté. Avait-elle été broyée par une force inouïe, ou au contraire bercée tendrement, elle n'aurait su le dire. Une impétueuse avalanche l'avait doucement caressée, jusqu'à ce qu'une force aussi dévastatrice que la crue d'un fleuve l'emporte contre sa volonté vers le calme de l'infini.

Mais l'homme assis maintenant sous ses yeux n'avait plus rien de commun avec ce formidable amant. Il semblait avoir perdu l'esprit, épouvanté par quelque invisible apparition.

– Eteins le candélabre, la lumière va nous trahir.

Yu-houan obtempéra, l'obscurité envahit la pièce. A ce moment résonnèrent des bruits de pas traversant la galerie, et à nouveau les voiles de l'obscurité s'écartèrent un à un. Quand la chambre fut emplie d'une faible clarté, une voix basse se fit entendre à l'entrée :

– Me voici, Kao Li-che, au service de Votre Majesté. Etes-vous rassuré maintenant ? Pensiez-vous que Kao Li-che pouvait manquer à son devoir et être absent du palais ? Dormez maintenant sans crainte.

– Mais ce bruit insolite...

– Le bruit du vent sans doute.

– Cela n'y ressemblait pas.

– Le bruit du vent, vous dis-je. Regardez-moi bien : tant que ce vieillard-là sera à votre service, rien de fâcheux n'adviendra à Votre Majesté.

Le visage de Kao Li-che ressortait à la lumière des lanternes tenues par les deux suivantes qui l'encadraient. Yu-houan le connaissait de nom depuis longtemps, mais se trouvait pour la première fois face à lui. Il avait un an de plus que l'empereur, avait-elle entendu dire, mais à la lumière de ces lanternes, on lui en donnait plutôt dix de plus. Il possédait ces traits étranges particuliers aux eunuques. Un grand nez énergique ressortait dans son visage sillonné de rides ; ses larges yeux rayonnaient d'affabilité quand il parlait, mais dès qu'il fermait la bouche, ils prenaient une expression d'une indicible cruauté. Les longues rides profondes qui creusaient ses joues jusqu'aux commissures des lèvres lui dessinaient un perpétuel sourire, qu'il parlât ou restât silencieux, mais il s'agissait en fait davantage d'un rictus.

– Majesté, allez tout de suite reprendre votre somme.

– Cela faisait longtemps que je ne t'avais pas réveillé, jusqu'à cette nuit...

– La dernière fois remonte à dix jours à peine.

– Ah, vraiment ? Bon, tu peux t'en aller maintenant.

Kao Li-che fit une courbette, et en se relevant jeta vers Yu-houan un coup d'œil inquisiteur. Un indicible frisson la parcourut aussitôt de la tête aux pieds. Elle ressentait une impression complexe face à cette sinistre créature, cet homme dépourvu de virilité dont elle ne pouvait discerner la véritable nature. Elle ne pouvait le considérer clairement comme un ennemi : c'était à la fois plus compliqué et plus redoutable que cela.

Quand il se redressa, elle se rendit compte à quel point il était grand. Il devait avoir fière allure dans sa jeunesse, mais maintenant ses épaules tombaient, elle le remarqua lors de son départ quand il tourna le dos.

Ensuite, la fatigue eut raison de Siuan-tsong, qui s'endormit aussitôt couché. Sa façon de se rassurer simplement en vérifiant la présence de Kao Li-che dans la même aile du palais avait quelque chose d'enfantin. Mais l'incident n'était pas clos pour autant, car une heure plus tard environ, il se dressait à nouveau sur le lit avec les mêmes cris :

– Le vieux ! Appelez Kao Li-che !

Il ne sembla pas entendre Yu-houan quand elle lui demanda ce qui arrivait.

– Quelqu'un, vite ! Appelez Kao Li-che ! Un individu suspect est caché ici !

– Mais non, il n'y a rien de tel.

– Si, il y a quelque chose d'anormal.

A ces mots, Yu-houan se dressa à son tour sur le lit. Les servantes apparurent bientôt avec leurs lanternes et allumèrent le candélabre.

– Appelez le vieux, répéta Siuan-tsong, avant d'ajouter un instant plus tard : ce n'est plus la peine, partez tous.

– Faut-il laisser la lumière ? s'enquit Yu-houan.

– Inutile.

Elle éteignit le candélabre. Mais l'instant après :

– Est-ce l'écho du vent ? fit la voix de Siuan-tsong dans les ténèbres.

– Oui.

En fait, le bruit du vent était trop lointain pour qu'elle pût en jurer.

– Appelle Kao Li-che !

Yu-houan sentit son compagnon se redresser, à nouveau tenté d'appeler le vieil eunuque, dont le seul nom suffisait étrangement à dissiper sa terreur.

– Est-ce l'écho du vent ?

– Sans nul doute.

– J'entends aussi comme un bruit de combats.

– Ce n'est que le vent. Tendez bien l'oreille, écoutez : c'est l'écho du vent.

Cette fois, Siuan-tsong essaya nettement de se lever. La jeune femme l'enlaça pour le retenir : comme deux fines cordes enroulées à son torse, ses bras étreignirent doucement le souverain.

– Ecoutez, c'est le vent.

– Laisse-moi.

– Non, c'est l'écho du vent.

Emprisonnant de ses bras le corps du souverain solitaire, elle pressa étroitement sa poitrine plantureuse contre son visage, afin de le libérer de son hallucination auditive et d'étouffer ces cris de guerre, afin aussi d'empêcher le nom de Kao Li-che de franchir ses lèvres.

– Vous n'entendez plus rien maintenant !

Cette fois, Siuan-tsong ne répondit pas.

– La lame devra me transpercer d'abord, elle n'atteindra pas Votre Majesté...

Le monarque lui semblait maintenant un enfant désarmé. Il était la toute-puissance du Ciel, sa destinée à elle, par moments une force indomptée manifestant plus de violence que le cours du fleuve Jaune, mais en même temps que tout cela, il était l'âme esseulée d'un enfant en proie à des frayeurs permanentes. Et elle pouvait l'envelopper tout entier à sa guise de son propre corps, et même le faire taire, si elle le désirait, en lui couvrant la bouche de ses seins.

Yu-houan sentait que son corps avait subi une transformation totale. Le Ciel lui avait confié le monarque désarmé, et jusqu'à ce qu'elle le rende au dieu de l'aurore, il lui appartenait de l'envelopper de la caresse de ses bras frais et onctueux. Tel était le résultat – qui en valait certes la peine – de cet amour né d'une extase jusque-là inconnue d'elle.

« Trop brèves nuits d'amour, hélas ! avec le soleil si
[prompt à monter :
Dès lors le souverain s'abstint de l'audience mati-
[nale. »

est-il dit dans *Le Chant de l'éternel regret*. En effet, le matin suivant, l'empereur s'attarda longtemps dans la chambre, et à dater de ce jour perdit l'habitude de se lever tôt pour vaquer aux affaires de l'Etat.

Yang Yu-houan était native du pays de Chou (dans l'actuelle province du Sseu-tch'ouan). A la question de l'empereur sur la musique de son pays natal, elle avait répondu n'en rien connaître, ayant quitté tout enfant sa province. En réalité, elle ignorait non seulement la musique, mais tout ce qui concernait la contrée de Chou. A la mort de son père, sa maison, frappée par le sort, avait été dispersée, et elle avait erré de famille en famille, pour finalement passer son enfance à Lo-yang, dans la province du Ho-nan, dans la demeure d'un administrateur du service des travaux du nom de Yang Siuan-kiao.

Quant à sa naissance au pays de Chou, elle en était persuadée, et personne n'en doutait. Ses traits, son physique, disaient assez son origine méridionale. On ne trouvait pas dans le Nord ce genre de corps épanoui et bien en chair, et la beauté charmante de ses yeux limpides n'appartenait pas non plus aux femmes du nord de la Chine. Son goût pour les épices et les fruits juteux évoquait aussi le sang du Sud.

Yang Yu-houan était reconnaissante au ciel de

l'avoir fait naître sur une terre baignée d'un si ardent soleil. Bouleversée par sa beauté méridionale, le prince de Cheou l'avait voulue pour concubine, et cela avait changé le cours de son destin. Pour saisir la chance de devenir épouse de prince, elle avait dû, bon gré mal gré, adopter un nouvel état civil : son tuteur Yang Siuan-kiao était devenu son père officiel, et c'est en tant que fille aînée qu'il l'avait envoyée au domaine de Cheou. Yang Siuan-kiao n'était pas d'un rang particulièrement élevé, mais la maison Yang, dont la jeune femme était désormais membre, avait ses entrées partout grâce à une renommée due à son ancienneté. Cette maison avait un lien lointain avec le clan impérial des Yang de la dynastie Souei, et occupait de longue date une charge héréditaire dans le gouvernement de la province. En entrant au domaine de Cheou en tant que fille de Yang Siuan-kiao, Yu-houan adopta le nom de famille de son ancien tuteur : c'est ainsi qu'elle devint Yang Yu-houan. La fillette du pays de Chou, au lignage douteux, était née sous l'étoile d'un destin exceptionnel : après avoir été concubine du prince de Cheou, elle devenait maintenant celle de l'empereur Siuan-tsong.

Chapitre 2

Quand l'empereur Siuan-tsong manda Yang Yu-houan pour la première fois au mont du Cheval Noir, en l'an vingt-huit de l'ère de la Fondation (740), il était âgé de cinquante-six ans. L'ère de la Fondation, à laquelle succéda l'ère du Céleste Trésor, dura vingt-neuf ans. La rencontre de l'empereur et de la jeune femme eut donc lieu juste à la fin de la période paisible dont l'ère de la Fondation devait rester synonyme. Près de trente années s'étaient écoulées depuis que Siuan-tsong avait pris en main les rênes du pouvoir, et sous son sage gouvernement durant les années de l'ère de la Fondation, la dynastie T'ang connut son apogée, pareille à la floraison d'un printemps parfumé. La paix régnait, le peuple jouissait d'une vie tranquille. Le poète Tou Fou a laissé à la postérité le souvenir de ces années, dans le poème suivant :

« Je me rappelle l'ère de la Fondation,
Les jours de toute floraison –
Le moindre bourg semblait tenir dix mille foyers.
Riz coulant de graisse,
Millet blanc, les greniers publics, les caves
Regorgeaient de fruits de l'abondance.
Sur les routes et les sentiers des Neuf Iles
Point de loups et encore moins de tigres.
Pour partir en voyage, nul besoin
D'attendre un jour propice.
Les soieries du Chantong –

34

Une foule de chariots ;
L'homme au labour, et la femme aux magnans
Ne se perdaient plus l'un l'autre.
Dans son palais, l'Homme Saint
Jouait *La Porte des Nuages.*
Sous le ciel, les amis restaient unis
Comme colle et vernis.
Plus de cent ans sans
Les bouleversements du malheur.
Chou Souen aux rites et à la musique,
Siao Ho à la mesure des tubes sonores[1]. »

Il va sans dire que ce poème est un hymne à la gloire du gouvernement de l'ère de la Fondation. Une grande paix régna sur cette époque, d'où la perversion des mœurs était absente ; la nourriture abondait, et dans la paix publique préservée, un peuple aux sentiments stables accomplissait son travail de bon cœur, épargné même par les désastres naturels. Cette période de paix avait commencé avec l'accession au trône du jeune empereur qui, à vingt-huit ans, prit en main les affaires de l'Etat : l'époque précédente, elle, ne saurait être qualifiée de paisible.

Né en l'an deux de l'ère Sseu-cheng (685), Siuan-tsong était le troisième fils de l'empereur Jouei-tsong. Son nom personnel était Long-ki, il était l'arrière-petit-fils du clairvoyant T'ai-tsong, révéré premier Fils du Ciel de la dynastie T'ang, et le petit-fils de l'impératrice Wou Tsö-t'ien et de l'empereur Kao-tsong. Sa mère était née Teou.

A la naissance de Long-ki, son père Jouei-tsong portait le titre d'empereur, mais déjà le pouvoir lui avait échappé et reposait entièrement entre les mains de sa mère Wou, la propre grand-mère de Long-ki. L'impératrice Wou, qui reçut le titre posthume de « Grande Impératrice Sacrée Conforme-à-la-Loi-du-Ciel » est plus connue sous le nom d'impératrice Wou Tsö-t'ien, ou

1. Ce poème de Tou Fou *Je me rappelle* est traduit du chinois par Patrick Carré.

Wou « Conforme-à-la-Loi-du-Ciel ». C'était une femme pleine d'ostentation, assoiffée de pouvoir, cruelle et débauchée, mais en même temps intelligente et équitable. Cet intime mélange oblige aujourd'hui à la considérer simplement comme une femme hors du commun, sans pouvoir se prononcer dans un sens négatif ou positif.

Originaire de Chan-si, elle était entrée dans le gynécée de T'ai-tsong à l'âge de quatorze ans, et entra en religion à la mort de celui-ci. L'empereur Kao-tsong ne tarda pas à l'arracher à ses vœux monastiques pour l'intégrer à son propre gynécée, n'hésitant pas à s'approprier une des concubines de son père, devenue nonne de surcroît. A cette époque, l'impératrice Wou, s'étant faite nonne afin de prier pour le repos de l'âme de l'empereur défunt, devait être une jeune femme modeste et d'une nature fidèle, mais son caractère évolua graduellement après son entrée dans les appartements intérieurs de Kao-tsong. Une tendance jusque-là inconnue d'elle-même prit-elle soudain possession de son âme, dont elle fit dès lors vibrer toutes les cordes ? Après avoir supplanté l'impératrice et les concubines en faveur auprès de Kao-tsong, et obtenu à son tour le titre d'impératrice, elle ne put se contenter de pardonner à ses anciennes rivales. Elle les rabaissa au rang de femmes du peuple, puis, cela ne lui suffisant pas, les fit jeter en prison. Cela ne la satisfaisant toujours pas, elle leur fit couper les mains et les pieds puis les fit jeter dans des fûts à alcool. Quand elle devint impératrice, elle avait trente-trois ans, et Kao-tsong vingt-huit.

L'année suivante, en 656, Wou destitua l'héritier du trône au profit de celui de son choix, et prit en main les affaires de l'empire à la place de Kao-tsong, de constitution maladive. Par la suite, des velléités de révolte s'élevèrent fréquemment contre elle, mais elle les considérait comme des bagatelles qui ne valaient pas la peine de s'y attarder. Elle fit arrêter et exécuter ses opposants les uns après les autres. Tous les postes importants de la Cour furent bientôt occupés par des membres de la famille de Wou.

En 685, Wou prit le pouvoir de nom et de fait, en

nommant empereur son propre fils, le prince Sien, qui devint l'empereur Tchong-tsong. Un an plus tard, en 684, Tchong-tsong fut destitué et son frère cadet Tan monta sur le trône : il s'agissait de l'empereur Jouei-tsong. L'année suivante, en 685, naquit Long-ki, le futur empereur Siuan-tsong. Mais le règne de Jouei-tsong devait lui aussi être bref : Wou le fit destituer en 690 pour monter elle-même sur le trône. Elle s'arrogea le nom de l'antique dynastie des Tcheou, et donna à l'ère de son règne le nom de « Désignée par le Ciel ». Elle était alors âgée de soixante-huit ans.

L'adolescence de Long-ki se déroula pendant ces années où son intrépide aïeule exerçait le pouvoir. A trois ans, il fut nommé prince de Tch'ou ; à sept ans, l'année suivant l'accession au trône de l'impératrice Wou, elle lui accorda une audience impériale, avec un cortège en grand apparat. Une anecdote concernant le jeune Long-ki de cette époque est passée à la postérité. Un membre du clan Wou, nommé prince de commanderie, tança un jour au palais un membre de l'escorte de Long-ki. Celui-ci s'emporta à son tour contre le prince : « Comment oses-tu réprimander quelqu'un de ma suite, dans le palais impérial même ? » A une époque où il fallait, pour être considéré comme un être humain, appartenir à la famille de Wou, cette sortie de Long-ki témoignait d'une bravoure qui en étonna plus d'un. On dit que Wou se montra ravie quand on lui rapporta l'incident, et qu'elle s'employa désormais à choyer son petit-fils. Quand il eut neuf ans, sa mère, dame Teou, qui ne s'était jamais entendue avec sa belle-mère, fut arrêtée et assassinée sur ordre de l'impératrice. En répercussion de cette affaire, les enfants de Jouei-tsong qui étaient princes de sang furent rétrogradés au rang de princes de commanderie, et Long-ki lui-même, nommé prince de la commanderie de Lin-tseu, fut emprisonné dans le palais impérial. Plus tard, sa grand-mère recommença à le favoriser et, quand il eut quatorze ans, lui accorda un domaine dans la capitale orientale de Lo-yang, puis, à dix-sept ans, un nouveau domaine à Tch'ang-an.

Même l'âge n'eut pas raison de l'impératrice Wou,

mais elle finit pourtant par mourir en 705 à l'âge de quatre-vingt-trois ans. L'oncle de Long-ki, Tchong-tsong, après une longue disgrâce, renversa le clan des Wou et accéda enfin au trône ; en 708, Long-ki reçut la charge de vice-président de la cour des gardes et fonctionnaire adjoint à la préfecture de Lou au Yunnan : il avait alors vingt-quatre ans.

Avec la mort de l'impératrice Wou, la cour impériale des T'ang croyait échapper à l'emprise des femmes, mais cette malédiction la poursuivit. L'épouse de l'empereur Tchong-tsong, née Wei, conçut elle aussi, suivant l'exemple de l'impératrice Wou, l'ambition de prendre en main les rênes du pouvoir. Elle empoisonna son époux Tchong-tsong, mit son propre fils sur le trône, et alla jusqu'à se donner le titre d'impératrice T'ai. Elle tenta évidemment de faire inhumer Tchong-tsong sans divulguer la cause de sa mort, mais Long-ki, connaissant la vérité, dressa un plan avec l'aide de sa tante la princesse T'ai-p'ing, et lors d'une attaque nocturne du palais impérial, extermina le clan des Wei. Cela se passait en 710. Son père Jouei-tsong remonta alors sur le trône, et Long-ki prit le titre de prince héritier.

Mais c'était sans compter la calamité féminine, qui se réitéra une troisième fois. La princesse T'ai-p'ing, forte de la grande influence qu'elle avait commencé à exercer à la Cour après avoir contribué à renverser le clan Wei, complota d'écarter son neveu Long-ki de la succession. Jouei-tsong, conscient du danger, passa deux ans à tenter de l'écraser dans l'œuf, et céda finalement le trône à Long-ki quand celui-ci eut vingt-huit ans : l'empereur Siuan-tsong était né.

L'année suivant son avènement, le jeune empereur fit arrêter et exécuter la princesse T'ai-p'ing et sa clique, et inaugura l'ère de la Fondation. La longue période de malheurs dus aux femmes était enfin terminée, le règne paisible de l'ère de la Fondation commençait.

Personne ne sut par quel miracle l'empereur Siuan-tsong maintint la paix durant l'ère de la Fondation, et bien entendu, lui-même l'ignorait. Mais après son avènement, il se mit à gouverner l'empire avec un tel bonheur que tous ses sujets s'en étonnaient. Le palais intérieur, où se tramait toujours quelque sombre complot, devint d'une limpidité inconnue jusque-là. Les invasions barbares à grande échelle disparurent des frontières, le nombre de malfaiteurs dans les deux capitales, Tch'ang-an et Lo-yang, connut une baisse sensible, les famines et les catastrophes naturelles elles-mêmes diminuèrent à un point inégalé jusqu'alors.

Passé cinquante ans, l'empereur cessa de prêter l'oreille aux louanges de ses vassaux concernant sa politique mais, de temps à autre, quand il était vraiment de bonne humeur, il lui arrivait de laisser échapper quelque commentaire, variable selon les moments.

Ses vassaux attribuaient la paix régnant sur l'empire à la sagesse rare et sans précédent du souverain. Siuan-tsong n'avait pas nié cette vérité dans sa jeunesse, il en était lui-même persuadé. Par conséquent, il ne se laissait pas éblouir le moins du monde par les eulogies incessantes de ses vassaux, qui ne lui semblaient jamais exagérées, si outrancières fussent-elles : il trouvait tout naturel d'être porté aux nues. Mais passé cinquante ans, les louanges commencèrent à le laisser indifférent, et même à le lasser, tant il les trouvait ennuyeuses et assourdissantes. Mais dans ses jours de bonne humeur, il lâchait brièvement comme pour lui-même :

– Yao Tch'ong n'a jamais eu son pareil...

Il n'en disait pas plus. « Ah ! » faisaient les vassaux avec un hochement de tête, essayant, sans succès de saisir la pensée intime de leur souverain. Fallait-il approuver et encenser la perfection de l'ancien Premier ministre Yao Tch'ong, ou au contraire le dénigrer, ils n'en avaient pas la moindre idée. A de tels moments, Siuan-tsong était en fait irrésistiblement tenté d'attribuer la paix qui durait depuis plus de trente ans dans l'empire au Premier ministre Yao Tch'ong, que lui-même avait été démis de ses fonctions au bout de quatre ans.

Premier ministre au temps de l'impératrice Wou,

Yao Tch'ong avait été destitué, puis rappelé à ce poste par Siuan-tsong. Lors de son entrée en fonction, Yao Tch'ong avait respectueusement soumis à l'empereur un mémoire de dix articles, disant qu'il ne pourrait accepter le poste que si l'empereur acceptait préalablement ses requêtes.

Adoucir les lois, mener une politique plus tolérante, interdire aux eunuques de se mêler de politique, accepter les remontrances, cesser d'accorder des charges officielles à ses parents maternels, telles étaient ses revendications. Elles n'avaient rien d'impossible, et Siuan-tsong les accepta. Aujourd'hui, à cinquante ans passés, il lui semblait comprendre pour la première fois à quel point ces mesures avaient compté dans le bon déroulement de sa politique. Cela dit, Siuan-tsong ne respectait actuellement pas un seul de ces principes, et n'aimait pas se remémorer trop longtemps le visage de Yao Tch'ong, dont le souvenir n'était guère plaisant.

À d'autres moments de bonne humeur, il lui arrivait aussi de dire :

– Ah, si seulement Song King était là aujourd'hui !

Song King était le gouverneur général de Kouang-tcheou, que Siuan-tsong avait mandé au poste de Premier ministre, sur les recommandations de Yao Tch'ong. Lui aussi avait été démis de ses fonctions au bout de quatre ans, mais celui-là était un législateur draconien, qui réglait tout en inventant des lois pour chaque cas. Siuan-tsong se remémorait cet homme de temps à autre, songeant qu'aujourd'hui, il aurait beau chercher, il ne trouverait pas son pareil. Song King jugeait toutes choses à la lumière de la loi. Quoique Siuan-tsong lui demandât, il avait toujours une réponse prête : il était l'incarnation même de la loi.

À d'autres moments encore, Siuan-tsong se remémorait un troisième personnage :

– Ah ! Han Sieou ! faisait-il seulement, sans plus de précisions quant à ses capacités, le nom seul de cet ancien Premier ministre lui paraissant suffisamment évocateur.

Celui-là avait été congédié au bout de dix mois, mais durant ce laps de temps, il avait observé d'un œil sévère les faits et gestes de l'empereur. Dès que celui-ci déviait tant soit peu de ses manières impériales, la petite stature de Han Sieou, surgie de nulle part, venait s'asseoir juste sous son nez. Siuan-tsong ne se souvenait pas avoir entendu de lui autre chose que des remontrances. Sous le ministère de Han Sieou, il ne pouvait pas même s'enivrer en paix, ni s'adonner à la chasse. Ce Premier ministre-là l'avait fait maigrir, soit, mais le peuple, lui, avait engraissé !

Siuan-tsong se rappelait souvent ces trois Premiers ministres : Yao Tch'ong, Song King et Han Sieou. Dans ses moments d'indulgence et d'aménité, il était tenté de leur renvoyer toutes les louanges dont ses vassaux l'abreuvaient. Il ne trouvait plus personne de cette trempe dans son entourage aujourd'hui : les récents Premiers ministres ne lui avaient jamais opposé la moindre critique.

Il ne souhaitait pas cependant voir réapparaître ces trois personnages, car il était fort douteux qu'il eût supporté pareils caractères dans son gouvernement. Le monde s'accommodait parfaitement de leur absence, et fonctionnait très bien ainsi.

A l'occasion de quelque banquet, Siuan-tsong prenait parfois conscience de sa solitude. Que ce soit lors des banquets protocolaires auxquels assistaient tous les dignitaires de la Cour, pareils à des rangées d'étoiles scintillantes, ou dans les festins animés par les chants et les danses des plus belles femmes de la barbarie, ou même quand il recevait en audience dans la grande salle de conseil du palais des émissaires étrangers, l'assaillait parfois ce sentiment fugace que tout ce qui avait constitué jusqu'alors son entourage, êtres et choses, s'éloignait irrémédiablement de lui. Il se retrouvait seul, abandonné au fin fond d'une grotte glaciale et sans issue, imprégnée d'humidité, sans un rai de lumière, emplie seulement des ténèbres glauques d'une aube malodorante.

Il commença à prendre conscience de ce genre d'impression en lui après ses cinquante ans, et se rendit compte en même temps de la violence des aspirations de son cœur en de tels moments. Une terrible soif

41

de sang le saisissait alors, ou au contraire un désir de s'abandonner totalement aux plaisirs des sens, de s'y enfermer, de s'y perdre. Siuan-tsong résistait toujours à ces vagues de violents désirs. Les deux seules choses auxquelles il n'avait pas encore pleinement goûté en ce monde, se disait-il, était la cruauté et l'excès de volupté. Il avait déjà tout fait en dehors de cela, y compris les sacrifices au Ciel et à la Terre qu'un empereur n'accomplit qu'une fois dans sa vie. L'empereur qui avait reçu le Mandat du Ciel devait sacrifier au Ciel sur la montagne sacrée de T'ai-chan, puis rendre hommage à la Terre au pied de ce mont, sur la petite colline de Liang Fou. Ce rite datait de l'Antiquité, et les souverains chinois exprimaient par son accomplissement solennel leur reconnaissance envers les dieux, lorsqu'ils connaissaient un règne paisible. Chehouang-ti, premier souverain des Ts'in, l'empereur Wou des Han, l'empereur Kouang Wou des Han orientaux, et, dans un passé plus proche, Kao-tsong et l'impératrice Wou Tsö-t'ien, tous l'avaient accompli. Siuan-tsong s'était acquitté de cette cérémonie fastueuse au onzième mois de l'an treize de l'ère de la Fondation. Gardant à l'esprit la pureté de la montagne sacrée, il avait fixé sa suite à un nombre réduit et conduit lui-même son cheval jusqu'au sommet, sans le char impérial. En dehors des plus hauts notables, guerriers et mandarins, de nombreux émissaires étrangers assistaient également à la cérémonie. Accomplissant l'acte le plus grandiose que puisse réaliser un être humain en ce monde, Siuan-tsong avait parlé avec les dieux du Ciel, conversé avec les dieux de la Terre. Le souverain absolu de la terre avait eu une entrevue avec les dieux.

Vraiment, que restait-il à accomplir à un homme qui avait sacrifié au Ciel et à la Terre ? Comparé à cela, toutes les occupations humaines ne pouvaient que paraître mesquines. Les tâches qu'il avait à accomplir ne présentaient plus aux yeux de Siuan-tsong aucun attrait. Seuls offraient encore quelque charme la luxure et la cruauté : une lumière légèrement phosphorescente semblait émaner de ces plaisirs douteux.

Mais Siuan-tsong n'aimait pas s'attarder dans cette grotte solitaire. Si ces pensées l'assaillaient sans crier gare, elles le quittaient tout aussi brusquement, il s'en éveillait comme d'un rêve. Ses aspirations à la cruauté, son désir de se noyer dans la sensualité, s'évanouissaient en un clin d'œil, mais le fait que de telles pensées avaient pu le submerger restait d'une indubitable réalité. En reprenant ses esprits, il sentait la sueur poisser son front, ses aisselles, la paume de ses mains. Etre un monarque éclairé ou un despote n'était que les deux faces d'une même feuille de papier : jusqu'à ce jour Siuan-tsong avait mené la politique de l'ère de la Fondation en sage souverain, mais il pouvait à tout moment se muer en tyran débauché.

Quand il émergeait de cette grotte obscure et recouvrait l'esprit, Siuan-tsong évoquait ses deux épouses défuntes. L'une d'elles était la dame née Wang qu'il avait pris pour épouse dans sa jeunesse, alors qu'il était prince de la commanderie de Lin-tseu. Wang avait été littéralement sa compagne des jours sans pain, et Siuan-tsong en avait fait tout naturellement son impératrice en accédant au trône. Mais elle était morte, accusée de crime, destituée et rabaissée au rang du peuple. Sa deuxième épouse était Wou Houei, issue de l'illustre famille de l'impératrice Wou Tsö-t'ien. La rumeur publique attribuait la destitution de l'impératrice Wang, pour un crime commis par son frère aîné, aux manigances de Wou Houei, mais Siuan-tsong, qui aimait profondément sa deuxième épouse, n'ajoutait pas foi aux bruits peu ragoûtants circulant à son sujet. La rumeur publique attribuait également à ses intrigues la chute et la condamnation à mort du prince héritier fils de Tchao Li, une des concubines impériales, ou bien l'assassinat du frère aîné de l'épouse de ce prince. Siuan-tsong ne croyait pas à ces rumeurs, persuadé d'avoir légitimement puni les coupables d'un acte de rébellion. Wou Houei avait quitté ce monde à quarante ans, encore dans tout l'éclat de sa beauté. C'était une femme fort intelligente, que Siuan-tsong avait coutume de consulter de son vivant sur tous les sujets.

L'empereur se remémorait fréquemment ses deux

épouses, Wang et Wou Houei, si différentes tant sur le plan de la beauté que du caractère. L'impératrice Wang avait été la plus malchanceuse, et Siuan-tsong n'était pas sans en éprouver parfois du remords, n'ayant compris qu'après sa mort à quel point il l'avait aimée. Quant à Wou Houei, qui reçut le titre posthume d'« Impératrice de l'Ordre et de la Vertu », il lui fit construire un mausolée au sud du monastère taoïste du Ciel Azuré à Tch'ang-an.

Yang Yu-houan apparut donc dans la vie de Siuantsong au moment où le souverain de l'ère paisible de la Fondation, venant de passer la cinquante, découvrait la solitude au fond d'une obscure caverne. La jeune femme ignorait encore l'étendue et la complexité du rôle qui lui était dévolu : il allait lui falloir combler le vide laissé dans la vie de l'empereur par la mort des deux femmes qu'il avait aimées, et insuffler des forces nouvelles au corps et au cœur du souverain vieillissant, incapable d'émotion depuis le rite du Ciel et de la Terre. Enfin, de temps à autre, elle aurait aussi à endosser le rôle des trois Premiers ministres Yao Tchong, Song King et Han Sieou, puisque c'était là les personnages dont Siuan-tsong s'était entouré dans la grotte glacée et solitaire où il aimait désormais se retirer. Yu-houan devrait user de toute sa douceur pour apprivoiser ce fauve embarrassant, assoiffé de cruauté et de luxure, mais elle était en mesure de le faire, si elle en ressentait le désir : elle avait vingt-deux ans. Elle regarda ses mains, blanches, fraîches, onctueuses au toucher, les porta à ses joues, les fit glisser le long des lignes pleines de son visage jusqu'à sa bouche. Elle saisit ses doigts entre ses jolies canines, menues mais aussi acérées que les crocs d'un fauve. Leur morsure pouvait se faire tranchante, ou douce comme une caresse...

Yu-houan fit son entrée au palais impérial de Tch'ang-an en tant que nonne taoïste, sous le nouveau nom de Grande Sincérité. C'était après un séjour de deux semaines au mont du Cheval Noir, et son nom avait été emprunté au palais de la Grande Sincérité, où elle devait habiter.

Siuan-tsong avait fait d'elle une nonne taoïste afin de sauvegarder les apparences aux yeux du monde. Entrer en religion revenait en d'autres termes à annoncer son divorce d'avec son époux, le prince de Cheou. Même s'il s'agissait d'un expédient, faire de sa bien-aimée une nonne de cette religion prouve la révérence dans laquelle l'empereur tenait le taoïsme. La voie du Tao, fondée par Lao-tseu, poursuivie par son disciple Tchang Tao-ling, était une religion complexe plongeant ses racines dans la pensée religieuse polythéiste de l'Antiquité chinoise et dans les croyances populaires. Les sciences, l'astronomie, la médecine, se trouvaient aussi incluses dans la Voie, qui englobait également bouddhisme et confucianisme. Le taoïsme était largement pratiqué dans la Chine ancienne, en même temps que ces deux autres religions. Les arts magiques du Tao, l'obtention de la longévité et de l'immortalité, la faculté de voler dans l'espace, ou de se métamorphoser, fascinaient les gens du peuple, et parmi les empereurs mêmes, nombreux furent les adeptes du Tao, à commencer par Che-houang-ti, premier empereur des Ts'in, et par l'empereur Wou des Han. Et même si certains parmi les Fils du Ciel refusèrent de suivre la Voie, et nièrent l'existence des Patriarches, la racine de ces croyances chez le peuple était si profonde que le taoïsme ne fut jamais ouvertement réprimé.

Sous les T'ang, ni T'ai-tsong ni Kao-tsong n'introduisirent le Tao à la Cour, mais à partir du règne de Wou Tsö-t'ien, les adeptes du Tao affluèrent au palais ; Jouei-tsong embrassa lui aussi la Voie, et Siuan-tsong à son tour suivit l'exemple de son père.

Yu-houan trouva étrange au début l'attirance de Siuan-tsong pour le Tao, mais cessa bientôt de s'en étonner. Si Siuan-tsong, possédant le pouvoir le plus immense dont un être humain pût rêver, avait encore quelques souhaits à formuler, c'étaient bien ceux-là : rester jeune à jamais, voler libre dans l'espace, connaître des métamorphoses instantanées. Rien d'autre maintenant n'attirait plus le cœur du monarque que la violence et la volupté, mais à ces deux aspirations-là il opposait des résistances, car il lui aurait fallu ôter le manteau du monarque avisé pour se transformer en tyran. Quand il se sentait attiré sur cette pente la voie du Tao susurrait à l'âme du monarque solitaire son appel vers une vie d'une incomparable clarté, libre, magnanime, mais aussi pleine d'agrément. Et puis, c'était là un rêve caressé depuis toujours par les humains, et que nul encore n'avait réalisé.

Siuan-tsong n'aimait guère recevoir les enseignements formels des moines taoïstes. Les enseignements confucéens sur la façon de gouverner le monde avec vertu lui avaient déjà été imposés jusqu'à l'écœurement dans son enfance. Les arts magiques des immortels avaient à ses yeux plus de charme, et il ne se lassait jamais de ces récits mille fois entendus. Il était suffisamment au courant des théories selon lesquelles les patriarches n'avaient jamais réellement existé, et même, quelque recoin de son esprit le lui affirmait mais, malgré tout, dès qu'il était question de vie éternelle et d'élixir d'immortalité, il écoutait sans se lasser ces histoires qui conservaient pour lui toute leur fraîcheur.

Siuan-tsong gardait toujours Yu-houan assise près de lui quand il faisait venir un moine taoïste pour lui conter ces histoires. Tandis qu'il était absorbé par leur déroulement, elle le contemplait en songeant que nul être au monde ne devait désirer aussi intensément l'immortalité. Quand le moine commençait à parler, Siuan-tsong arborait d'abord l'expression placide de quelqu'un qui écoute un récit sans intérêt, mais son visage changeait au fur et à mesure que l'histoire progressait. Ses yeux se mettaient à briller d'un éclat extraordinaire comme si le moine l'avait ensorcelé, il serrait les commissures des lèvres, donnant à son visage une expression affligée. On sentait en lui à la fois la docilité d'un chien rongeant son frein devant sa pâtée en attendant l'ordre de son maître, et une ardeur contenue le tenant prêt à se jeter sur le plat.

La nuit, partageant la couche de Siuan-tsong, Yu-houan lui demandait parfois :

– Espérez-vous donc vraiment l'immortalité ?

Elle scrutait son visage avant d'ajouter :

– C'est chose impossible. Tout ce qui vit doit mourir, c'est la triste loi de ce monde.

Elle commençait à délier de ses propres mains le sortilège du moine taoïste.

– Ainsi, même le nombre de nuits que nous pouvons passer ensemble est limité. Ce serait tellement merveilleux, si cela pouvait durer éternellement, sans fin ! Hélas, notre temps est limité.

Comme on ôte des vêtements un à un, elle dépouillait de son rêve d'éternité cet être plus attaché à la vie que quiconque. Puis, simple mortelle vouée à disparaître un jour, elle se jetait dans les bras du vieux souverain. Et lui, rendu à son état d'existence fugitive, serrait dans ses bras les formes éphémères de la femme à qui il devait cette connaissance. Dans la chambre cernée par l'imminence de la mort, les délices de la vie prenaient allure de serment par eux échangé ici-bas. Violemment, tendrement, ils échangeaient des serments qui se cristallisaient en amour éternel. Et dans un recoin du cœur de Siuan-tsong se cristallisait cet amour, comme une perle minuscule et inaltérable, à l'éclat immaculé. Car Yu-houan devait prendre possession non seulement du corps, mais aussi du cœur de l'empereur, si elle voulait le soustraire à son harem de trois mille femmes.

L'année suivante, l'an vingt-neuf de l'ère de la Fondation, Siuan-tsong se rendit dès le jour de l'an au palais des Sources Chaudes, accompagné, bien entendu, de Yu-houan. Au cours de ce séjour, Yu-houan rencontra la concubine Prunus pour la seconde fois. L'impression de dédain infini que dégageait Prunus lors de leur première rencontre au palais impérial ne s'était pas effacée de sa mémoire. Elle pensait même en garder le souvenir sa vie durant. Leur entrevue eut lieu cette fois dans un coin des immenses jardins du palais des Sources Chaudes, étagés en innombrables terrasses aux pentes douces. En compagnie de deux suivantes, Yu-houan remontait une allée menant d'une terrasse en contrebas aux jardins supérieurs, quand elle se trouva soudain nez à nez avec Prunus qui descendait, accompagnée elle aussi de deux ou trois femmes. Yu-houan s'arrêta et se rangea sur le bord du chemin pour lui céder le passage. Prunus de son côté s'était également arrêtée et ne bougeait pas d'un pas. Une de ses suivantes s'enquit respectueusement :

– Montez-vous aux terrasses supérieures ?

Sur la réponse affirmative d'une suivante de Yu-houan, elle ajouta :

– Vous pouvez vous y rendre, à condition de ne pas pénétrer dans le bois de prunus.

La suivante de Yu-houan en demanda la raison.

– Il est interdit à quiconque d'entrer dans le bois de prunus, tant que Son Altesse dame Prunus n'a pas fini de composer ses poèmes. Elle en a expressément fait la demande auprès de Sa Majesté, qui en a donné avis public. Nous vous communiquons donc la chose, car il convient que vous en ayez connaissance.

Yu-houan fit acquiescer par ses dames de compagnie et attendit que Prunus descendît l'allée, mais celle-ci ne faisant pas mine de bouger, elle avança et la dépassa, la saluant du regard. Prunus, qui manifestement s'attendait à ce que Yu-houan redescendît le chemin pour lui céder le pas, sembla fort vexée de la voir passer sans se soucier d'elle. Yu-houan entendit une suivante dire dans son dos : « Quelle obstinée ! »

De la terrasse supérieure, on apercevait en effet sur la droite un vaste bois de prunus, où Yu-houan s'enfonça bientôt sans faire cas de l'avis des dames de compagnie. Les fleurs de prunus commençaient tout juste à s'épanouir. En s'avançant les yeux levés vers les branches chargées de bourgeons encore durs, on apercevait par endroits des pétales déployant leur blanche corolle. Yu-houan ordonna à l'une de ses suivantes de lui cueillir une branche. De retour dans sa chambre elle en décora une tablette d'encoignure.

Quand Siuan-tsong vint lui rendre visite, elle lui dit en désignant les fleurs d'ornement : « J'ai brisé sans autorisation cette branche dans le bois de dame Pru-

nus. Moi aussi, les fleurs de prunus sont mes préférées. »

– Dans ce cas, je t'offre la moitié du bois, répondit
l'empereur.

– La moitié ?

– Le veux-tu en entier ? Je te le donne.

– Dame Prunus y consentira-t-elle ?

– Consentement ou pas, c'est moi qui donne.

– Mais en plus du bois, je voudrais aussi ses appartements.

– Ils sont à toi si tu veux. Je lui ordonnerai de rentrer à Tch'ang-an.

– Même à Tch'ang-an, c'est elle qui a la plus belle
chambre de tout le palais de la Grande Clarté.

– Si tu la veux aussi, je te la donne. J'enverrai Prunus ailleurs.

– On dit que ses dames de compagnie sont les plus
intelligentes qu'on puisse trouver.

– Tu peux en rassembler de plus fines si tu veux. Ou
si tu préfères les siennes, je te les donne.

– Je voudrais encore autre chose...

Siuan-tsong fixa Yu-houan d'un air perplexe.

– Je ne veux rien de tout ce que vous venez de
m'accorder. Ce que je désire, c'est ce cœur que vous
lui avez donné.

L'expression de Siuan-tsong s'altéra légèrement.

– Et puis ?

– Rien de plus.

– Tu oublies le plus important.

– Quoi donc ?

– Ce que tu désires, Yu-houan, n'est-ce pas la vie de
Prunus ? Il n'est pas exclu que je te l'accorde, si tel est
ton désir.

L'empereur se mit à rire.

– A quoi me servirait sa vie ? Ce que je veux, c'est
ce cœur que vous défendez de la sorte, répondit Yu-
houan.

Il lui semblait que l'empereur cherchait à protéger
Prunus. Elle trouvait peu naturelle cette façon de lui
accorder tout ce qu'elle voulait au détriment de sa rivale, pourtant innocente de tout crime. Cela semblait

49

cacher quelque don plus précieux, auprès de quoi tout le reste était insignifiant. Peut-être Siuan-tsong cherchait-il à dissimuler cette autre favorite, par égard pour Yu-houan, qui exigeait un amour exclusif. A cette époque, que ce soit à Tch'ang-an ou à Lo-yang, dans les palais de la Grande Clarté et de l'Heureux Plaisir, comme au palais du Yang Supérieur, les « appartements intérieurs » regorgeaient de femmes, et c'étaient elles qui lançaient toutes les modes, coiffure, habillement ou passe-temps. La mode, faisant fureur à la capitale à ce moment-là, qui consistait à se promener à cheval déguisée en homme, coiffée d'une toque de barbare d'Asie centrale, avait débuté chez les femmes du gynécée. Si la plupart d'entre elles se mettaient à user d'un épais maquillage, aussitôt les femmes de la ville en faisaient autant ; les concubines impériales utilisaient-elles des peignes en corne de rhinocéros ou en ivoire, immédiatement les femmes de la ville les imitaient. Yu-houan ne voulait rien savoir de toutes ces concubines, pour qui elle n'avait jamais éprouvé aucune admiration. Elles n'étaient que des jouets destinés à satisfaire les caprices d'une nuit du monarque, et dans cette optique, mieux valait après tout qu'elles soient nombreuses. Seule Prunus lui causait du tracas. Yu-houan savait déjà à son sujet tout ce qu'il était possible de savoir. Elle aussi avait voulu en connaître le plus possible au sujet de cette femme, qui avait pu apprendre jusqu'à l'anecdote de l'anneau de jade liée à sa naissance. Prunus avait pour nom de famille Kiang et était originaire de la province de Fou-Kien. Son père Tchong Souen était issu d'une famille de médecins. Prunus lisait des poèmes depuis sa plus tendre enfance, et son père avait choisi dans le *Classique des vers* un poème intitulé « Cueillette des algues », pour en faire le nom de sa fille. A vingt ans, recommandée par Kao Li-che, la jeune fille avait quitté sa province natale pour monter à la capitale et entrer au gynécée impérial. Elle était aussitôt devenue la favorite de l'empereur, à l'exclusion de toute autre, jusqu'à ce jour.

Prunus et Yu-houan s'opposaient en tous points. Yu-houan était petite et replète, Prunus grande et mince. Yu-houan n'avait jamais songé à confier ses sentiments à la plume, tandis que sa rivale excellait à exprimer ses émotions sous forme de poèmes, et peignait aussi fort habilement. Yu-houan, férue de musique, savait en jouer, aimait la danse et le chant mais n'était absolument pas sensible à la peinture. Siuan-tsong avait fait planter à Tch'ang-an plusieurs prunus devant la chambre de la jeune femme qui aimait ces arbres, et lui avait offert un tableau intitulé *Le Pavillon des prunus* ; c'était lui aussi qui lui avait donné ce surnom de « Prunus ».

L'empereur Siuan-tsong passa les premiers jours de l'année au mont du Cheval Noir, puis regagna en compagnie de Yu-houan son palais de Tch'ang-an pour la première nuit de la Fête des Lanternes, la plus splendide de toutes les festivités annuelles.

La fête commençait la quinzième nuit du premier mois de l'année. Depuis les temps anciens, la coutume en Chine voulait que chaque famille, pendant les trois jours et trois nuits suivant la première quinzaine de la nouvelle année, alignât devant sa maison des lanternes votives, et consacrât ce laps de temps à célébrer joyeusement le Nouvel An. Ce festival, inauguré sous la dynastie Souei, avait pris de l'ampleur sous les T'ang, pour atteindre, sous le règne de Siuan-tsong le comble de la splendeur. La fête se déroulait aussi bien dans les villes qu'à la campagne, mais c'était à Tch'ang-an qu'elle était la plus magnifique. Une animation extraordinaire gagnait tous les carrefours et les avenues de la capitale pendant ces trois nuits du Nouvel An. Devant chaque maison s'alignaient des lanternes différentes, rivalisant toutes par le nombre ou la finesse des motifs.

« Dans le chatoiement de mille lanternes,
Se déploient sept branches aux fleurs de feu »
dit un poème de l'empereur Yang-ti des Souei. Même s'il en était ainsi sous les Souei, cela ne pouvait se comparer à l'époque de Siuan-tsong. Des pyramides de lanternes étaient dressées à tous les carrefours de la ville ; au beau milieu des avenues brillamment illumi-

nées s'écoulait toute la nuit un flot ininterrompu d'hommes et de femmes chantant à tue-tête et dansant follement. L'interdiction de circuler la nuit était levée pendant ces trois jours, non seulement pour les gens ordinaires, mais aussi pour les épouses impériales et les dames de cour, qui sortaient toutes admirer le spectacle.

Du quatorze au seizième jour du premier mois de la première année du règne de Jouei-tsong, père de Siuan-tsong, fut dressée à la porte du Bonheur Paisible une roue de lanternes d'une soixantaine de mètres de hauteur, toutes recouvertes de brocart, ornées d'or et d'argent, et à l'intérieur desquelles brûlaient cinquante mille petites coupes. Vu de loin, on eût dit une forêt d'arbres en fleurs, dit une description de l'époque. Mais à l'époque de Siuan-tsong, la célébration prit encore plus d'envergure : on dressait de grandes roues de lanternes à chaque carrefour, et la capitale croulait sous les arbres en fleurs.

Cette nuit-là, Yu-houan quitta le palais de la Grande Sincérité en compagnie de quelques suivantes pour aller observer le spectacle animé des rues de la capitale. Elle fit la moitié du chemin en palanquin puis, parvenue dans les quartiers du centre, poursuivit à pied avec ses compagnes. Elle s'était vu interdire les sorties en ville depuis qu'elle était devenue l'épouse du prince de Cheou, avec pour seule exception cette fête annuelle. Nul ne prêtait attention à son rang, et d'ailleurs, qui s'en souciait en cette nuit unique où l'étiquette avait disparu, ainsi que toute distinction de rang ? Yu-houan chargea une de ses femmes d'acheter des loups pour elle et les suivantes. Le visage masqué, elle se mêla au flot humain et parcourut les avenues éclairées de lanternes. Des restaurants de fortune occupaient le moindre espace libre, toutes les places étaient encombrées de baraques foraines. Les étals des marchands de boisson, les loges d'acrobates, tout était décoré de lanternes.

Yu-houan suivait la direction de la foule avec ses dames de compagnie, quand elle reconnut soudain par hasard Kao Li-che dans le flot de gens arrivant en sens inverse. Sa haute stature, qu'elle n'avait jamais vue en dehors du palais, rendait ici une impression de faiblesse et de solitude. Accompagné par une large escorte, il avançait, comme protégé par ses vassaux, mais sans le moindre atome de la dignité qui émane d'un homme entouré de sa suite. Il semblait plutôt se laisser entraîner au hasard par la foule qui le poussait, et on reconnaissait bien à cela qu'il s'agissait d'un eunuque.

N'ayant pas à craindre d'être reconnue, grâce à son masque, Yu-houan garda longuement les yeux fixés sur lui. Qu'est-ce qui avait pu l'amener ici ? Etait-ce le désir de goûter l'atmosphère d'excitation inhabituelle qui agitait la ville tout éclairée de lanternes ? Il donnait l'impression d'un élément hétérogène, mêlé par erreur à cette nuit de fête.

Après l'avoir croisé, Yu-houan ôta son loup et demanda à sa plus proche compagne si elle avait remarqué la présence de l'eunuque. La femme répondit qu'elle n'y avait pas prêté attention, faillit ajouter quelque chose, mais murmura à la place, les traits soudain durcis : « Dame Prunus... » Yu-houan jeta un regard autour d'elle, sans la voir. « Elle arrive d'en face. » Yu-houan scruta alors le flot venant en sens inverse. Prunus s'y trouvait bien, entourée comme elle de ses suivantes. Au moment où Yu-houan posa les yeux sur sa rivale, celle-ci parut aussi la reconnaître. Le groupe de la favorite approchait joyeusement, des rires cristallins fusaient, mais l'une après l'autre, les dames de compagnie changèrent d'expression en reconnaissant le groupe adverse. Parvenus face à face, les deux cortèges se croisèrent d'un air mortellement indifférent avant de s'éloigner rapidement. Yu-houan regarda Prunus au moment où elles se croisaient, mais celle-ci détourna délibérément le visage.

« Grosse truie ! » entendit Yu-houan derrière elle. Ce cri railleur provenait clairement du groupe de la favorite. Comme si de rien n'était, Yu-houan poursuivit son chemin sans en souffler mot aux suivantes.

C'était Prunus elle-même qui avait prononcé ces mots, elle en aurait juré. Même avec toute l'animosité du monde à son égard, jamais de simples suivantes n'auraient osé dire cela. Désespérément, elle réprimait sa colère, si violente qu'elle aurait voulu effacer son ennemie de la surface de la terre. De sa naissance à ce jour, jamais elle n'avait été insultée de la sorte. Mais sa fureur céda soudain la place à un nouveau sentiment : elle venait de se remémorer sa rencontre avec Kao Li-che. Le groupe de l'eunuque et celui de la favorite pouvaient-ils vraiment s'être croisés sans se reconnaître dans cette foule immense ? Ou bien formaient-ils au départ un unique cortège, qui se serait séparé en cours de route ? Kao Li-che, qui précédait le groupe de Prunus, était peut-être chargé de l'escorter ?

Yu-houan s'arrêta au beau milieu de l'avenue illuminée. La pensée qui l'avait saisie glaçait tout son corps. Elle se retrouva encerclée par un essaim de fêtards ivres qui s'avançaient en dansant. Chancelante, elle échappa à leur tourbillon, tandis que les suivantes accouraient à sa rescousse. Le tintamarre des instruments de musique s'élevait de toutes parts.

La jeune femme se sentait cernée par des ennemis. Tous, ils cherchaient à la supprimer. Si elle voulait rester en vie, c'était à elle de détruire sa rivale. En cette nuit de fête du Nouvel An, ce fut au tour de Yu-houan de prendre place sur le trône de solitude et de méfiance qui était l'apanage de toute femme admise au gynécée.

Confinée au palais de la Grande Sincérité, Yu-houan était remplie d'incertitude quant à sa situation. Bien entendu, elle avait été introduite dans ce palais et faite nonne uniquement en vertu d'un expédient momentané, et dès que les yeux du monde se seraient détournés de cette affaire, elle ferait son entrée officielle dans les appartements intérieurs, où elle serait traitée conformément à son rang. Cependant, ne voyant aucune garantie à son avenir hormis la réalisation de tout ceci, elle avait du mal à calmer son inquiétude. L'empereur vieillissant était plus que quiconque une proie facile pour les calomniateurs. Si quelqu'un s'avisait de porter de fausses accusations contre elle, le souverain y ajouterait certainement foi sans résistance aucune. En pareil cas, elle n'aurait de chances de se justifier vis-à-vis de soupçons mal fondés que si sa position au gynécée était solide ; tant qu'elle restait simple nonne, elle était impuissante, à la merci de ses ennemis.

Elle devait entrer au gynécée sans attendre un jour de plus, décida-t-elle. Elle avait beau passer chaque nuit auprès de Siuan-tsong, qui lui accordait toutes ses faveurs, et éclipser les trois mille femmes des appartements intérieurs, cela ne suffisait pas à la satisfaire, ni à calmer son anxiété.

Yu-houan n'aimait pas son nom de religion. « Grande Sincérité ! » l'appelait sans cesse Siuan-tsong, et tout le monde lui donnait du « dame Grande Sincérité », mais elle-même ressentait un frisson d'angoisse chaque fois qu'elle entendait ce nom.

La nuit, enfouissant sa figure contre la poitrine de l'empereur, Yu-houan disait d'une toute petite voix :

– Je n'aime pas ce nom de « Grande Sincérité ».

L'expression de ses désirs, si minimes fussent-ils, étaient toujours réservés à la chambre à coucher. Lorsqu'elle rencontrait l'empereur dans la journée, elle refusait catégoriquement de lui répondre, s'il venait à s'enquérir de ses souhaits. Mais quand elle tenait enfin le cœur du souverain solitaire entre ses deux mains, elle veillait à ne pas le laisser échapper, et, son propre cœur tout contre celui de son amant, elle exprimait clairement ses désirs, au contraire de la journée. Concentrant son souffle sur la petite flamme solitaire qui brûlait au fond du cœur de l'empereur, elle murmurait d'une voix presque inaudible des mots pas même destinés à l'oreille, mais simplement à faire vaciller cette petite flamme.

– Cela vous rend-il heureux de m'appeler Grande Sincérité plutôt que Yu-houan ?

– C'est un joli nom, en quoi te déplaît-il ?

– Certainement, vous voulez m'appeler ainsi toute la vie. Grande Sincérité par-ci, Grande Sincérité par-là, pour toujours vous me garderez enfermée dans ce palais de la Grande Sincérité !

– Mais non, c'est faux.

– Si, j'en suis sûre. Vous appelez Prunus du nom d'épouse, et moi, je reste « Grande Sincérité ».

Parvenue à ce point, Yu-houan se mit à pleurer à chaudes larmes. La tête sur la poitrine de Siuan-tsong – qui ces dernières années avait tendance à la flacidité, le grain de peau gagnant au contraire en finesse – elle mouillait celle-ci de ses larmes. Grande Sincérité pleurait réellement. Quand elle évoquait un sujet pénible, elle souffrait vraiment, et si elle parlait de quelque chose de triste, le chagrin emplissait réellement son cœur. Depuis son enfance, elle possédait ce cœur versatile, également prêt à s'emplir de joie à l'évocation de choses gaies, qui illuminaient alors son regard, donnant à son visage une expression sans commune mesure avec l'instant précédent.

– Cela te rend donc triste à ce point ?

– Bien sûr pour vous ce n'est rien, mais pour moi c'est terrible. Ah ! je voudrais simplement que vous pensiez à moi comme le commun des mortels.

– Ni moi ni eux ne peuvent changer de place.

– Bah !

Yu-houan souleva légèrement la tête de la poitrine de son impérial amant, comme si elle abandonnait la partie. Puis ses beaux doigts frêles, qui, pour Siuan-tsong n'avaient pas leurs pareils au monde, glissèrent sur son cœur comme sur les cordes d'une harpe.

– Regardez, voici le pays des Turcmènes, celui des Kitans[2], là le Tourfan[3], et à côté le Nan-tchao[4]... Il n'y a plus de place pour moi. Le cœur d'un homme ordinaire ne contient rien de tel. Il est comme un vase au goulot assez large pour s'emplir totalement de la femme qu'il aime.

– C'est bon. Chassons de mon cœur tous ces barbares, sauf les Tibétains ! Tous sont sans importance, il n'y a que ces barbares de Tourfan pour créer un réel tapage de temps à autre.

_____

2. Peuplade de Mongolie orientale.
3. Ancien nom du royaume du Tibet.
4. Royaume tibéto-birman du Sud.

Les seuls barbares vraiment préoccupants étaient en effet les Tibétains. L'année précédente, le troisième mois de l'an vingt-sept de l'ère de la Fondation, une incursion tibétaine avait créé des troubles dans le Ho-si (région du district de Ling-wou, dans l'actuelle province du Kan-sou). Le dixième mois de l'an vingt-huit, puis le sixième mois de l'an vingt-neuf, avaient eu lieu de nouvelles invasions tibétaines. Tôt ou tard, Siuan-tsong se trouverait confronté au règlement de ce problème.

– Moi et les Tibétains seulement ! Quel bonheur si seulement c'était vrai ! Un véritable rêve...

Il s'en fallait cependant que Yu-houan fût satisfaite. Elle voulait tous les chasser de son cœur, jusqu'aux Tibétains. Il lui paraissait cocasse que le monarque du Grand Empire des T'ang se tracassât avec des problèmes tels que les incursions de barbares du Tourfan, alors qu'il suffisait d'atteler quelque valeureux général à cette tâche. Il devait bien exister un guerrier capable de résoudre ce problème. Mais Siuan-tsong ne pouvait se fier à personne, là se trouvait le véritable obstacle. Délivrer l'esprit de l'empereur de la question tibétaine pouvait cependant attendre.

Si, dans la chambre à coucher, Yu-houan susurrait ses désirs à la poitrine de Siuan-tsong, dans la journée, devenue une autre femme, elle rougissait quand il lui en reparlait, et répondait :

– Je ne me rappelle plus rien de ce que j'ai pu dire hier soir. D'ailleurs, je suis sûre que si j'entendais maintenant mes propres paroles, je m'en boucherais les oreilles de honte. Votre Majesté a fait de moi une femme impudique, capricieuse, jalouse et pleine de désirs. Je vous en prie, ne prêtez plus attention à ce que je vous dis dans la chambre. Je suis heureuse ainsi, et ne désire rien d'autre que de rester à vos côtés.

Siuan-tsong voyait dans ces paroles l'expression sincère des sentiments de la jeune femme. Dès qu'il abordait le sujet de leurs conversations nocturnes, elle arborait un air effrayé, et faisait mine de s'enfuir en se bouchant les oreilles pour ne pas l'entendre.

L'empereur ne pouvait que trouver ces manières

charmantes. Il connaissait les deux visages de Yu-houan. La nuit, adorable et impudique petit être, elle ne lui cachait rien de la profondeur de ses désirs ni de sa jalousie, tandis que dans la journée, elle devenait une belle et chaste femme aux manières distinguées, et réprimait avec acharnement l'autre aspect de sa personnalité, prête à se sacrifier dans cette lutte avec elle-même.

Siuan-tsong n'ignorait donc rien de ce que Yu-houan désirait, sans savoir si c'était là son réel désir. Il connaissait intimement tous les secrets de son corps comme de son âme, ainsi qu'un autre aspect d'elle-même sans rapport avec tout cela, ou du moins tâchant d'être sans rapport.

Siuan-tsong l'appela désormais « Madame », et la fit appeler ainsi par tout le monde, lui accordant les mêmes égards qu'à une impératrice. A refuser le jour ce qu'elle exigeait la nuit, elle était finalement parvenue à ses fins. Ce titre de « dame » lui fut conféré à la fin de la vingt-neuvième année de l'ère de la Fondation, soit un an après son entrée au palais de la Grande Sincérité. Cette année-là connut des chutes de pluie exceptionnellement abondantes, suivies de tempêtes de neige. L'empereur se rendit au palais des Sources Chaudes dès le dixième mois, pour échapper au froid, et regagna Tch'ang-an le mois suivant. Au cours du onzième mois parvint à la Cour des T'ang la nouvelle que les Tibétains s'étaient emparés de la ville forte de Che-pao au Kan-sou. Au Nouvel An, l'empereur décréta un changement d'ère, et l'on entra dans la première année de l'ère du Céleste Trésor. Au cours du banquet de congratulations du Nouvel An, tous les hauts dignitaires assemblés offrirent respectueusement à l'empereur le titre honorifique extrêmement long de « Sage Empereur Divin aux Qualités Civiles et Guerrières des ères de la Fondation et du Céleste Trésor », qu'il accepta avec un léger sentiment de satisfaction. Au deuxième mois, l'empereur entreprit une réforme de son gouvernement. On eût dit que le nouveau titre de Yu-houan avait donné le signal des changements qui se succédèrent alors. C'est vers cette époque que la rumeur publique commença à donner Li Lin-fou pour le prochain tenant du poste de Premier ministre.

Ayant changé de nom et de statut, Yu-houan aborda la première année de l'ère du Céleste Trésor dans de nouvelles dispositions d'esprit. Elle n'était pas vraiment pressée de devenir l'une des épouses officielles. Siuan-tsong, de son côté, envisageait la chose pour l'année suivante, mais Yu-houan lui opposait un refus catégorique, cette fois jusque dans la chambre à coucher, affirmant que, si elle lui était reconnaissante de vouloir l'ajouter au nombre de ses épouses, elle souhaitait pour sa part patienter trois années supplémentaires. Mieux valait attendre, arguait-elle, que soit complètement éteinte la rumeur disant que l'empereur avait mandé au palais la femme de son propre fils. Yu-houan apparaissait alors aux yeux de Siuan-tsong comme une femme avisée et peu ambitieuse.

Yu-houan, sûre désormais d'accéder au rang d'épouse impériale, avait besoin de temps pour s'y préparer. En devenant épouse de l'empereur, elle verrait ses ennemis augmenter. Elle devait mettre en place autour d'elle de solides alliés, afin de prévenir les attaques de toute provenance. Elle ne mit guère de temps à entreprendre un rapprochement avec l'eunuque Kao Li-che, avec qui elle avait jusque-là gardé ses distances. Il représentait la présence la plus embarrassante de tout son entourage. Siuan-tsong avait bien à la Cour quelques favoris auxquels il était on ne peut plus attaché, mais les liens intimes qu'il entretenait avec Kao Li-che étaient particuliers. On aurait pu dire en exagérant à peine que l'eunuque faisait partie intégrante de l'empereur. Kao Li-che ne s'efforçait jamais de gagner les bonnes grâces de l'empereur, et lui disait sans ménagement des choses dont tout autre eût préféré s'abstenir, sans jamais susciter son courroux.

Depuis son entrée au palais de la Grande Sincérité, Yu-houan avait attentivement observé Kao Li-che, mais ne parvenait toujours pas à percer ses intentions. Sa présence était-elle bénéfique à l'empereur, ou néfaste ? Elle n'en savait rien, consciente seulement de son caractère d'intrigant et de sa soif insatiable de pouvoir, traits négatifs caractéristiques des eunuques et chez lui clairement manifestés. Le bruit courait que la plupart des hauts dignitaires de la Cour devaient leur poste à leurs liens avec Kao Li-che. Mais d'autre part il faisait preuve dans son dévouement à l'empereur d'autant d'abnégation que de sincérité.

Dès sa première nuit au palais, l'empereur, en proie à quelque hallucination, avait appelé l'eunuque ; cette scène s'était souvent renouvelée par la suite. Yu-houan avait eu beau essayer de chasser de l'esprit de Siuan-tsong cet assassin fantôme, elle n'était en fait venue à bout de ses craintes que jusqu'à un certain point, sans les éliminer totalement. L'empereur continua, environ une fois par mois, à se dresser en pleine nuit sur sa couche en appelant Kao Li-che.

– Où est le vieux ? Kao Li-che n'est pas là ?

L'eunuque arrivait, foulant le long corridor. Le simple fait de vérifier que Kao Li-che était bien de garde au palais suffisait à effacer les terreurs maladives de l'empereur, mais Yu-houan ne pouvait contenir son ressentiment à l'idée que Kao Li-che la supplantât sur ce point.

Kao Li-che ne prenait jamais directement position sur les affaires politiques, mais chacun pouvait deviner le poids décisif qu'avait son opinion dans l'ombre. Toutefois, Yu-houan ne parvenait pas à déterminer si les avis qu'il émettait visaient son propre intérêt, ou uniquement celui de son souverain.

Kao Li-che était né à P'an-tcheou, dans la province du Vaste Orient, la première année de l'ère de Sseu-cheng (684), un an avant la naissance de Siuan-tsong. Son nom personnel était Feng, sa mère était née Mai, et il devait ce nom de Kao, dit-on, à un personnage du nom de Kao Yen-fou, qui l'avait élevé. Au début de l'ère Cheng-li (698), enfant émasculé, il fut offert à l'empereur par le commissaire impérial à la répression du district de Ling-nan, et fut admis dans la Cité Interdite. Parvenu à l'âge d'homme, il entra au service de l'impératrice Wou et devint le dignitaire chargé de surveiller les entrées et sorties du palais des épouses impériales. Il gagna rapidement la confiance de Siuan-tsong après l'avènement de celui-ci, et dès lors ne quitta plus les côtés du souverain, l'accompagnant partout comme son ombre. Le bruit courait que Kao Li-che avait appuyé le prince Heng de sa recommandation pour permettre à celui-ci d'accéder au titre d'héritier du trône, et que cela lui valait d'être considéré par Heng comme son frère aîné.

Le cinquième mois de la première année du Céleste Trésor, Yu-houan convia Kao Li-che pour la première fois à dîner avec elle. Elle le voyait chaque jour à la Cour, mais n'avait encore jamais conversé en tête à tête avec lui. Elle s'efforça de le recevoir avec tous les égards de l'hospitalité, et profita de l'occasion pour lui dire ceci :

— Une année et demie s'est écoulée depuis que je suis arrivée ici par la grâce de l'empereur, et je pense avoir compris maintenant ce qu'est la vie d'une épouse impériale. Si je vous ai demandé de venir ici aujourd'hui, c'est pour vous prier à nouveau de m'accorder votre soutien.

— Je suis extrêmement honoré que Votre Altesse daigne s'adresser à moi de la sorte, lui répondit Kao Li-che — il l'appelait toujours « Altesse » — mais c'est à moi au contraire de vous demander soutien. Je n'ai pas eu plus grand bonheur aujourd'hui que de vous voir condescendre à me parler ainsi.

Le regard de Kao Li-che était plus froid encore que d'ordinaire. Les yeux seuls semblaient animés de vie dans son visage parcheminé. Les muscles du bas de son visage se mouvaient nonchalamment tandis qu'il parlait, mais les yeux gardaient une expression soutenue. Yu-houan savait que pour percer les pensées intimes de l'eunuque, il fallait prêter attention au mouvement de ses yeux, où alternaient douce luminosité et cruauté glaciale. Ils étaient en général pleins de douceur tant qu'il parlait, et prenaient une expression cruelle dès qu'il fermait la bouche.

— Puis-je vous entretenir d'une chose à laquelle je songe depuis longtemps ? demanda brusquement l'eunuque, coupant l'herbe sous le pied de Yu-houan. Elle avait pensé gagner le cœur de son interlocuteur en s'ouvrant à lui de projets longuement mûris en secret, et voilà qu'il semblait opter pour la même tactique.

– Vous avez épousé le prince de Cheou en tant que fille de messire Yang Siuan-kiao, mais cette filiation est-elle vraiment appropriée ? Messire Siuan-kiao n'a qu'un unique fils, Kien, ce qui signifie pour vous un seul frère cadet. Or, il conviendrait, si la chose est possible, que vous eussiez une plus nombreuse famille. Quand Votre Altesse deviendra officiellement épouse impériale, seuls vos frères et sœurs, quoi qu'on en dise, seront à même de vous apporter un réel soutien.

Yu-houan se taisait, ne voyant pas encore très bien où Kao Li-che voulait en venir.

– Dans le cas présent, il semble préférable que vous soyez la fille adoptive de messire Siuan-kiao. Ainsi, dame Yang Yu-houan, épouse du prince de Cheou, serait bien la véritable fille de messire Yang, tandis que l'épouse impériale Yang Yu-houan en serait la fille adoptive. On pensera qu'il avait deux filles du même nom, l'une de son sang, l'autre adoptée. La simple mention de ces faits sur un document prendra un sens d'ici cinquante ans, avec le temps. La chose est préférable pour Sa Majesté comme pour Votre Altesse. Grâce à ce simple subterfuge, Yu-houan l'épouse du prince de Cheou et Yu-houan la favorite impériale resteront deux personnes distinctes.

– Le croira-t-on ?

– Même si on ne le croit pas, mieux vaut prendre cette précaution que de n'en rien faire. Cela brouillera les pistes de toute façon. Car l'épouse impériale, fille adoptive de Yang Siuan-kiao, doit bien posséder quelque part de véritables parents. Tout le problème est de savoir qui sont ces vrais père et mère, mais j'ai mon idée là-dessus. Messire Siuan-kiao a un frère aîné, messire Siuan-yen, qui conviendrait tout à fait pour le rôle du père, pour la bonne raison qu'il n'est plus de ce monde. Convenez qu'un père défunt diminue quelque peu les obstacles. Les quatre enfants de messire Siuan-yen constituent une deuxième bonne raison, car voilà Votre Altesse ainsi dotée d'un frère aîné et de trois sœurs, personnes fort intelligentes à ce que j'ai entendu dire. Lorsque vous recevrez officiellement le titre d'épouse impériale, tous quatre, étant vos proches, seront nommés à des postes élevés à la Cour, et deviendront pour vous des alliés précieux. Sans compter votre père adoptif Siuan-kiao, ni les nombreux autres membres de la famille Yang, qui occuperont tous d'importantes fonctions, et viendront consolider votre entourage. Ainsi la sécurité de votre position sera assurée. Votre meilleur soutien sera toujours votre propre famille. Vous n'êtes pas du même sang ? Peu importe, puisqu'ils s'élèveront grâce à vous, et auront tout intérêt à vous soutenir. Si Votre Altesse ne voit pas d'objection à ce plan, Kao Li-che est prêt à lui apporter son concours pour le réaliser au plus vite.

A l'issue de cette longue tirade, Kao Li-che se tut, tandis que ses grandes oreilles dirigées vers Yu-houan semblaient dire : « Eh bien, à ton tour maintenant ! »

– Je n'entends rien à tout cela. Faites ce que vous pensez convenir au mieux, répondit Yu-houan, observant à la dérobée le visage parcheminé de cette étrange créature. Elle ne savait toujours pas si elle devait le considérer comme un allié ou comme un ennemi.

– Altesse, qu'allez-vous imaginer ! Je n'ai quant à moi aucune influence, et c'est la vôtre seule qui permettra d'accomplir ce à quoi j'ai songé et que je viens de vous dire. Le contraire serait ennuyeux. Vous avez en main tous les atouts pour réaliser vos désirs, qui d'autre que vous posséderait ce pouvoir ? Pour l'heure, que pensez-vous de nommer votre défunt père Siuan-yen préfet de la commanderie de Tsi-yin au Chantong ?

– Parfait. Il doit s'en réjouir dans la tombe... Vous vous chargerez donc de cela.

– C'est à Votre Altesse de le faire.

– Comment le pourrais-je ? Tant que durera ma vie en ce monde, je n'aurai d'autre soutien que l'empereur et vous-même. J'entretiens personnellement Sa Majesté des problèmes qui me concernent, mais pour le reste, je préfère m'en remettre à vos bons offices.

Kao Li-che faisait toujours une mine accablée quand Yu-houan lui disait ce genre de choses, mais au fond de lui, il n'avait aucune raison d'en ressentir du désagrément.

L'eunuque se mit à rendre de fréquentes visites à la jeune femme, qui se lia rapidement à lui. La rumeur disait que Kao Li-che était jusque-là intime avec l'épouse Prunus, qui le consultait sur tous les sujets, mais Yu-houan ne fit jamais allusion à ces liens avec sa rivale, et continua à feindre l'ignorance. A chacune de ses visites à la résidence de Yu-houan, Kao Li-che lui faisait part de ses idées concernant les tâches qu'elle lui avait confiées. Il évoquait toujours un seul sujet à la fois. Cette fois-ci, il était venu l'entretenir de Siuan-kouei, frère cadet de son « père » Siuan-yen, autrement dit son futur « oncle », et il parla donc uniquement de Siuan-kouei.

– Messire Siuan-kouei pourrait devenir président de la cour des banquets impériaux, qu'en pensez-vous ?

– C'est parfait.

– Cette fonction consiste à régler l'intendance de tous les repas de Sa Majesté.

– Fort bien.

– Ou alors...

– ...

– Quelque chose d'un peu plus...

Les yeux fixés sur Yu-houan, Kao Li-che semblait hésiter.

Cette expression signifiait qu'il convenait de trouver un emploi plus élevé à cet oncle, et qu'il repenserait la chose. Là encore, Yu-houan n'émit aucune opinion particulière.

– Ai-je aucune raison de douter de toi ? Fais donc ce que tu penses convenir au mieux à mes intérêts, je ne saurai avoir de meilleure idée que toi-même.

Feignant la confusion, Kao Li-che se retira avec un air désemparé légèrement comique, comme pour montrer qu'elle ne lui laissait d'autre issue que la fuite.

Kao Li-che vint ainsi tour à tour lui proposer des postes pour Tian, son frère aîné, pour Chi, l'aîné de ses cousins, et pour son petit-cousin Zhao. Il n'avait aucune garantie que ces postes leur seraient réellement attribués, mais donnait à penser qu'il s'efforcerait d'y parvenir avant l'investiture de Yu-houan.

La jeune femme ignorait de quel degré de faveur jouissait Prunus auprès de l'empereur, mais avait décidé d'ignorer le problème tant qu'elle-même n'aurait pas accédé officiellement au titre d'épouse impériale. Une fois cette cérémonie accomplie, elle avait l'intention d'écarter définitivement celle qui avait eu l'outrecuidance de la traiter de truie. C'était l'affaire de trois ans de patience.

Cependant, dès le moment où Yu-houan reçut le titre de « dame » et commença à être traitée à l'égal d'une épouse impériale, chacun put voir l'influence de Prunus diminuer à vue d'œil. Kao Li-che lui-même, peut-être par scrupule envers la future favorite, évitait de trop approcher Prunus, ainsi que l'apprit Yu-houan de la bouche de ses suivantes.

Chapitre 3

Le huitième mois de la première année du Céleste Trésor (742), Li Lin-fou fut nommé Premier ministre. Bien avant l'annonce officielle, la rumeur publique donnait déjà partout ce personnage éminemment connu pour le prochain tenant du poste.

Issu de la branche principale des T'ang, Li Lin-fou était l'arrière-petit-fils cadet du fondateur de la dynastie. Son père Li Sseu-houei, administrateur de la préfecture supérieure de Yang, avait pu, en tant que fils de famille noble, entrer dans la garde impériale. Partant de ce point de départ, il fut successivement président du ministère de la Justice, puis président du ministère de la Fonction publique, avant de devenir en l'an vingt-quatre de la Fondation (736) président du département du Grand Secrétariat impérial[1]. La rumeur publique tenait Li Lin-fou pour intime de Kao Li-che, et on le disait généralement peu regardant quant aux moyens dès qu'il s'agissait d'accéder au pouvoir. « Bouche de miel, cœur de fiel » : cet adage servait à décrire sa personnalité.

La nomination de Li Lin-fou au poste de Premier ministre donna pour certains un arrière-goût désagréable à cette première année de l'année nouvelle. De

---

1. L'un des trois principaux organes du pouvoir central sous la Chine des T'ang, les deux autres étant la Chancellerie et le Département des affaires d'Etat.

nombreux politiciens de son entourage comprirent en effet que déplaire à Li Lin-fou signifiait être chassé de son poste. L'éviction du lettré Tchang Kieou-ling, ancien Premier ministre et collègue de Lin-fou, ainsi que le retrait de P'ei Yao-ts'ing, dont la compétence dans l'administration des finances ne laissait pourtant rien à désirer, furent tous deux imputés aux stratagèmes de Li Lin-fou.

Yang Yu-houan avait rencontré plusieurs fois le nouveau Premier ministre, mais gardait ses distances à son égard. Elle hésitait toujours sur la manière de se comporter avec lui. Lui qui semblait ne ménager aucun effort pour gagner les bonnes grâces de l'empereur dirigeait au contraire sur elle des prunelles glaciales.

Yu-houan eut un jour l'occasion de boire le thé en compagnie de Li Lin-fou, grâce à l'intermédiaire de Kao Li-che. Comme à son habitude, il ne lui adressa pas une fois la parole de lui-même et répondit d'une façon des plus concises aux questions qu'elle lui posa, avec un calme impressionnant. Yu-houan savait qu'il ne craignait personne au monde hormis l'empereur Siuan-tsong. Kao Li-che non plus ne devait guère lui faire peur. Il restait sûrement lié au vieil eunuque par intérêt, se disait-elle, et s'empresserait de l'écarter dès qu'il n'aurait plus besoin de lui. Elle ne pouvait s'empêcher de voir dans l'indifférence que Li Lin-fou manifestait envers elle une preuve du manque de stabilité de sa propre position au palais. Il arriva à la jeune femme de demander à Kao Li-che, comme si de rien n'était, comment il jugeait la personnalité de Lin-fou, mais l'eunuque, se gardant d'évoquer le caractère de l'homme, loua les qualités du politicien accompli. Croyait-il à ses propres paroles ? Toujours est-il qu'il semblait user de la plus extrême circonspection envers le Premier ministre.

Au dixième mois de cette année-là, l'empereur Siuan-tsong se rendit au palais du mont du Cheval Noir, et regagna la capitale au onzième mois. Yu-houan, bien entendu, était du voyage.

Au cours du douzième mois, Houang-fou Wei-ming, commissaire impérial au commandement de la région de Long-si au Kansou, écrasa les Tibétains du lac Kou-kou-nor. Puis ce fut Wang Chouei, commissaire impérial au commandement de la région de Ho-si, qui remporta une victoire sur les Tibétains. La nouvelle de ces deux triomphes parvint à Tch'ang-an dans les tous derniers jours de l'année, et mit la ville en ébullition. Houang-fou Wei-ming, transformé en héros, fut porté aux nues. D'ordinaire, la neige commençait à tomber sur Tch'ang-an vers le début du douzième mois, mais cette saison-là fut exceptionnellement douce, car non seulement il n'y eut pas de neige, mais même les gelées ne persistèrent pas.

C'est au cours du banquet du jour de l'an de la deuxième année du Céleste Trésor que Yu-houan apprit qu'An Lou-chan, gouverneur militaire de la région de P'ing-lou (bassin du Jehol en Mongolie-Intérieure), était annoncé à Tch'ang-an, où il devait avoir audience avec l'empereur. L'arrivée d'An Lou-chan à la Cour semblait un événement d'importance, tous les notables n'avaient que ce sujet à la bouche, et Siuan-tsong lui-même dépêcha une escorte chargée de l'accueillir en grande pompe.

Le nom d'An Lou-chan n'était pas inconnu à Yu-houan mais son arrivée à la Cour suscitait une telle admiration que l'existence de ce guerrier venu des marches lointaines de l'empire s'auréola soudain d'une importance nouvelle à ses yeux. De surcroît, l'admiration que l'empereur portait à ce personnage piquait sa curiosité. An Lou-chan, barbare de sang mêlé originaire de Ying-tcheou (l'actuel Tchao-yang en Mongolie-Intérieure), parlait les langues de sept différentes tribus, disait-on, et n'avait plus visage humain tant il était obèse. Il commandait une armée entièrement composée de barbares, et était le premier général d'origine étrangère qu'ait jamais possédé l'empire. C'était un chef militaire et un héros, et pour toutes ces raisons, Siuan-tsong attendait impatiemment son arrivée à la Cour. En apprenant tout cela, Yu-houan se mit elle aussi à s'intéresser au guerrier, et glana ici et là un grand nombre de renseignements supplémentaires le concernant. An Lou-chan paraissait trente-sept ou trente-huit ans, mais son âge exact restait ignoré. Son père était un barbare de Sérinde[2], sa mère une Turque. C'était incontestablement un étranger de sang-mêlé, et à ses débuts, comme il s'exprimait en tibétain, il avait été courtier, avant de devenir subordonné de Tchang Cheou-kouei, gouverneur militaire de la région de Fan-yang (à proximité de Pékin dans le Ho-pei). A partir de cette période, ses nombreux faits d'armes lui avaient valu un avancement progressif. D'abord simple chef de troupes à P'ing-lou, il était devenu commandant militaire de Yang-tcheou, puis avait été promu, chose sans précédent pour un barbare, au rang de commissaire impérial, pendant la première année du Céleste Trésor. Le faisant maître à la fois de l'administration financière et de la puissance militaire autant que civile des régions frontières du Nord, ce poste lui conférait des pouvoirs autrement plus substantiels que ceux des hauts fonctionnaires lettrés qui occupaient les bureaux du gouvernement central à Tch'ang-an.

An Lou-chan fit son entrée à la capitale deux ou trois jours après la fin des festivités du Nouvel An, à un moment où personne n'avait encore complètement récupéré des trois nuits de fièvre de la Fête des Lanternes. C'est une étrange armée que les gens de Tch'ang-an virent arriver à la porte de la Clarté du Printemps. Les troupes, composées moitié de cavaliers, moitié de fantassins, entraient les unes après les autres comme des conquérants venus s'emparer de la capitale. Les soldats de chaque unité différaient tant par la couleur de la peau, des yeux et des cheveux, que par la taille et la tournure. A un régiment de soldats au port majestueux, grands et bien nourris, succédait une troupe de sauvages aux regards nerveux et aux corps émaciés. Tout aussi variés étaient les étendards portés en tête de chaque escadron : on pouvait voir des enseignes d'où pendaient par dizaines de fines banderoles, d'autres faites de cylindres de tissu flottant au gré du vent, d'autres encore consistaient en faisceaux de queues

_____
2. Asie centrale.

d'animaux fixées au bout d'une perche. Toute la population de Tch'ang-an, ébahie, écarquillait les yeux devant ce spectacle inédit. Les rues de la ville furent bientôt envahies par la foule accourue sur le passage de cette étrange armée. L'après-midi même du jour où il était entré à Tch'ang-an avec ses troupes, An Lou-chan fut admis au palais et Siuan-tsong le reçut en audience dans son pavillon de repos. « Voilà donc le fameux général des marches lointaines ! » se dit Yu-houan quand elle le vit s'avancer devant l'empereur. Il n'avait l'air ni d'un guerrier, ni d'un influent personnage : c'était un tas de chair absolument informe. Un énorme ventre, dont le tour faisait à lui seul la taille de plusieurs personnes normales, se déplaçait vers eux avec lenteur. Le propriétaire de cette énorme panse la transportait sans nul doute lui-même, mais les deux vassaux qui l'encadraient semblaient la soutenir en avançant à petits pas. Tous les notables présents, la respiration coupée, contemplaient An Lou-chan.

— Ah, Sang-mêlé, te voilà donc ! murmura Siuan-tsong, les yeux brillants de satisfaction.

Après cette exclamation, il retint lui aussi son souffle, ne pouvant plus détacher les yeux de cet énorme corps.

An Lou-chan approchant, son visage apparut bientôt distinctement : lui aussi sortait de l'ordinaire. La partie inférieure en était excessivement renflée, ses bajoues et son menton, lourde masse de chair en surplus, pendaient sur sa poitrine. Mais le plus extraordinaire était encore à venir. Parvenu devant l'empereur, An Lou-chan, au lieu de s'incliner devant lui, modifia légèrement la position de son corps de façon à se tourner vers Yu-houan, assise à la droite de Siuan-tsong, et, mains entrouvertes, pencha son torse dans sa direction à elle. Tous les assistants virent là une marque de vénération. La difficulté qu'il éprouvait à tordre ainsi son énorme corps impotent conférait à ce geste une imposante solennité.

— Sang-mêlé ! hurla Siuan-tsong. Que signifie cela ? Tu salues mon épouse, en omettant ma personne ?

A ces mots, An Lou-chan changea lentement de position et se tourna vers l'empereur pour le saluer de la même manière que Yu-houan un instant plus tôt.

– Depuis mon enfance, dit-il, j'ai toujours courbé la tête uniquement devant ma mère. Jamais je n'ai courbé la tête devant mon père. Je veux dire par là que si ma mère était certainement ma mère, dans le cas de mon père, le doute est plus que permis. Qui était réellement mon père, je ne sais... Voilà pourquoi, involontairement, je salue toujours les femmes en premier.

Siuan-tsong se mit à rire. Le rire de l'empereur donna le signal de l'hilarité générale. Yu-houan elle aussi riait. Le seul à rester impassible était An Lou-chan.

– Quel âge as-tu ? demanda Siuan-tsong.

– Quel âge puis-je avoir ? Ma mère est morte avant que j'aie le loisir de lui demander exactement.

– Es-tu obèse depuis ton enfance ?

An Lou-chan répondit d'un ton de regret, l'air tout déconfit :

– Oui, j'étais vraiment gros. A six mois, j'avais la corpulence d'un enfant de six ou sept ans, m'a-t-on dit. A cause de cela, paraît-il, ma mère elle-même ne savait plus mon âge exact.

Siuan-tsong rit à nouveau, Yu-houan aussi, et tous les hauts dignitaires assemblés, guerriers et mandarins, rirent en chœur.

Siuan-tsong ordonna l'ouverture du banquet. D'ordinaire, les commissaires impériaux reçus en audience devaient présenter un rapport sur la situation dans les régions dont ils avaient la charge, mais cette fois, ce fut complètement omis.

Le festin devait se dérouler dans les vastes jardins situés devant le pavillon de repos impérial, et quand Siuan-tsong se leva pour y prendre place, toute l'assemblée l'y suivit. L'empereur installa Yu-houan à sa droite, et fit préparer un siège pour An Lou-chan à sa gauche. Ce fut le plus splendide festin qui ait eu lieu de longue date. Vers le milieu des festivités, des danses barbares furent présentées en l'honneur d'An Lou-chan. Plusieurs dizaines de concubines d'origine sérindienne dansèrent des rondes, tandis que d'autres danses étaient exécutées à deux ou trois seulement. Les spectacles se succédaient, la musique d'accompagnement jouait sans interruption. Flûte de roseau, tambour, luth, xylophone et cliquettes, mêlant leurs tonalités, continuaient à résonner en sourdine, avec des accents plus ou moins forts. Des jeunes filles barbares dansèrent les danses tournoyantes du pays de Sérinde, de style masculin et très enlevé.

« Tournoyante fille des steppes,
Cœur en accord avec le luth, mains suivant le tambou-
[rin,
A l'unisson des deux instruments, ses manches se dres-
[sent.
Vive comme tourbillon de neige dans la tourmente,
Ondoyante comme armoise au vent d'automne,
Tour à gauche, pirouette à droite, infatigable, elle
[danse. »

Ainsi le poète Po Kiu-yi décrit-il cette danse. A la fin du morceau, An Lou-chan suscita une fois de plus la surprise générale, et en tout premier lieu celle de l'empereur. Personne ne le vit quitter son siège mais il apparut soudain au centre de la scène et se mit à danser la danse tournoyante de Sérinde. Le poids passant d'un pied sur l'autre, son corps obèse se mouvait au rythme de la musique, avec une extraordinaire légèreté. Quand le rythme de la musique devint trépidant, son corps se mit à tournoyer. En un clin d'œil, l'assemblée ne distingua plus sa tête ni son corps, et ne vit plus qu'une toupie pivotant à toute vitesse sur son axe. Le mouvement se ralentit, le visage réapparut, puis les mains, les jambes. Son corps se mit à tourner en sens inverse, redevint une toupie qui se déplaçait en tournoyant, sous les ovations de l'assemblée. Seuls Siuantsong, Li Lin-fou et Kao Li-che n'applaudissaient pas, regardant tous trois fixement le tournoiement de cette étrange toupie, chacun avec une expression différente.

Dès l'arrivée d'An Lou-chan à la capitale, l'empereur avait fait apprêter un festin en son honneur, comme si cela allait de soi. Il avait l'impression étrange qu'aucun banquet ne pouvait être assez fastueux pour lui. L'empereur, de même que tout le corps des notables, était resté stupéfait en voyant An Lou-chan danser spontanément le jour de sa première audience impériale. Cela ne devait jamais se reproduire. Siuan-tsong lui demanda un jour de danser à nouveau, mais le général barbare répondit, affectant un regret exagéré : « Sa Majesté sait-elle combien je pèse ? » Siuan-tsong répondit après un instant de réflexion :

– Trois cents livres ?

– Allons donc ! Mon ventre seul en pèse plus de quatre cents. Ce n'est pas une petite affaire de faire tournoyer quatre cents livres. J'ai dansé l'autre jour, tout au bonheur d'être reçu en audience par Votre Majesté, mais j'étais dans un état second et je me suis levé sans même m'en rendre compte. Ce n'est pas une danse de Sérinde que je vous ai montrée, mais plutôt une joie sans nom qui ne pouvait s'exprimer autrement. Ah ! oui, mon cœur tout entier débordait de joie, sinon pourquoi aurais-je dansé ainsi ? J'en frissonne encore en y repensant. J'ai manqué suffoquer, vous savez ! Tenez, mon cœur en palpite encore...

Pressant son énorme poitrine dans ses deux mains, le barbare la tendait en avant. De grandes ondulations faisaient lentement osciller cette muraille de chair qui n'avait plus rien d'humain. Après l'avoir admirée, Siuan-tsong demanda :

– Quand as-tu appris cette danse tournoyante ?

– A l'âge de sept ans. A l'époque, je pesais déjà près de cent vingt livres, et me suis effondré, sentant mon cœur prêt d'éclater. On m'a étendu sur une cloison et aspergé d'eau trois jours et trois nuits. Je n'ai jamais plus dansé depuis.

Véridique ou non, l'anecdote plut à Siuan-tsong, comme d'ailleurs tout ce que disait An Lou-chan. Dès qu'il ouvrait la bouche pour raconter une histoire, le visage de Siuan-tsong, les yeux soudain rétrécis, se figeait dans l'expectative des réjouissantes paroles qui allaient s'écouler de ses lèvres.

Yu-houan assistait à leurs conversations en observatrice : ce général barbare des marches lointaines pareil à une créature d'un autre monde ne prononçait jamais de paroles inutiles, et ses répliques les plus courtes étaient toujours de nature à séduire Siuan-tsong. L'empereur lui avait totalement vendu son âme.

Yu-houan, de son côté, ne détestait pas An Lou-chan. Elle sentait quelque part en lui un être plein de ruse, et n'avait pas réellement confiance en lui, cependant quelques entrevues suffirent à lui faire relâcher sa garde.

An Lou-chan connaissait sa mère et prétendait être de père inconnu. Il aimait à proclamer l'insignifiance de ses origines, mais un vieux général barbare de ses subordonnés s'avança un jour devant l'empereur.

– Majesté, voici la véritable histoire de la naissance de notre général en chef. Déplorant de ne pas avoir d'enfants, sa future mère s'en alla prier au mont A-tseu-lou-kou où les Turcs vénèrent le dieu de la Guerre, et celui qui naquit grâce à ses prières n'était autre que le général An Lou-chan. Dans la région, on parle encore aujourd'hui de la nuit de sa naissance : la lune répandait une lumière incandescente couleur de sang, tout était rouge, les champs comme les montagnes. Partout ou entendait des bêtes sauvages hurler à la mort, bref, c'était une nuit d'une indicible horreur. Au milieu de ces hurlements d'animaux sauvages, une météorite tomba sur la yourte où sa mère se trouvait, et c'est à cet instant que naquit le général. Le Ciel avait fait descendre une étoile sur terre, afin qu'elle consacre sa vie entière au service de l'auguste empereur de l'Orient.

Cette histoire captiva le cœur de Siuan-tsong.

– Ce sang-mêlé difforme serait donc un éclat d'étoile ! fit-il en riant.

Il était plus flatteur pour sa vanité d'ajouter crédit à cette fable que de la dénigrer.

An Lou-chan séjourna quinze jours à la capitale, puis repartit comme il était venu, accompagné de ses troupes barbares, en direction des régions frontières. Après son départ, les festins de la Cour furent un temps aussi tristes que les cendres d'un feu éteint. Non seulement le barbare manquait à l'empereur, mais Yu-houan elle-même se sentait seule et insatisfaite. Tel était l'effet produit par cette étrange créature du nom d'An Lou-chan.

Pendant quelque temps diverses rumeurs eurent cours : An Lou-chan changeait de cheval à chaque relais, aucun ne pouvant supporter longtemps son poids énorme, ou bien, une monture ordinaire n'y suffisant pas, il se faisait transporter par des chevaux géants spécialement sélectionnés pour lui dans les provinces qu'il traversait ; An Lou-chan utilisait deux selles, disait-on encore, l'une pour monter à califourchon, l'autre pour soutenir son ventre.

Les rumeurs concernant An Lou-chan finissaient à peine de s'éteindre quand, au début du quatrième mois, parvint à la capitale la nouvelle de la victoire de Houang-fou Wei-ming, commissaire impérial au commandement de la Droite du Long, contre les Tibétains, à la citadelle de Hong-tsi. A la fin de l'année précédente, Houang-fou Wei-ming avait vaincu les Tibétains au Koukou-nor, et on le fêtait déjà comme un héros quand cette nouvelle victoire fut annoncée à la capitale.

Du printemps à l'été, l'année s'écoula sans événement notable. A l'automne, un début de rumeur annonça le retour d'An Lou-chan à la capitale. Yu-houan s'obligeait à ne jamais parler devant Siuan-tsong des généraux ou des dignitaires de la Cour. Non pas que l'empereur fût d'une excessive jalousie, mais elle savait qu'il était de bon ton pour les femmes du gynécée d'éviter semblables sujets. Dès qu'elle eut vent du retour d'An Lou-chan, Yu-houan fut tenaillée du désir de vérifier l'exactitude de ce bruit mais elle se garda d'aborder le sujet devant l'empereur. Celui-ci, pensait-elle, avait probablement mandé de nouveau An Lou-chan à la Cour pour le divertir de son ennui.

Au dixième mois, ils se rendirent au palais des Sources Chaudes et regagnèrent Tch'ang-an un mois plus tard. Yu-houan accompagnait toujours l'empereur, mais la concubine Prunus ne faisait plus partie du voyage.

Au cours du douzième mois se produisirent des incursions du pirate Wou K'iuan-kouang, et on installa des balises lumineuses dans toutes les provinces côtières. N'ayant jamais vu la mer, Yu-houan avait du mal à s'imaginer ce qu'étaient des pirates, ou des bateaux pirates, ou même les balises allumées le long des côtes. Elle brossa en esprit une estampe où se voyaient des pyramides de lumières comme celles de la Fête des Lanternes disposées en haut des falaises. Tout autour se pressait une foule tranquille de fantassins et de cavaliers, dans une atmosphère limpide qui n'avait rien de commun avec le tumulte de la guerre.

L'année se termina sans une seule chute de neige, puis on alla vers le printemps de la troisième année du Céleste Trésor. Au début de l'année, un édit gouvernemental avait annoncé une modification du caractère désignant « l'année ». Il ne fallait donc plus dire « la troisième année de l'ère du Céleste Trésor », mais « l'An Trois du Céleste Trésor », comme si, n'ayant plus rien à changer, le gouvernement en était venu à modifier le vocabulaire. Le même mois eut lieu une levée de toutes les peines, excepté les condamnations à mort et les bannissements. Là aussi, le gouvernement semblait avoir pris cette mesure par pur désœuvrement. Ce n'était sans doute pas une mauvaise chose, mais pareille mesure ne pouvait non plus être qualifiée d'excellente.

Au début du deuxième mois, l'empereur se rendit à nouveau au mont du Cheval Noir. Une météorite tomba dans les collines derrière la résidence impériale, au moment précis où Yu-houan traversait une galerie en compagnie de Siuan-tsong. Un messager était venu cette nuit-là de la capitale leur annoncer l'arrivée imminente d'An Lou-chan, et Siuan-tsong décida aussitôt de quitter le palais d'hiver pour regagner la capitale. Il se souvenait de l'histoire de l'étoile tombée sur la yourte au moment de la naissance du général, et ne pouvait croire que la chute de la météorite dont il venait d'être témoin était simplement due au hasard.

Le jour de l'arrivée d'An Lou-chan, l'empereur était fort agité. « Ce diable de Sang-mêlé n'est pas encore là ? » ne cessait-il de répéter. Escorté de son armée, le barbare progressait lentement vers la capitale. Il avait fait étape la veille à quatre ou cinq lieues de Tch'ang-an et aurait dû normalement arriver avant midi, mais loin de se presser, il faisait halte à chaque lieue.

Le soleil déclinait déjà quand il se présenta enfin au palais pour une audience avec l'empereur. N'en pouvant plus d'impatience, Siuan-tsong était de fort méchante humeur mais, à peine eut-il aperçu l'énorme carcasse d'An Lou-chan qu'il se métamorphosa en hôte accueillant, et se mit à lâcher des « Ah, Sang-mêlé, diable de Sang-mêlé ! » à jet continu. An Lou-chan, qui était déjà commissaire impérial au commandement de P'ing-lou, fut nommé ce jour-là commissaire impérial au commandement de Fan-yang. Presque immédiatement après, l'empereur lui annonça qu'il cumulerait ce nouveau poste avec celui de commissaire impérial enquêteur du Ho-pei. Cent mille soldats supplémentaires se trouvèrent ainsi placés d'un coup sous ses ordres ce jour-là. A l'annonce de cette faveur, An Lou-chan déclara à l'empereur :

— Votre humble sujet reçoit là une récompense imméritée et trop élevée. Je prie Votre Majesté de consentir à alléger le poids de ma charge.

— En considération de ton poids à toi, la charge est encore bien trop légère ! Tu parles comme une femmelette. Qu'est-ce que tu as donc dans ta grosse panse ?

— Rien d'autre qu'un cœur loyal, Majesté, répondit An Lou-chan.

Cette réponse, venant de tout autre, eût paru affectée, mais de la part d'An Lou-chan, elle avait un accent de sincérité indubitable. Elle fit apparaître aux yeux de Siuan-tsong le cœur du barbare comme une masse pétrie de sincérité. Il lui sembla même tout à coup qu'il lui accordait des faveurs encore insuffisantes. Il aurait voulu lui offrir plus, mais rien d'approprié ne lui venait à l'esprit. C'est alors qu'An Lou-chan déclara d'une voix craintive :

— J'ai réfléchi à quelque chose pendant ce long parcours jusqu'à la capitale, et je n'ai cessé de penser que je devrais le demander à Votre Majesté lors de mon audience. Oserais-je vous en entretenir ?

— Exprime ta pensée, répondit Siuan-tsong.

— Le fait est que, tout enfant, j'ai perdu mon père et ai été séparé de ma mère. Laissons de côté le père, mais une mère, j'aimerais bien en avoir une. Il existe une dame de haut rang à qui j'aimerais donner le nom de mère.

— Qui est cette femme ?

— Elle est assise aux côtés de Votre Majesté, répondit effrontément An Lou-chan.

Toute l'assemblée en resta stupéfaite. Siuan-tsong lui-même était fort surpris, et Yu-houan plus encore.

— Son Altesse ne pourrait-elle me considérer comme son fils adoptif ? reprit An Lou-chan.

Siuan-tsong fut le premier à rire, brisant la tension de la salle. Il riait comme si tout cela était indiciblement drôle. Toute l'assemblée de notables et de courtisans se mit alors à rire à gorge déployée. Dès que l'un d'eux commençait à rire, tous les autres ne pouvaient s'empêcher de pouffer à leur tour.

— Qu'en pense l'intéressée ? Je laisse à Yu-houan le soin d'accepter ou de refuser ta requête, dit Siuan-tsong.

— J'accepte avec joie, répondit Yu-houan.

Cela la divertissait de faire de ce géant peu ordinaire, de plus de dix ans son aîné, son fils adoptif pour rire, et, même si cela dépassait la plaisanterie et devenait une réalité, personne ne prendrait cela en mauvaise part, se dit-elle.

— Je vous remercie d'avoir accédé à ma requête. J'aurai dorénavant pour Votre Altesse le profond respect dû à une mère, déclara An Lou-chan très sérieusement.

Ainsi que l'avait escompté Yu-houan, personne ne vit d'un mauvais œil cette étrange adoption. Dans la mesure où la demande venait d'An Lou-chan, tous la trouvèrent pleine d'innocence, preuve de la simplicité de cœur de ce guerrier issu d'une tribu barbare au caractère et aux mœurs éloignés des leurs.

Cette nouvelle tournure des événements parut également plaire à Siuan-tsong, et il donna à partir de cette nuit-là une série de banquets de félicitations en l'honneur du général devenu fils adoptif de sa concubine. La veille du retour d'An Lou-chan sur les terres de sa charge, eut lieu au pavillon du Cérémonial envers les Etrangers un splendide banquet d'adieu auquel assistaient tous les fonctionnaires à partir du troisième niveau des départements du Grand Secrétariat et de la Chancellerie impériale. Au cours du banquet, An Lou-chan raconta l'histoire suivante :

— Le septième mois de l'an passé, il y a eu une invasion de sauterelles sur mes terres. Comme elles dévoraient les jeunes plants de riz, j'ai offert de l'encens et des prières au Ciel, disant que j'acceptais volontiers que ces insectes dévastent la récolte de riz, si j'avais failli à servir mon Seigneur, mais s'il s'avérait que je le servais avec fidélité sans m'éloigner du droit chemin, alors, que le Ciel fasse disparaître ces insectes. Voilà comment j'ai prié, et avant même que j'aie terminé, une nuée d'énormes corbeaux s'est abattue sur les sauterelles pour les dévorer jusqu'à la dernière. Mais quelle n'a pas été ma surprise en voyant que ces oiseaux avaient le corps bleu et la tête rouge !

Venant d'An Lou-chan, ce genre d'histoire respirait pour certains la sincérité, tandis que d'autres lui reconnaissaient simplement le talent d'inventer de belles fables mais, étrangement, sans songer à lui en faire reproche. Ils finissaient par y prêter intérêt, tout en se disant que c'était vraiment un conte à dormir debout. Chacun perdait l'envie de blâmer An Lou-chan, tant il était amusant de le voir s'ériger lui-même en héros de chacune de ses histoires issues de son imagination.

Bien au fait de tout cela, An Lou-chan laissait à chacun le soin de prendre ses histoires comme il l'entendait, et se contentait de les raconter magnifiquement, accompagnant son récit de gestes et d'expressions diverses. Même si personne n'avait voulu ajouter foi à ses histoires, il s'en serait trouvé au moins un : l'empereur lui-même, qui, avec son côté absolument crédule, prenait au sérieux toutes les fables d'An Lou-chan, ou du moins essayait. Même si le récit tournait à l'absurde, il continuait à l'écouter d'un air radieux. Cette fois-là encore, il s'exclama :

– Des oiseaux bleus à tête rouge ! Ah diable de Sang-mêlé, tu as dû être bien étonné !

Ce passage était à ses yeux le plus intéressant dans cette histoire d'invasion de sauterelles. Un récit contenant d'inconcevables prodiges avait toutes chances de le fasciner immédiatement. Il faisait son possible pour y croire, il fallait que ce fût vrai. Comme lui-même aspirait au miracle de la vie éternelle, il souhaitait ardemment la présence en ce monde d'une multitude de phénomènes étranges du même ordre.

An Lou-chan, en racontant de façon si naturelle ces apparitions d'oiseaux bleus à tête rouge, se conformait ainsi à ses désirs.

Yu-houan, de son côté, ne croyait pas à ces fables, mais faisait partie de ces auditeurs qui ne songeaient pas à blâmer l'habile conteur. Elle tenait pour vraie l'idée cachée derrière le récit. Ainsi, si elle tenait les volatiles bleu et rouge pour invraisemblables, elle était en revanche persuadée du total dévouement d'An Lou-chan envers son souverain.

Kao Li-che ainsi que le Premier ministre Li Lin-fou assistaient également au banquet d'adieu, mais nul n'aurait pu deviner ce qu'ils pensaient réellement du général barbare. Ils furent les seuls à ne pas prêter l'oreille à cette histoire de corbeaux. Au moment où An Lou-chan entamait son récit, ils s'étaient mis de leur côté à échanger des propos à voix basse :

– Il est certes ennuyeux d'être décharné comme moi, mais combien plus embarrassant d'être une outre pareille ! marmonnait l'eunuque entre les commissures ridées de ses lèvres.

– Avez-vous jamais assisté à un combat de coqs, l'un sec et l'autre gras ? C'est le maigre qui gagne sans coup férir, répondit Li Lin-fou.

– Pourtant, quand on pèse un tel poids... fit Kao Li-che en rapprochant le visage de celui de son interlocuteur, qui hocha aussitôt la tête.

– Oui, certes, mieux vaudrait ne pas l'engraisser davantage. De combien d'hommes dispose-t-il en tant que commissaire impérial au commandement de la région de P'ing-lou ?

– Plus de trente mille.

– Trente mille ?

– Plus, précisément trente-sept mille cinq cents.

– Et en tant que commissaire impérial de Fan-yang ?

– Quatre-vingt-onze mille quatre cents.

– Oh ! oh !

Li Lin-fou restait impénétrable, le regard lointain. Son visage ne portait jamais trace des sentiments qui l'agitaient. Quelquefois par an à peine, lors d'occasions exceptionnelles, une expression tranchante traversait ses traits comme l'éclair d'une lame. Cela se produisait lorsqu'il faisait rabaisser à un rang inférieur quelqu'un qui lui avait déplu, ou lorsqu'il en accusait un autre de crimes contre l'Etat.

– Il est stationné dans le canton de Ying-tcheou, je crois ?

– C'est exact. Mais comme il cumule maintenant le commandement de la région de Fan-yang, je pense qu'il ne devrait pas tarder à déplacer sa garnison à Yeou-tcheou (capitale du Nord). La région de Fan-yang est entièrement constituée de riches terres arables, et s'étend vers le sud jusqu'au fleuve Jaune. A l'ouest de ces plaines fertiles, se trouve une zone montagneuse fort abrupte.

– Il grossit de plus en plus...

– Cela ne fait aucun doute.

– A s'empâter sans discernement, on finit par devenir impotent.

– Cette idée-là est dangereuse. Quand il s'est mis à danser l'autre fois, ce corps obèse se mouvait à une effrayante vitesse. Personne d'autre n'est capable d'une telle rapidité de mouvement.

– Hum ! grogna Li Lin-fou.

Puis, changeant de sujet :

– A propos de Houang-fou Wei-ming...

Il avait tourné la tête vers Kao Li-che.

– Il est grand temps...

– ... de le rappeler ici ?

– Bien au contraire. L'éloigner serait plus...

– Hum ! Et l'empereur... ?

– Il lui fait entièrement confiance. Personne n'a pu battre les Tibétains à plate couture comme lui ces dernières années. Et il n'y a pas que l'empereur : il jouit d'une immense popularité dans tout le pays. Il se pourrait qu'il engraisse trop lui aussi...

– Oui, en effet.

La conversation s'arrêta là. Chacun d'eux, apparemment plongé dans ses propres pensées, se mit à regarder du côté opposé, indifférent à l'autre. Kao Li-che s'éloigna bientôt du siège du Premier ministre. Tous les hauts fonctionnaires de la Cour occupaient lors des banquets impériaux des places fixes dont ils ne pouvaient bouger, à l'exception de Kao Li-che, qui seul circulait librement. Il changeait ainsi de place de temps à autre, se déplaçant à sa façon caractéristique, comme en état d'apesanteur.

Vers la fin du banquet, An Lou-chan s'avança vers l'empereur pour le remercier de ses faveurs, et le salua en lui annonçant son départ de la capitale pour le lendemain.

– Quand reviens-tu ? demanda Siuan-tsong.

– Lorsque ma mère, qui a exaucé mon plus cher désir en nouant avec moi ces relations parentales, deviendra officiellement votre épouse, alors je viendrai, pour la célébration.

– Et quand cela sera-t-il ?

– Comment le saurais-je ? Seul le cœur de l'empereur connaît cette date. Quant à moi, je puis seulement prier les dieux pour que s'accomplisse au plus tôt la cérémonie.

La réponse d'An Lou-chan n'était pas pour déplaire à Yang Yu-houan.

An Lou-chan quitta la salle du festin, passant devant les rangées de notables, soutenu par deux vassaux, tel un énorme paquet de chair.

Yu-houan sentait approcher le jour où elle serait officiellement déclarée épouse impériale, tout en n'ayant encore aucune précision à ce sujet. Siuan-tsong n'y faisait jamais allusion, pas plus que Kao Li-che. An Lou-chan avait été le premier à en évoquer ouvertement l'éventualité. A bien y réfléchir, l'inscription d'une concubine au registre officiel n'était guère un sujet à évoquer par un vassal, et si An Lou-chan avait pu se permettre d'en parler, c'était parce que Siuan-tsong avait déjà accédé à sa divertissante requête d'adoption. Peut-être An Lou-chan avait-il fait cette première demande uniquement pour cela, pour pouvoir dire cela maintenant. Ses paroles, en tout cas, n'avaient pas déplu à Yu-houan, et à l'empereur non plus.

Quelques jours après le retour d'An Lou-chan à son poste, Kao Li-che se rendit en visite aux appartements de Yu-houan.

– Ah, c'est terrible ! Je n'ai pas assez de bras pour tout ce que j'ai à faire, dit-il avec sa façon caractéristique de s'exprimer. L'an prochain, plus exactement au septième mois de l'An Quatre du Céleste Trésor, vous serez officiellement inscrite au registre des épouses de Sa Majesté. Votre famille se rendra en foule à la capitale. Ah, par le Ciel ! Quelle animation cela va faire ! Cela va être terrible, ne serait-ce que pour leur apprêter des résidences.

Yu-houan gardait le silence. Elle n'exprima pas sa pensée, mais elle songeait qu'enfin, le moment approchait où elle allait pouvoir écarter Prunus de l'empereur. Comme l'avait fait l'impératrice Wou Tsö-T'ien de ses rivales, sans doute mettrait-elle elle aussi le corps de Prunus à fermenter au fond d'un tonneau. Un élancement de plaisir tel qu'elle n'en avait encore jamais ressenti parcourut son corps à l'évocation de ce moment. Kao Li-che, le souffle coupé, regardait fixement Yu-houan, toujours silencieuse. Jamais la jeune femme ne lui avait paru aussi belle qu'en cet instant où l'ivresse du pouvoir venait de pénétrer son cœur pour la première fois.

A la fin du deuxième mois fut annoncée l'arrivée à la Cour de Houang-fou Wei-ming, commissaire impérial au commandement de la Droite du Long. La nouvelle de son retour se propageait de quartier en quartier dans la capitale, apprit Yu-houan de la bouche de ses suivantes, et le jour de son arrivée, il ne manquerait pas d'y avoir grand tumulte, tant serait immense la foule qui se déplacerait pour le voir. Son retour ne signifiait évidemment pas qu'il était retiré de sa charge, mais qu'il rentrait quelque temps pour régler des affaires administratives.

Yu-houan ne pouvait rien apprendre de neuf sur le compte du fameux général qui avait défait les Tibétains au Koukou-nor deux ans plus tôt, et les avait écrasés de nouveau à la citadelle de Hong-tsi, le quatrième mois de l'année précédente. La nouvelle de ses victoires avaient pareillement réjoui barons et vassaux de Tch'ang-an, et communiqué un sentiment de triomphe à la ville tout entière, où le nom de Houang-fou Wei-ming était désormais synonyme de héros défenseur des frontières du Nord. Yu-houan était bien au fait de tout cela, mais ne comprenait pas pourquoi le général était à ce point fêté par le peuple. Il n'était pourtant pas le seul à avoir remporté des victoires dans les marches lointaines. Wang Chouei, commissaire impérial au commandement du Ho-si, avait lui aussi vaincu les Tibétains, et Wang Tchong-sseu avait battu les Kitans et les barbares Si.

Yu-houan se renseigna auprès de ses suivantes mais obtint de chacune une réponse différente.

– Actuellement, dit l'une, le commissaire impérial qui s'est le plus distingué par ses mérites, et auquel l'empereur accorde le plus sa confiance est le général An Lou-chan, mais il s'agit d'un barbare, tandis que Houang-fou Wei-ming est un guerrier Han des plus respectables et rivalise de bravoure avec Lou-chan pour venir à bout des tribus sauvages des régions reculées. Et tout le monde prend le parti de Houang-fou parce qu'il est de sang chinois.

– Houang-fou, dit une autre, est l'un des opposants de Li Lin-fou, et devrait occuper à la Cour une place de haut fonctionnaire, mais, au lieu de cela, il a été éloigné dans les provinces reculées. C'est un sentiment de sympathie pour cette situation injuste qui lui a valu sa réputation de défenseur des frontières parmi le peuple.

Une autre encore était d'avis qu'il était le seul guerrier à ce jour réellement capable de vaincre les Tibétains. Au temps de Siao-kiong, son prédécesseur au poste de commissaire impérial de la Droite du Long, la région du Kan-sou était sans cesse dévastée par les incursions tibétaines. Siao-kiong avait remporté une seule petite victoire sur les Tibétains, en l'an vingt-sept de la Fondation, un an avant l'arrivée de Yu-houan au palais des Sources Chaudes. Avant lui, il n'existait même pas de commissaire impérial au commandement de cette région, et c'est Ts'ouei Si-yi, commissaire impérial du Ho-si qui avait alors la charge des opérations militaires contre les Tibétains. Il avait défait ceux-ci à maintes reprises, mais, en fait de victoire, il avait simplement réussi à repousser leurs invasions. L'actuel Premier ministre Li Lin-fou avait brièvement cumulé ses fonctions avec celles de commissaire impérial au commandement de la Droite du Long, sans rien accomplir lui non plus. Le seul à avoir attaqué les Tibétains de front, et à leur avoir infligé de lourdes pertes, était Houang-fou Wei-ming. Ce qui expliquait l'estime dont il jouissait auprès du peuple, plus encore qu'à la Cour, et qui ne cessait de grandir.

Yu-houan entendait ses suivantes colporter les rumeurs les plus capricieuses quant au jour de l'arrivée du héros à la capitale : elles répandaient sans cesse le bruit de sa venue, comme si réellement elles brûlaient de le voir arriver. Yu-houan se prit à attendre elle aussi celui qui suscitait une telle impatience chez le menu peuple. Quand enfin la nouvelle de l'arrivée du héros dans la deuxième quinzaine du troisième mois fut confirmée avec certitude, toute la gent féminine du palais fut plongée dans une sorte d'état d'excitation sans bornes. Par quelles galeries passerait-il, dans quelle chambre se reposerait-il, où serait donné le banquet en son honneur, on se demandait tout cela et mille autres choses. Quant à l'âge ou la tournure du célèbre guerrier, personne n'en avait la moindre idée, mais les dames de la Cour ne s'en souciaient guère, tant elles étaient habituées à vivre cloîtrées entre les quatre murs de leurs pavillons, totalement coupées de la société ordinaire. Le simple fait qu'il était acclamé comme un héros dans tous les quartiers de la capitale conférait

suffisamment de charme à Houang-fou Wei-ming.
L'arrivée d'An Lou-chan à la Cour les avait également
surexcitées, mais son statut de général barbare justifiait
alors largement leur curiosité. Le cas de Houang-fou
Wei-ming différait totalement.

Trompant l'attente du peuple de Li Lin-fou, le général fit son entrée dans la capitaile au début du troisième mois, accompagné seulement de quelques vassaux, et ne provoqua pas le tumulte de l'arrivée d'An
Lou-chan. Aucun de ceux qui le virent passer ne comprit qu'il s'agissait du célèbre héros, pas plus qu'on ne
sut quand il était entré dans la ville. A ce moment-là,
les parties de pique-niques emplissaient la capitale
d'animation. Au bord de la Rivière Sinueuse, située au
coin sud-est du palais, et sur la petite colline du
Champ-des-Plaisirs, qui occupait le nord de celle-ci, se
pressaient des groupes de promeneurs. La floraison des
prunus était déjà terminée, les fleurs d'abricotier et de
pêcher commençaient à perdre leur éclat, ce n'était
pas encore tout à fait la saison des pivoines, mais les
rayons caressants d'un soleil printanier réchauffaient
enfin les larges avenues délimitant les quartiers de la
ville.

Le jour même de son retour à la capitale, Houang-
fou se rendit au palais impérial pour y rencontrer le
souverain. C'était un guerrier d'âge moyen, plein de
distinction. Ceux qui ignoraient de qui il s'agissait
n'auraient pas songé à le prendre pour un militaire.
D'un comportement calme, il s'exprimait avec douceur. Seule sa peau brunie et ses grandes enjambées
prestes pour déplacer sa haute stature témoignaient de
son appartenance au corps militaire. Tout le corps des
ministres, Li Lin-fou en tête, fut convié au festin donné
en l'honneur du héros. L'animation fut loin d'atteindre
celle du banquet donné pour An Lou-chan. La grosse
voix du barbare parvenait aux oreilles de toute l'assistance, tandis que celle de Houang-fou s'adressant à
l'empereur n'atteignait qu'une infime partie de l'assemblée. Yu-houan, depuis l'instant où Houang-fou
était apparu dans la salle d'audience, avait gardé les

yeux fixés sur lui, buvant du regard les moindres gestes du guerrier des marches lointaines.

Après avoir tracé à l'empereur un exposé de la situation aux frontières, Houang-fou retourna s'asseoir à la place qui lui avait été attribuée. Li Lin-fou prit alors la parole :

– Conquérir les Tibétains par la force militaire est chose aisée. Ce qu'il faut, c'est trouver moyen de les pacifier, et les soumettre à l'empereur par la douceur.

– Impossible, répondit aussitôt Houang-fou.

Cette dénégation avait été faite d'un ton si violent que toute la salle l'entendit. Li Lin-fou continua :

– Quand les premiers commissaires impériaux ont été mis en place dans les régions du Ho-si et de Yeou-tcheou, ce n'était pas pour monter des offensives contre les tribus barbares, il s'agissait bien plutôt de préparatifs de défense. Le commissaire impérial au commandement de la Droite du Long a été mis en place ultérieurement, cela ne l'autorise pas à faillir à la mission originelle de sa charge. Quoi qu'il arrive, veillez à ne pas l'oublier.

Le ton monocorde de ces paroles, et l'expression glaciale qui les accompagnait, avaient mis mal à l'aise toute l'assistance, y compris Yu-houan. Houang-fou répondit à la critique explicite du Premier ministre :

– Les barbares ont des cœurs de bêtes sauvages. Leurs réactions sont imprévisibles, si l'on se contente d'une position défensive, ils attaquent, si l'on cherche à les apaiser, ils se soulèvent. A mon avis, l'épée et la flèche sont les seuls moyens utilisables avec eux. De plus, les Tourfans ne sont pas la simple tribu qu'imagine Votre Excellence. Leur pays renforce son pouvoir de jour en jour. Si nous ne les écrasons pas aujourd'hui par la force des armes, nous aurons à nous en repentir un jour, aussi vrai que le feu brûle celui qui l'approche.

– Nous pourrions offrir une princesse de sang impérial en mariage à leur chef.

– Ce genre de mesure de conciliation provisoire est connu depuis l'Antiquité. Non seulement les Tourfans, mais aussi les Kitans et les Si, tueraient la princesse et entreraient en rébellion.

L'échange de reparties entre les deux hommes en resta là, et tout le monde se retira dès que Siuan-tsong eut quitté la pièce.

Au cours du banquet qui s'ensuivit, Yu-houan eut pour la première fois l'occasion d'échanger quelques mots avec Houang-fou.

– Après un long séjour en des contrées reculées, j'ai eu l'honneur aujourd'hui d'apercevoir Votre Altesse pour la première fois. Je me réjouissais de deux choses en me rendant à Tch'ang-an : rencontrer enfin l'épouse de Sa Majesté, dont la réputation de beauté était déjà parvenue jusqu'à moi, et admirer les pivoines du temple de la Miséricorde du quartier Tsin-tch'ang.

Sans doute s'agissait-il là d'un hommage protocolaire envers la femme qui bénéficiait des faveurs de l'empereur, mais Yu-houan accueillit ces propos avec une joie démesurée. Les louanges des guerriers ou des fonctionnaires la laissaient d'ordinaire indifférente, mais dans ce cas précis, le compliment lui parut sincère.

Là encore, elle ne pouvait détacher les yeux du visage du guerrier, et continuait à le regarder dans l'attente de la suite, mais Houang-fou n'ajouta rien. Yu-houan avait pris l'habitude de ne jamais répondre à ses interlocuteurs dans ce genre de banquet, où d'ailleurs elle n'avait guère l'occasion de s'exprimer, mais cette fois, les mots s'envolèrent de sa bouche :

– Aimez-vous les pivoines du temple de la Miséricorde ? Pour ma part, je trouve bien plus belles celles du temple de la Clarté de l'Ouest du quartier Yen-k'ang.

– Si Votre Altesse les trouve plus belles, alors elles doivent l'être, sans contredit. Les pivoines du temple de la Miséricorde, celles du temple de la Vénération du quartier Ts'ing-an, et du temple de la Longévité du quartier Yong-lo sont toutes réputées, mais elles sont assurément loin d'égaler celles du temple de la Clarté de l'Ouest. Je n'ai guère le loisir de m'attarder à la capitale, mais d'une façon ou d'une autre j'aimerais rester à Tch'ang-an jusqu'à l'éclosion des pivoines du temple de la Clarté de l'Ouest, que Votre Altesse trouve si belles...

Mais Yu-houan ne devait plus revoir Houang-fou pendant son séjour à la capitale. Vers la fin du troisième mois, elle eut vent de son retour à son poste. Ce même jour, elle alla admirer les pivoines du temple de la Miséricorde, que l'on disait en pleine floraison. D'ordinaire, elles atteignent leur plein épanouissement aux alentours du quinzième jour du troisième mois, mais cette année-là, elles avaient plus de dix jours de retard.

> « Fleurs écloses, fleurs fanées,
> Vingt jours de folie dans la cité »

dit un poème, et en vérité la saison des pivoines semblait communiquer une sorte d'ivresse à la capitale tout entière.

> « Dix mille chevaux, mille voitures
> Pour admirer les pivoines »

dit un autre poème, évoquant l'extrême animation de Tch'ang-an à cette période de l'année. Yu-houan alla voir les pivoines préférées de Houang-fou au temple de la Miséricorde, puis celles du temple de la Clarté de l'Ouest dont elle-même lui avait parlé. L'enceinte de chacun de ces temples, réputés pour la beauté de leurs fleurs, était remplie d'une foule si dense qu'on pouvait à peine bouger.

Jusqu'à ce jour, Yu-houan n'avait jamais spécialement raffolé des pivoines. Les jardins du palais en comptaient de nombreux parterres, contenant des variétés parmi les plus réputées. S'il était arrivé à Yu-houan d'aller les admirer en compagnie de l'empereur, il ne lui était jamais venu à l'idée de s'y rendre seule. Qu'une seule de ces plantes pût valoir de telles sommes d'argent la dépassait complètement.

A dater de ce jour, cependant, la jeune femme se mit à aimer les pivoines, sans pour autant leur trouver cette éclatante beauté chantée par les poètes :

« Carpelles d'or épanouies,
Dans une grappe de rubis.
Flamboyant nuage, mille pétales écarlates,
Et rameaux par centaines en éclatantes flammes. »

C'étaient effectivement des fleurs d'une beauté sompteuse, les reines des fleurs à n'en pas douter, mais, à la différence des autres, leurs attraits menacés par la ruine avaient le don d'évoquer quelque sombre destinée. C'était cette amertume présente au cœur même de leur luxuriante beauté qui attirait Yu-houan. Elle se demandait pourquoi elle n'avait encore jamais prêté attention à cette qualité propre aux fleurs de pivoine. Elle ne reverrait sans doute pas Houang-fou avant bien longtemps : il était revenu à la capitale pour la première fois depuis des années, et de nombreuses années s'écouleraient encore avant un nouveau retour. Quand elle le reverrait, ses cheveux auraient blanchi, se disait la jeune femme dans le palanquin d'où elle admirait les pivoines.

Au troisième mois, l'empereur donna à l'une de ses petites-filles, du clan Tou-kou, le titre de princesse King-lo, et annonça qu'il la donnait en mariage au Kitan Li Houai-kie, gouverneur général de Song-mo. En même temps, il donnait en mariage au Si Li Yen-Tch'ong, gouverneur général de Jao-lo, la princesse Yi Fang, du clan Yang, elle aussi de lignée impériale.

Les Kitans comme les Si étaient des tribus barbares vivant à proximité des monts Sing-an, qui s'étaient associées à plusieurs reprises d'imprévisible façon pour en découdre avec l'armée des T'ang. Le douzième mois de la première année du Céleste Trésor, ils avaient mené de concert des incursions dans les régions frontalières. Wang Tchong-sseu les ayant repoussés, le calme était provisoirement revenu, mais d'un jour à l'autre ils pouvaient brandir à nouveau l'étendard de la révolte. L'empereur Siuan-tsong comptait les amadouer en leur offrant ces deux princesses en mariage. Des princesses chinoises avaient souvent été offertes en mariage à des chefs barbares, depuis l'époque des Han. L'histoire de Wang Tchao-kiun, mariée au chef des Huns, dont elle eut deux enfants, n'est que trop célèbre. C'est là un cas exemplaire de pacification réussie, mais, si l'histoire est passée à la postérité, ce n'est pas tant à cause de la pacification des barbares qu'à cause du destin tragique de la princesse Wang Tchao-kiun. Que cette politique de pacification des barbares de la frontière ait été couronnée de succès, ou à plus forte raison quand elle s'était soldée par un échec, toutes ces princesses chinoises avaient connu un sort tragique. Nées dans le Grand Empire des T'ang, élevées dans de nobles familles comme dames de haut lignage, elles durent s'exiler auprès de peuples nomades primitifs, innocentes victimes de mariages politiques.

La princesse King-lo, promise au chef des Kitans, comme la princesse Yi Fang, future épouse du chef des Si, étaient presque des fillettes, encore loin de leurs vingt ans. Un banquet d'adieu fut donné en leur honneur au palais, mais les deux princesses n'ouvrirent pas la bouche du début à la fin, à moins d'être questionnées.

Siuan-tsong demanda à la princesse King-lo quels étaient ses divertissements préférés ; elle répondit qu'elle venait de commencer l'équitation, et qu'elle aimerait jouer au polo, le jour où elle saurait monter habilement à cheval. L'empereur s'adressa à l'autre princesse pour savoir quel était actuellement son plus cher désir. « Admirer la floraison des pivoines », répondit la princesse Yi Fang. Ces deux souhaits étaient irréalisables dans les déserts du Nord. Les deux princesses étaient belles, mais King-lo attirait plus spécialement les regards de l'assistance.

Siuan-tsong sembla soudain regretter l'envoi des deux jeunes filles dans les régions barbares, et manda Li Lin-fou à la fin du banquet pour lui demander s'il n'y avait pas moyen de différer leur départ.

– L'empereur des T'ang peut-il décemment revenir sur une promesse faite, même envers des peuplades aussi primitives que les Kitans et les Si ? répondit le Premier ministre.

L'empereur insista :

– Envoyons-leur deux autres femmes et gardons celles-là ici.

– Sans parler des Si, j'ai ouï dire que le chef des Kitans se réjouissait fort de l'arrivée de la princesse.

– Dans ce cas, envoyons la princesse Yi Fang chez les Kitans et gardons la princesse King-lo au palais.

Siuan-tsong n'avait pas l'habitude de s'obstiner de la sorte. Aucun doute, « garder la princesse au palais » signifiait la faire entrer dans son harem. Après une réponse évasive, ni accord ni refus, Li Lin-fou se retira.

Deux jours plus tard, Yu-houan reçut la visite de Kao Li-che.

– Je viens vous prier d'intercéder auprès de Sa Majesté au sujet de la princesse King-lo. Sa Majesté regrette de l'avoir offerte en mariage à un barbare et voudrait tout interrompre. Mais il serait de fort mauvais aloi pour l'empereur du Grand Empire des T'ang de revenir sur une parole donnée. Le Premier ministre a déjà parlé en ce sens à Sa Majesté, qui ne veut toujours rien entendre. Aussi voudrais-je confier à Votre Altesse le soin d'expliquer cela à Sa Majesté.

– Je préfère m'abstenir de ce genre de choses, répondit Yu-houan.

Elle n'était jusque-là jamais intervenue pour influencer les décisions de l'empereur, et avait au contraire pris le parti d'approuver sans réserve tous ses choix, quels qu'ils fussent. Kao Li-che reprit :

– Je n'ai jamais sollicité aucune faveur de Votre Altesse, mais dans ce cas précis, je me vois contraint d'en recourir à votre aide. La princesse King-lo appartient au clan Tou-kou, elle est la fille d'une des propres filles de l'empereur, et vient d'une lignée de lettrés en étroite relation avec dame Prunus. Cela est le dernier point : si elle venait à entrer au gynécée, cela ne pourrait que renforcer le pouvoir de dame Prunus, et...

Yu-houan lui coupa la parole :

– Au gynécée ?

Siuan-tsong aurait eu l'intention de faire entrer cette jeune fille dans son gynécée ? Aussi amateur de femmes qu'il pût être, était-il possible qu'il éprouvât un désir charnel pour une toute jeune fille comme celle-là ?

– C'est impossible, voyons ! Sa Majesté...

Ce fut au tour de Kao Li-che de l'interrompre :

– Pour quelle autre raison Sa Majesté envisagerait-elle ces mesures ? Si vous laissez les choses en l'état, vos journées vont être fort occupées : vous devrez apprendre à monter à cheval et à jouer au polo...

– Et pourquoi donc ?

– Mais parce que l'empereur mettra la princesse dans son gynécée et organisera pour elle ce genre de distractions. Allez, le vieillard que je suis connaît l'empereur sur le bout des doigts, et au premier coup d'œil qu'il a jeté sur la princesse King-lo...

Yu-houan n'entendit pas la suite. Devant ses yeux flottait la silhouette enfantine de King-lo. Elle-même l'avait trouvée belle, et l'avait plainte de sa destinée. Mais c'étaient donc là les pensées que remuait Siuan-tsong tandis qu'il regardait cette pure jeune fille à la table du banquet !

– Cette année-ci est la plus importante pour Votre Altesse. Vous allez quitter le palais de la Grande Sincérité pour devenir l'épouse officielle de Sa Majesté...

Les phrases prononcées par Kao Li-che parvenaient par fragments aux oreilles de Yu-houan.

– ... Il faut écarter tous les alliés potentiels de dame Prunus, sans exception aucune... L'entichement de Sa Majesté pour cette enfant n'est pas ordinaire, tant s'en faut... Si vous devez monter à cheval et autres fantaisies de ce genre pour rivaliser avec cette jeune princesse... Ah, par le Ciel ! Je préfère me laisser dépérir et rendre l'âme au plus vite !

Yu-houan resta un long moment silencieuse puis prononça à voix basse : « Je parlerai à Sa Majesté », avant d'ajouter :

– J'ignore pour quelle raison Li Lin-fou et toi-même haïssez ainsi le clan de la princesse King-lo, mais ceci mis à part, je n'ai aucune envie de disputer l'empereur à cette jeune fille. Je ferai en sorte d'étouffer dans le germe les dangers de cette espèce.

Kao Li-che prit alors une expression exagérément surprise.

– Li Lin-fou et moi ?

Après quoi il se tordit de rire comme s'il trouvait l'idée d'un comique irrésistible, puis, s'arrêtant soudain :

– Bah ! Peu importe après tout ! Si Votre Altesse est décidée à empêcher l'entrée de la princesse au gynécée, Kao Li-che s'estime largement satisfait, dit-il d'un air grave.

Quelques jours plus tard, Siuan-tsong fit part à Yu-houan de son intention de se rendre au mont du Cheval Noir pour un bref séjour, mais comme les bâtiments du palais étaient en cours de reconstruction, les lieux manqueraient de quiétude, il était donc préférable qu'elle reste à la capitale.

Ce soir-là dans la chambre, Yu-houan lui dit :

– Si je ne peux vous accompagner au palais des Sources Chaudes, c'est que vous avez dans l'idée d'y inviter quelque autre princesse.

– Une autre femme ? Qui d'autre que Yu-houan inviterais-je là-bas ?

– Vous voulez en inviter une autre, je le sais.

– Mais enfin, de qui parles-tu ?

– De la jeune fille à laquelle vous avez donné le nom de princesse King-lo.

– Ne dis donc pas de sottises !

Siuan-tsong niait catégoriquement, mais Yu-houan sentit dans sa main qui l'enlaçait un infime mouvement de recul. Elle se dressa sur le lit.

– C'est moi qui partirai chez le chef des Kitans ! Veuillez attendre mon départ pour inviter la princesse.

– Si tu as de tels soupçons, viens donc avec moi aux Sources Chaudes. Cette solution te convient-elle ?

– Non, cela ne saurait apaiser mon cœur.

– Que dois-je faire alors ?

– Donnez King-lo en mariage au Kitan, sinon j'irai moi-même à sa place. Ce n'est pas une demande déraisonnable, puisqu'il s'agit à l'origine d'une décision de Votre Majesté. Si vous changez d'avis en cours de route, il y aura des rumeurs parmi le peuple. Déjà, on dit partout que l'empereur veut mettre la jeune princesse dans son gynécée, et faire des promenades au grand galop avec elle.

— Qui t'a dit cela ?

— Les femmes du palais ne parlent plus que de cela. Et dans les rues aussi, tous les habitants de Tch'ang-an s'accordent à dire qu'ils aimeraient voir au plus tôt le singulier spectacle de l'empereur montant à cheval en compagnie de la princesse King-lo. On dit même que toute la route de Tch'ang-an au palais des Sources Chaudes sera couverte de tapis, afin d'éviter que l'empereur se blesse en faisant une chute. Ah, je préfère encore aller chez les Kitans que risquer de voir Votre Majesté tomber de cheval !

— Si je l'envoie chez les Kitans, elle s'y fera sans doute assassiner...

— Et quand bien même, cela ne saurait m'affecter le moins du monde. Ah, comme je me sentirai soulagée, si cela arrivait !

— Tu n'as donc pas pitié d'elle ?

— Pas le moins du monde.

Siuan-tsong décida de donner King-lo en mariage au chef des Kitans et Yi Fang au chef des Si, comme prévu initialement. Deux jours plus tard, les deux petites princesses quittaient Tch'ang-an, escortée chacune par une suite de deux cents personnes et emportant une considérable quantité de présents. Les hauts fonctionnaires les accompagnèrent jusqu'à la Tch'an, leurs familles et leurs intimes jusqu'à la Pa. Sur les rives de la Tch'an et de la Pa, les saules pleureurs étaient tout couverts de chatons d'un vert bleuté. Les deux cortèges prirent la direction de l'est, droit vers la route qui mène à la Passe de T'ong.

Yu-houan ne ressentit pas le moindre pincement de cœur en assistant au départ des deux princesses vers leur exil barbare. Pour elle, il ne s'agissait que d'une embarrassante rivale quittant enfin la capitale. C'était la première fois que Yu-houan changeait le cours du destin d'autrui grâce à l'appui de l'empereur.

Chapitre 4

Au septième mois de l'An Quatre du Céleste Trésor, eut lieu la cérémonie d'investiture de Yang Yu-houan, à qui fut conféré le titre de Kouei-fei[1]. Avant cela, un édit impérial avait donné pour épouse au prince de Cheou une fille de Wei Tchao-siun, lieutenant général de la Cour des Gardes du palais.

Yu-houan ne fut guère émue de voir offrir à son ancien époux une jeune femme à sa place. Le prince de Cheou appartenait pour elle à un lointain passé, et même le léger soulagement qu'elle aurait normalement dû ressentir en apprenant qu'elle était désormais remplacée ne l'effleura pas. Ce genre de sentiment était plutôt le fait de Siuan-tsong, lui qui justement avait attendu près de cinq années, par crainte de l'opinion du monde, avant de faire officiellement de Yu-houan la Précieuse Epouse. Il faut dire qu'il avait fait là preuve de prudence et aussi d'une grande persévérance. Yu-houan avait quitté la maison du prince de Cheou pour embrasser la foi taoïste, puis avait consacré cinq années à l'étude de la Voie au palais de la Grande Sincérité. Et voilà qu'inopinément cette nonne entrait au palais impérial en tant que Précieuse Epouse, ce qui expliquait que l'empereur ait tenu à choisir lui-même

---

1. « Kouei-fei », ou « Précieuse Epouse », était le titre décerné à la concubine impériale de premier rang, située dans la hiérarchie du palais immédiatement après l'impératrice.

une nouvelle épouse pour le prince de Cheou. Cette suite d'événements étranges d'une logique cousue de fil blanc permettait à Siuan-tsong de masquer tant bien que mal l'opération somme toute assez indélicate qui consistait à prendre pour concubine la femme de son propre fils.

L'annonce officielle du nouveau statut de Yu-houan eut lieu dans un pavillon retiré du palais de la Grande Clarté. Siuan-tsong avait souhaité une imposante cérémonie en présence de tous les notables de la Cour, mandarins et guerriers, suivie d'un banquet de félicitations qui aurait duré plusieurs jours, mais devant l'opposition de Li Lin-fou et de Kao Li-che, il dut renoncer à cette idée. Kao Li-che prit pour prétexte que, plus personne à la Cour n'ignorant que Yu-houan était l'unique favorite de Sa Majesté, on ne pouvait imaginer de raison de le crier à nouveau sur tous les toits par une célébration trop voyante. Siuan-tsong voulait de la magnificence pour cette cérémonie qu'il avait attendue cinq ans, mais Kao Li-che lui rétorqua qu'ayant déjà patienté cinq ans il convenait d'observer la même prudence jusqu'au bout. Vers le milieu du mois précédant la cérémonie, Kao Li-che rendit visite à Yu-houan dans ses appartements.

– Il faut absolument éviter de prêter le flanc aux commérages. En contrepartie, à dater du jour où vous serez nommée Précieuse Epouse, votre vie changera du tout au tout, et devra s'accompagner du faste indispensable. En tant que Kouei-fei de l'empereur des T'ang, vous devrez vous comporter comme telle, sous peine de compromettre votre dignité.

Yu-houan avait bien l'intention de se conformer en tout aux directives du vieil eunuque. Et en vérité, tout se déroulait sans failles grâce à lui. On commença à installer, dans sa future résidence située dans l'enceinte du palais impérial, des meubles complètement différents de ceux qui s'étaient trouvés en sa possession jusqu'à présent. Le lit, les grandes tables, les paravents, et même les vases, les miroirs, les tablettes d'encoignure, les petits accoudoirs, tout jusqu'au moindre accessoire était d'un luxe magnifique jusqu'alors inconnu d'elle. Elle se demandait d'où pouvaient bien provenir tous ces objets, qu'on lui amenait sans fin les uns après les autres, comme si on les avait tenus prêts dans quelque réserve du palais, dans l'attente de ce jour.

Yu-houan fut sacrée Kouei-fei dans les jardins du Phénix au palais de la Grande Clarté, au cours d'une cérémonie discrète mais pleine de solennité, à l'issue de laquelle, assise sur un grand trône incrusté de joyaux, elle reçut les félicitations de tous les hauts dignitaires présents. Les ministres défilèrent un à un devant elle, lui présentant brièvement leurs vœux.

Cette nuit-là, elle partagea la chambre de l'empereur pour la première fois en tant qu'épouse officielle. Siuan-tsong lui avait offert un coffret de nacre et des épingles à cheveux en or. Il plaça de ses propres mains dans la coiffure de la Kouei-fei les épingles à pendeloques ciselées dans les réserves d'or impériales.

Trois jours plus tard, Yang Kouei-fei reçut les félicitations de tous les fonctionnaires de la Cour. Comme pour une impératrice, la musique de *Vêtements de plumes couleur d'arc-en-ciel* fut jouée tout au long de cette journée d'audience. Deux jours plus tard, la Kouei-fei recevait sa propre famille en audience. Sa mère, née Li, son oncle Siuan-kouei et les autres se rendirent au palais. Son défunt père Siuan-yen reçut le titre posthume de préfet de la commanderie de Tsi-yin, sa mère dame Li fut nommée dame de la commanderie de l'Ouest du Long. Son oncle Siuan-kouei fut nommé au poste des président de la cour des banquets impériaux. Les deux heureux bénéficiaires se retirèrent dès la fin de l'audience, incapables de proférer une parole, manifestant leur satisfaction au moyen de maintes profondes inclinations de tête. Aucun d'eux n'osait regarder la Kouei-fei. Ils semblaient penser que si par mégarde leurs yeux se posaient sur elle, ils seraient immédiatement frappés de cécité. Le grand absent de cette heureuse journée fut Yang Siuan-kiao, tour à tour père de sang, puis père adoptif de la Kouei-fei. Pensa-t-on qu'il valait mieux rayer ce personnage des registres officiels ? Toujours est-il que l'histoire chinoise ne mentionna plus jamais son nom.

Ce même jour, la Kouei-fei rencontra ses frères et sœurs. Elle vit s'avancer devant elle deux jeunes gens, la tête respectueusement baissée. Il s'agissait de son frère aîné Tian et de son cousin Chi. Comme ils arrivaient de leur province, leur manque d'habitude de ce genre de lieu était tout naturel, mais ils avaient l'air intimidés au plus haut degré. Ils restaient prosternés en permanence, sans proférer un son. La Kouei-fei leur offrit des présents, nomma Tian sous-directeur de la cour des affaires du palais, et Chi chef des équipages impériaux. Comme ce dernier était encore célibataire, elle lui donna pour femme la princesse de Ta-houa, fille d'une des épouses du gynécée. Tout cela était arrangé par Kao Li-che, qui veillait, debout aux côtés de la Kouei-fei : il suffisait à celle-ci de répéter tout haut ce que l'eunuque lui suggérait à voix basse.

Les deux jeunes gens se retirèrent, pour laisser la place aux sœurs aînées de la Kouei-fei. Il s'agissait des trois filles de Siuan-yen, inopinément promues sœurs aînées de la Précieuse Épouse. L'entrevue avec ces trois femmes, dont elle n'attendait pourtant rien, fut fort différente de la précédente. Elles étaient plus jolies les unes que les autres, et pas le moins du monde intimidées. Comme si elles avaient répété la scène d'avance, elles inclinèrent la tête d'un seul mouvement, et la relevèrent en chœur pour porter un regard direct sur la Kouei-fei. Le regard de la deuxième sœur contenait un éclair de provocation, les yeux de l'aînée riaient, tandis que la curiosité animait ceux de la cadette. La Kouei-fei leur annonça qu'elle leur accorderait bientôt à chacune un domaine dans la capitale, et qu'elles ne tarderaient pas à entrer au palais comme dames de la Cour.

Au début du neuvième mois, peu après l'accession de Yu-huan au titre de Kouei-fei, parvint à Tch'ang-an la nouvelle d'une soudaine rébellion des Kitans et des Si. Deux ou trois jours plus tard un messager se présenta à la capitale pour annoncer l'exécution des princesses King-lo et Yi Fang, données en mariage aux chefs barbares au début du quatrième mois, six mois auparavant à peine. Houang-fou Wei-ming s'était violemment opposé à Li Lin-fou, lorsque celui-ci avait conçu ce projet de mariage, en disant que les princesses chinoises se feraient assassiner avant six mois chez les barbares. La prédiction s'était réalisée, et le point de vue du guerrier se révélait maintenant exact. En apprenant le triste sort des deux jeunes filles, la Koueifei eut le cœur serré de chagrin. Elle se sentait en partie responsable, du moins pour King-lo, qu'elle avait forcé Siuan-tsong à envoyer chez les Kitans.

Au souvenir du visage enfantin de la princesse, la Kouei-fei regrettait sa cruauté d'alors, mais elle savait aussi que c'était pour elle la seule issue possible. Sûrement, des incidents similaires étaient appelés à se produire désormais, et c'était chose malheureuse à dire, mais elle était prête à envoyer à nouveau chez les barbares chaque nouvelle femme sur laquelle le vieil empereur libidineux jetterait les yeux. Toutes les femmes de la Cour des T'ang qui avaient accédé au pouvoir avaient sans exception agi de la sorte. « Moi aussi, il me faudra en passer par là », se disait Yang Kouei-fei. Et pour commencer, elle avait un problème à résoudre en toute priorité : quelles dispositions prendre à l'égard de la concubine Prunus ? Celle-là, elle ne pouvait espérer l'envoyer chez les Kitans, mais l'aurait volontiers expédiée chez des tribus plus cruelles encore, si possible. La Kouei-fei ne pardonnait toujours pas à celle qui avait osé l'injurier, mais sa vengeance ne s'accommodait pas du grand jour. Au fond d'elle-même, elle souhaitait la balayer définitivement au plus tôt, mais hésitait à le faire si vite après son accession au titre de Kouei-fei.

Un jour, elle interrogea discrètement Kao Li-che sur Prunus.

— Dame Prunus a déménagé au palais du Yang Supérieur, et n'habite plus le palais de la Grande Clarté, répondit-il.

Le palais du Yang Supérieur était réservé aux concubines en perte de faveurs.

— Pourquoi a-t-elle déménagé ? Est-ce sur les ordres de Sa Majesté ? demanda la Kouei-fei.

— J'ai ouï dire qu'elle en avait exprimé elle-même le

souhait, et a certainement agi ainsi par égard pour Votre Altesse. Il y a maintenant une telle distance entre vous et dame Prunus qu'il est désormais inutile, je crois, de vous soucier d'elle.

La Précieuse Epouse ne pouvait se contenter de pareille réponse. Pourquoi la hautaine Prunus aurait-elle quitté le palais de la Grande Clarté de son propre chef ? Il s'agissait plutôt, pensait-elle, de dispositions prises par Siuan-tsong pour mettre sa concubine à l'abri de la jalousie de la Kouei-fei.

Cette pensée attisa sa colère. Siuan-tsong, certainement soucieux de l'avenir de Prunus, avait dû trouver cette solution excellente. Peut-être même avait-il consulté Kao Li-che avant de prendre ces dispositions. Quoi qu'il en fût, la Kouei-fei goûtait fort peu les efforts de son impérial époux pour protéger Prunus. Il rendait sûrement des visites au palais du Yang Supérieur, mais elle décida de feindre l'ignorance pendant une année entière. Elle emploierait cette année-là à consolider sa position en s'entourant des membres de sa famille, et construirait autour d'elle une épaisse muraille, avant de prendre les mesures nécessaires pour bannir définitivement Prunus de la Cité impériale.

Vers le milieu du neuvième mois arriva la nouvelle qu'An Lou-chan avait écrasé la rébellion des Kitans et des Si. Pendant quelque temps, on ne parla plus que du général barbare. On apprit vers la même période que l'armée de Houang-fou Wei-ming était occupée à se battre contre les Tibétains, dans une lutte serrée dont on ignorait encore l'issue. Tcheu Li, son général en second, avait déjà laissé sa vie dans les combats, disait la rumeur.

An Lou-chan et Houang-fou Wei-ming, les deux commissaires impériaux responsables des frontières semblaient rivaliser de bravoure, livrant involontairement combat aux tribus barbares au même moment. An Lou-chan paraissait l'emporter : sa victoire sur les Si et les Kitans lui valait une popularité extrême, ces deux tribus s'étant attiré la haine de tout le pays par leur rébellion et la mise à mort des deux princesses chinoises.

La popularité d'An Lou-chan était à son comble, quand Yang Kouei-fei reçut la visite de l'aîné de ses cousins, Yang Zhao, accompagné de Kao Li-che.

– Messire Yang Zhao est parent par alliance de Sa Seigneurie Tchong Yi-tche, qui était un favori de Son Altesse l'impératrice Wou Tsö-t'ien. Il a été élevé dans la demeure du commissaire impérial enquêteur Sien-Yu Tchong-t'ong, connu pour être l'homme le plus riche du Sseu-tch'ouan. De passage à la capitale, il est venu saluer Votre Altesse.

Le jeune homme ainsi présenté par l'eunuque avait fort belle prestance, et montrait un visage aux traits réguliers et virils, mais ce qui attira surtout la Kouei-fei fut la fierté émanant de sa personne, qu'elle n'avait encore rencontrée chez aucun des membres de la famille Yang : pas un atome de bassesse ni d'avidité chez ce jeune homme. Tête haute, il se tenait tranquillement debout devant elle, l'air de dire : « Allons, parlez la première ! » Il se comportait totalement d'égal à égal, ce qui était légèrement irritant, tout en étant loin d'être un défaut. Une orgueilleuse assurance de n'être inférieur à personne émanait de tout son maintien.

– C'est avec le désir d'être utile à Votre Altesse que je me suis rendu ici. Si vous avez quelque ordre à me donner, faites-le sans hésiter, fit le jeune homme en se tournant vers la Kouei-fei, d'une voix claire et pleine de charme.

Après son départ, Yang Kouei-fei demanda à Kao Li-che ses impressions sur ce jeune homme. Le vieil eunuque répondit :

– C'est en pensant qu'il pourrait vous être un appui que je vous l'ai amené. Vous a-t-il plu ?

– Il a belle figure, et me fait l'effet d'un homme de mérite.

A ces mots, l'eunuque prit un air radieux comme s'il approuvait ce jugement sans réserve, et répliqua :

– Votre Altesse est d'un avis expert, comme je m'y attendais. On ne peut se méprendre sur un tel homme. Voilà environ un an que je le vois de temps à autre. Il y a de l'éclat dans ses yeux, de la majesté dans sa voix, et le plus merveilleux est qu'il devine aussitôt la pensée d'autrui. Il sait faire preuve de détermination quand il faut choisir ou la droite ou la gauche, et comme de plus il est jeune, tout cela fait de lui un joyau difficilement remplaçable. Nul plus que lui n'est apte à soutenir Votre Altesse. Les sœurs de Votre Altesse sont toutes trois aussi intelligentes que belles, mais ce sont des femmes, et cela limite l'aide qu'elles peuvent vous apporter. C'est pourquoi je souhaitais un homme supplémentaire dans votre famille. Dès que j'ai vu Yang Zhao, je me suis dit : « Avec lui, la sécurité de la position de Son Altesse est assurée ! » Utilisez Yang Zhao à votre guise. Quand on se sert des gens, il faut le faire sans les épargner. S'agissant d'un être de cette valeur, je pense qu'il ne pourrait déployer toute sa force dans une place de demi-mesure. Quel que soit le poste que vous lui donnerez, quelle que soit la mission dont vous le chargerez, il s'en acquittera merveilleusement et sans tarder. Si vous ne le placez pas tout de suite au sommet, on craindra qu'il y parvienne plus tard, et on s'empressera d'arracher cette jeune pousse pleine de promesses. En pareil cas, je ne lui donne guère plus de six mois à vivre.

Kao Li-che s'exprimait avec une fougue qui ne lui ressemblait guère.

– « On » l'arrachera en moins de six mois ? Qui est ce « on » ?

– Il ne s'agit pas d'une personne, ni même de deux. Votre Altesse ne sait rien encore, mais elle ne tardera pas à comprendre. Tous ceux qui lèvent la tête se la font arracher, et toutes ces têtes arrachées s'en vont rouler au fond de la Wei[2]. Oui, les galets qui tapissent le lit de la Wei sont autant de têtes coupées transformées en pierres...

– Je comprends, et m'en remets à vous.

A ces mots, l'eunuque baissa soudain la voix :

– Pour l'heure, vous devriez faire nommer messire Zhao censeur de la cour des enquêtes du dehors[3]. S'il

---

2. Rivière de Tch'ang-an qui se jette dans le fleuve Jaune.
3. Membre de la police impériale dans les provinces.

se montre habile et résolu à ce poste, les occasions de gagner la confiance de l'empereur seront nombreuses. Il conviendrait alors qu'il ait une promotion avant deux années, et devienne secrétaire supérieur au ministère des Finances. Il aura ainsi la charge des finances, et devrait après cela se trouver en mesure d'avancer tout seul.

– Cela me semble parfait, répondit la Kouei-fei.

Jusqu'ici, elle avait toujours laissé Kao Li-che s'occuper de tout, et jamais il n'avait commis la moindre erreur. Elle lui laisserait aussi le soin de s'occuper de Yang Zhao. Aucun doute, le jeune homme fraîchement arrivé de sa province du Sseu-tch'ouan serait bientôt nommé censeur, et avant deux ans il occuperait un poste au ministère des Finances.

Cette année-là, Siuan-tsong séjourna au palais des Sources Chaudes du dixième au douzième mois. Yang Kouei-fei l'accompagnait et passa elle aussi de la fin de l'automne à l'entrée de l'hiver au pied du mont du Cheval Noir, pour la première fois depuis qu'elle avait accédé à son nouveau titre.

Grenadiers et plaqueminiers abondaient dans l'enceinte du palais. On trouvait aussi de nombreux grenadiers dans les hameaux voisins, mais les plus belles espèces étaient rassemblées dans les jardins du palais.

Au début du douzième mois, Yang Kouei-fei réunit les vieillards des alentours pour qu'ils lui content les anciennes légendes locales, qui ne manquaient pas d'intérêt. La Kouei-fei eut la première cette idée de se faire raconter des légendes, mais Siuan-tsong se joignit ensuite à elle. Il existait des dizaines de légendes transmises depuis l'Antiquité, mais les intéressaient surtout celles qui concernaient le mont du Cheval Noir, au pied duquel se trouvait leur palais.

Un octogénaire fit le récit suivant :

– Au sommet du mont du Cheval Noir se trouvent deux mausolées, que l'on appelle mausolée de la Vieille Mère et mausolée des Ancêtres. C'est l'histoire du Mausolée des Ancêtres que je vais vous conter. Cela se passait à une époque où les humains n'étaient pas encore apparus en ce monde. Il n'en existait que deux, qui vivaient au sommet du mont du Cheval Noir. C'étaient deux jeunes frère et sœur, mais ils songèrent à devenir mari et femme. « Comment assurer la descendance de la race humaine, si nous ne nous marions pas pour avoir des enfants ? Mais étant frère et sœur, l'hymen nous est interdit. » Après moult discussions, ils décidèrent de faire rouler deux meules de pierre depuis le sommet de la montagne, et de se marier si les deux blocs de pierre se joignaient en un seul à l'arrivée, et d'abandonner au contraire cette idée si les deux pierres s'éloignaient au cours de la descente. Une nuit où la lune répandait généreusement ses rayons, ils firent rouler les deux meules du sommet du mont. Alors les deux pierres, étincelantes de blancheur sous la lune, roulèrent tout le long de la montagne, et enfin, parvenues au pied, s'arrêtèrent – eh oui, c'est ainsi ! – s'arrêtèrent juste à l'endroit où se trouve aujourd'hui la chambre à coucher de Vos Majestés impériales. Elles étaient étroitement soudées l'une à l'autre. Alors le frère et la sœur convolèrent en justes noces et eurent beaucoup d'enfants. Les descendants de leurs enfants sont les humains d'aujourd'hui. Voilà pourquoi le mausolée où l'on rend un culte à ces deux frère et sœur est appelé le mausolée des Ancêtres. De nos jours encore on trouve dans les parages du mont du Cheval Noir de nombreux ossements humains : ce sont les ossements des ancêtres de la race humaine.

Un autre vieillard conta à son tour ceci :

– Au sommet du mont du Cheval Noir se trouvent deux plates-formes pour allumer des feux de détresse. A propos de ces plates-formes, il existe une légende qui remonte au roi Yeou de la dynastie Tcheou. Le roi avait une épouse nommée Pao-sseu, si belle que le roi la chérissait plus que tout au monde. Un seul détail l'ennuyait : la reine ne riait jamais. Le roi en souffrait cruellement en secret, et cherchait continuellement un moyen de la dérider. C'est à cette époque que furent construites les plates-formes destinées aux feux. Le roi ordonna un jour d'y allumer un brasier. En un rien de temps, les flammes s'élevèrent, et le palais du roi, situé à mi-pente, se mit à rougeoyer de lueurs d'incendie. Barons et seigneurs se précipitèrent hors de leurs résidences disséminées au pied de la montagne, et coururent en grande pagaille vers le palais, persuadés qu'il s'agissait d'une attaque ennemie. La princesse leur dit alors avec un léger rire : « Vous vous êtes dérangés inutilement ! » C'était la première fois qu'elle riait. Un an plus tard, cependant, eut lieu un réel assaut de leurs ennemis, mais cette fois, pas un des vassaux ne sortit de chez lui. Tous pensaient qu'il s'agissait d'un feu allumé au sommet du mont par pur divertissement. La reine s'en amusa pour la deuxième reprise, avec de francs éclats de rire cette fois. Mais qu'y avait-il là de si drôle ? Car le royaume de Yeou se trouva complètement anéanti par cette attaque ennemie...

La Kouei-fei rit, elle aussi, en écoutant cette histoire. Il lui semblait voir flotter devant ses yeux le visage enfantin et hautain à la fois de la reine Pao-sseu.

Un autre vieillard prit la parole :

– Comme le savent Vos Majestés, Che Houang-ti, premier souverain des Ts'in, possédait un palais au pied du mont du Cheval Noir. A proximité de ce palais vivait une fée merveilleusement belle. L'empereur, qui était grand amateur de femmes, tenta à plusieurs reprises de la persuader d'entrer dans son gynécée, mais la fée faisait la sourde oreille. Un jour, Che Houang-ti s'empara d'elle, l'entraîna dans son palais, et obtint de force ce qu'il désirait. Ivre de rage, la fée lui cracha au visage. A l'endroit touché par son crachat apparut aussitôt une tache de vin. Bien entendu l'empereur en fut fort embarrassé et, s'excusant de son acte, supplia la fée de lui ôter la tache. Voyant que l'empereur regrettait sincèrement sa vilenie, la fée lui accorda son pardon et lui dit de se laver le visage avec l'eau de l'étang de la Pure Brillance. L'empereur suivit ses indications et vit bientôt la tache disparaître de son visage. Comme l'étang de la Pure Brillance n'était autre que la source thermale située au pied du mont du Cheval Noir, cette légende illustre bien l'efficacité de ces eaux dans la guérison des maladies de peau.

106

— Gare à ne pas attraper vous aussi une envie, dit la Kouei-fei à Siuan-tsong à la fin de cette histoire.

— Même si je venais à en attraper une, elle disparaîtrait aussitôt, puisque je me baigne chaque jour dans les eaux thermales, rétorqua Siuan-tsong avec un sourire amer.

Après avoir écouté ces légendes contées par les vieillards du cru, la Kouei-fei leva les yeux sur le mont du Cheval Noir, sentinelle éternellement dressée derrière le palais. Les terres-pleins où l'on allumait autrefois des brasiers existaient, paraît-il, toujours au sommet du mont, elle aurait aimé les voir. Mais celle qui l'amusait le plus parmi ces légendes était celle de la reine Pao-sseu. Cette histoire avait le don de la faire rire chaque fois qu'elle y repensait.

Elle se promenait un jour dans les jardins du palais en songeant à la belle Pao-sseu, quand une pensée l'arrêta soudain. D'ordinaire elle ne pouvait s'empêcher de rire de bon cœur dès qu'elle évoquait cette histoire, mais cette fois, elle sentit les muscles de ses joues se raidir au moment où elle allait se mettre à rire. Elle trouvait divertissante l'histoire de cette belle qui boudait sans cesse, mais elle-même, avait-elle si souvent l'occasion de rire ? En y réfléchissant, elle s'aperçut qu'elle n'avait pas ri de bon cœur, ce qui s'appelle rire, depuis des années. Pao-sseu n'était pas la seule à ne plus pouvoir rire, elle aussi était dans le même cas.

La Kouei-fei fit en pensée le tour des femmes du palais. Prunus non plus ne riait pas, et non seulement Pao-sseu, elle-même et Prunus, mais toutes les femmes devenues un jour épouses d'un souverain, n'avaient-elles pas toutes laissé leur rire à la porte du palais ? Qu'avaient-elles reçu en échange de ce rire qui leur était ôté ? Le pouvoir ?... Elle était en proie à d'insoutenables pensées. C'était la première fois qu'elle considérait sous cet angle ce pouvoir qu'elle avait atteint en devenant Kouei-fei.

Cette prise de conscience fut pour Yang Kouei-fei un événement marquant ; cette vision du pouvoir ne devait plus la quitter de toute sa vie. Le maléfice qui avait volé son rire fut désormais lié pour elle à la détention du pouvoir. La cruauté s'était infiltrée dans son cœur, comme dans celui de toutes les femmes qui possédèrent jamais le pouvoir au cours de l'histoire chinoise. Oui, la cruauté avait désormais une place réservée en son cœur, et qu'elle s'en servît ou non, elle était toujours à portée, prête à être employée. Tout comme Pao-sseu avait ri autrefois à la vue des flammes, peut-être quelque événement du même ordre déclencherait-il un jour son hilarité à elle aussi.

Au début du cinquième mois de l'An Cinq du Céleste Trésor, il fut officiellement annoncé que le commissaire impérial au commandement de la Droite du Long, Houang-fou Wei-ming, cumulerait désormais ses fonctions avec celles de commissaire impérial au commandement du Ho-si. Cette nouvelle illumina le cœur de la Kouei-fei, qui avait jusque-là ressenti des craintes obscures quant au sort du guerrier des marches lointaines. Cette nouvelle lui prouvait le mal-fondé de ses appréhensions.

Au cours du neuvième mois de l'année précédente, Houang-fou Wei-ming avait livré de rudes combats aux Tibétains, et avait perdu Tcheu Li, son général en second, dans la bataille. Les responsabilités de cette défaite étaient rapidement devenues le principal sujet des délibérations de la Cour. En songeant aux nombreuses et éclatantes victoires remportées par Houang-fou Wei-ming au long de ces dernières années, il était incompréhensible que cet unique échec fût traité comme un problème, mais le fait que le général était l'un des opposants du Premier ministre Li Lin-fou jetait un jour nouveau sur la question.

Le cœur de la Kouei-fei se serrait au souvenir de la haute silhouette du guerrier, quand elle évoquait sa façon calme de s'exprimer, la distinction de ses moindres gestes. « Et si c'était Houang-fou qui occupait le poste de Premier ministre à la place de Li Lin-fou ? » lui arrivait-il de songer. Ce n'était pas absolument impossible à réaliser. Si c'était là réellement son désir, et qu'elle concentrait ses efforts dessus, cela pouvait très bien se faire un jour.

Houang-fou Wei-ming arriva inopinément à la capitale vers le milieu du mois. Il avait pris sa revanche sur les Tibétains et amenait à la capitale des dizaines de prisonniers qu'il avait faits pendant ces nouveaux combats. Ce soudain retour à la capitale alimenta bientôt toutes les conversations. Diverses rumeurs circulaient : il était venu porter lui-même la nouvelle de sa victoire, pour effacer la question de ses responsabilités dans la défaite, ou bien il était rentré sur ordre du Premier ministre...

Le jour suivant son retour, le général fut reçu en audience par Siuan-tsong, en présence de la Kouei-fei.

– Si je suis rentré ainsi à la capitale pour solliciter une audience avec Votre Majesté, c'est que je souhaite l'entretenir d'une idée qui m'est venue, déclara le général au visage légèrement hâlé, du ton tranquille qui le caractérisait. Voici ce qu'il en est : je pense qu'il serait bénéfique pour l'empire de retirer à Li Lin-fou son mandat de Premier ministre. Craignant que notre sage prince héritier ne lui cause quelque malheur, Li Lin-fou non seulement fomente des plans pour la ruine du palais de l'Est[4], mais il cherche également à éliminer tous ceux qui ont des liens privilégiés avec le prince Heng. Employant d'ignobles procédés, il fait exécuter tous ceux qui lui déplaisent : ceux qu'il a expédiés dans l'autre monde se comptent déjà par milliers. Le ressentiment contre lui gronde parmi le peuple. Mais tous craignent son pouvoir, et nul n'ose révéler ses agissements à Votre Majesté. C'est pour dire ceci à Votre Majesté que j'ai pris la décision, en mon âme et conscience, de revenir à Tch'ang-an.

La Kouei-fei s'était sentie pâlir au fur et à mesure qu'elle écoutait. Quoi que Houang-fou lui-même pût penser, il était bien trop tôt pour tenir pareil discours à l'empereur. Même si la colère du peuple grondait contre Li Lin-fou, Siuan-tsong refuserait de le croire, puisque jamais personne ne lui en avait encore parlé, et il prendrait cela pour une calomnie du guerrier envers le Premier ministre. S'adresser ainsi à l'empereur,

---

4. Palais du prince héritier.

au moment où la Cour délibérait encore pour déterminer sa part de responsabilité dans la défaite, ne pouvait
qu'inviter au malentendu. Cette erreur tactique était
sans doute imputable à un manque de compréhension
de la situation politique de la part du général des régions frontalières, resté éloigné trop longtemps de la
capitale. Comme il fallait s'y attendre, l'empereur lui
répondit, d'un air mécontent :

— Je t'ai écouté, maintenant retire-toi !

La haute silhouette de Houang-fou disparut à grandes enjambées, tournant vers eux un dos triomphant,
mais une violente inquiétude s'était emparée de Yang
Kouei-fei. Houang-fou venait de commettre, lui semblait-il, une irréparable erreur.

Cette nuit-là, à l'heure du coucher, elle envoya un
messager mander Kao Li-che. Il accourut aussitôt.

— Quelque incident est-il advenu si tard dans la nuit
à Votre Altesse ? s'enquit le vieil eunuque, s'inclinant
dans la galerie.

— Je veux discuter de quelque chose avec toi.

— De quoi s'agit-il ?

— Oh, ce n'est guère important, mais je me deman-
dais si messire Houang-fou n'avait pas froissé l'humeur
de Sa Majesté...

— Vous parlez trop fort, la réprimanda Kao Li-che
avant de poursuivre : Jusqu'à ce que votre famille ait
renforcé votre entourage, vous devez prétendre ne rien
savoir. Vous devez feindre de ne rien entendre, enfin
vous ne devez dire mot concernant les affaires politiques. Votre Altesse a-t-elle bien saisi ? Comme les trois
singes : ne pas voir, ne pas entendre, ne pas parler...

Kao Li-che avait caché dans ses mains son visage
hermaphrodite. Ses dix doigts pressèrent tour à tour
ses yeux, ses oreilles puis sa bouche aux lèvres minces.
Faisait-il ce geste par dérision ou sérieusement ? Sans
comprendre, la Kouei-fei contempla longuement le visage de l'eunuque, puis le froid nocturne remontant
depuis ses pieds tout le long de son corps la fit frisson-
ner involontairement.

— Altesse...

110

Kao Li-che écarta les mains de son visage puis, baissant la voix :

— Le commissaire impérial au commandement de la Droite du Long Houang-fou Wei-ming vient d'être arrêté sur ordre de Son Excellence le Premier ministre, alors qu'il était sur le point d'avoir une entrevue secrète avec messire Wei Tsien, dans une cellule du monastère taoïste du Dragon Auspicieux dans le quartier Tch'ang-jen. Etant arrêté, il ne peut plus rien dire. C'était une erreur de rencontrer messire Wei Tsien dans un lieu si secret. Ah, oui, une bien mauvaise chose pour quelqu'un du rang de messire Houang-fou...

On ne pouvait discerner d'après sa façon de parler s'il se réjouissait ou au contraire se lamentait. Wei Tsien était connu pour être, avec Li Che-tche, l'un des hauts fonctionnaires appartenant au camp opposé à Li Lin-fou.

— Est-ce Sa Majesté qui a ordonné l'arrestation ?

— Allons donc !

— Alors ?

— C'est un ordre du Premier ministre Li. Pas un recoin de Tch'ang-an n'échappe à la vigilance de Son Excellence Li. La teneur du discours de messire Houang-fou Wei-ming aujourd'hui à Sa Majesté est sans aucun doute connue de lui, à un mot près.

Pareille chose était-elle possible ? Personne ne se trouvait dans la salle d'audience dans la journée, personne d'autre qu'elle-même, l'empereur et Houang-fou Wei-ming. En dehors d'eux, pas un courtisan, pas une dame de compagnie. Comment les mots prononcés par Houang-fou avaient-ils pu être répétés ? Kao Li-che laissa échapper un petit rire, comme s'il avait percé à jour les pensées intimes de la Kouei-fei.

— Votre Altesse trouve cela étrange ? N'est-ce pas là une preuve de plus que le vieux Kao Li-che n'ignore rien de ce qui se passe dans ce palais ?

Parcourant les alentours du regard, il ajouta :

— Brrr ! Quel froid, quel froid ! Et il fait nuit noire. Rentrez, Altesse, il ne faut pas vous enrhumer.

Après une courbette si basse que sa tête sembla frotter les dalles de la galerie, il se redressa et tourna le dos à la Kouei-fei. Il disparut bientôt au coin du long corridor, comme aspiré par les ténèbres.

Le lendemain, Houang-fou Wei-ming et Wei Tsien étaient jetés en prison. Li Lin-fou avait déclaré à l'empereur que tous deux complotaient contre l'héritier du trône. Deux ou trois jours durant, des rumeurs circulèrent tout bas au sujet des deux conjurés. La Kouei-fei elle-même les entendit : le vice-président du tribunal des censeurs Wang Kong et l'officier de justice de la préfecture supérieure de la capitale Tsi leur faisaient subir le fouet, sur ordre de Li Lin-fou, pour leur faire avouer leurs crimes.

Quelques jours plus tard, on apprit que Wei Tsien était rétrogradé au rang de préfet de la commanderie de Tsin-yun, et Houang-fou Wei-ming au rang de préfet de la commanderie de Po-tch'ouan. La Kouei-fei ressentit pour la première fois du soulagement à l'annonce de cette nouvelle. Apprendre sa déchéance à un rang inférieur, si bas fût-il, valait mieux que de le savoir fouetté sans répit au fond d'un cachot glacial. Si seulement il avait la vie sauve, se disait-elle, elle parviendrait, grâce au pouvoir dont elle disposait maintenant, à le faire revenir un jour à la capitale. La Kouei-fei elle-même s'étonnait de voir à quel point les événements avaient précipité son penchant pour Houang-fou Wei-ming. Il s'agissait d'un penchant quelque peu différent de l'attachement qui entraîne une femme vers un homme : c'était plutôt une obstination de son cœur à soutenir jusqu'au bout cet homme, le premier qu'elle avait choisi d'élever en exerçant personnellement son pouvoir, et qu'un autre avait renversé.

La Précieuse Epouse fut prise d'une violente haine envers Li Lin-fou. Elle sentait clairement en lui un ennemi qu'il lui faudrait un jour abattre. En faisant de Lin-fou son ennemi, elle s'en faisait du coup de nombreux autres, car il lui fallait aussi considérer comme tels les hauts fonctionnaires qui avaient partie liée avec le Premier ministre. « Suivons docilement les conseils de Kao Li-che », se dit-elle. Il fallait persister à être le singe qui ne voit, n'entend ni ne parle, jusqu'à ce que soit assez solide autour d'elle le rempart de sa famille.

A la fin du premier mois de l'année, le général Wang Tchong-sseu, en garnison dans les régions frontières, reçut le haut commandement du commissariat impérial de la Droite du Long, du Ho-si, du Chouo-fang et du Ho-tong, c'est-à-dire qu'il cumulait seul les fonctions de commissaire impérial pour ces quatre régions. Grâce à la chute de Houang-fou Wei-ming, la chance venait soudain visiter le général Wang Tchong-sseu, qu'elle avait jusque-là oublié. Son nom était pratiquement inconnu à la capitale. Tout juste une année auparavant, au Nouvel An de l'An Quatre du Céleste Trésor, il avait défait les Turcs aux monts Sa-ho-nei, sans que cela lui valût la gloire que la rumeur d'alors réservait à An Lou-chan et Houang-fou Wei-ming. Cette soudaine promotion faisait maintenant de lui un général chargé de la défense des frontières à l'égal d'An Lou-chan lui-même. La Précieuse Epouse cependant n'appréciait guère le nouveau héros. Bien entendu, elle ne le connaissait pas et ignorait tout de sa personnalité, mais le simple fait qu'il était le remplaçant de Houang-fou Wei-ming l'empêchait d'éprouver la moindre sympathie à son égard.

Au quatrième mois, vers l'époque où le soleil printanier commençait à répandre ses rayons lumineux sur Tch'ang-an, une nouvelle affaire éclata : l'un des opposants de Li Lin-fou, Li Che-tche, ministre de la Gauche, fut contraint de quitter sa charge. Jusqu'alors la Kouei-fei ne s'était absolument pas intéressée à la mise à la retraite ou à la nomination des fonctionnaires du gouvernement, mais il en allait différemment depuis que Li Lin-fou lui avait causé ce tort irréparable. Il s'avéra que le prochain retrait de Li Che-tche était une démission de sa part. Cependant, même si sa démission paraissait volontaire, il y était obligé par les circonstances politiques. Wei Tsien et Wei-ming avaient été déchus de leurs postes, et il n'était pas sûr d'échapper à son tour à ce genre de mésaventures, aussi avait-il pris les devants en demandant de lui-même un poste peu en vue. Li Che-tche se retira donc de la politique pour occuper les fonctions de second gardier de l'héritier du trône.

L'affaire de Wei Tsien créa encore par la suite quelques remous. Ses deux frères cadets, Wei Lan, sous-chef de la direction des Travaux publics, et Wei Tche, administrateur des armées, en appelèrent à Siuantsong à propos de la dénonciation calomnieuse de leur frère. Leur demande de recours en grâce fut rejetée, et non seulement Lan et Tche furent tous deux bannis au Ling-nan, mais leur frère aîné Tsien fut à nouveau déchu de son titre de préfet de la commanderie de Tsin-yun, et rétrogradé cette fois au rang de fonctionnaire adjoint à Kiang-sia, à plusieurs centaines de lieues de la capitale.

Moins de dix jours plus tard, Li Che-tche, qui avait déjà quitté sa charge, fut rabaissé au rang de préfet de la commanderie de Yi-chouen, puis Wei Pin et Wang Kiuan, qui étaient considérés comme deux de ses partisans, furent rabaissés, l'un au rang de préfet de la commanderie de Pa-ling, l'autre au rang de fonctionnaire adjoint de Yi-ling. De nombreux fonctionnaires de province furent également déplacés, tous ceux qui étaient soupçonnés d'être du même bord que Li Che-tche et Wei Tsien furent nommés à des postes inférieurs dans des endroits reculés. Pas un jour où l'on n'entendît annoncer officiellement ce genre de mesures. Des contrôles extrêmement rigoureux eurent lieu dans la capitale, et tous ceux qui étaient soupçonnés de faits ou de propos légèrement séditieux étaient arrêtés et fouettés à mort. Cette purge donna lieu à bien des rumeurs et dénonciations mensongères.

Vers cette époque commencèrent à se faire remarquer à la Cour trois jeunes femmes inconnues jusqu'alors : il s'agissait des trois sœurs de la Kouei-fei. Vêtues de toilettes soignées mettant en valeur leur beauté naturelle, parées des étoffes les plus fines, on les vit désormais assister aux audiences aux côtés de l'empereur. Les trois sœurs étaient non seulement plus ravissantes les unes que les autres, mais elles avaient aussi le don de deviner les secrètes pensées d'autrui. Riaient-elles à grand bruit comme des femmes légères, l'instant d'après elles avaient soin de prendre une contenance modeste, tête baissée. Jamais on n'avait vu pareilles femmes au palais impérial de Tch'ang-an. Elles raffolaient du luxe, de la grandeur et des plaisirs au point d'en étonner la Kouei-fei elle-même.

Jamais les trois sœurs n'oubliaient de respecter l'étiquette vis-à-vis de l'empereur et de son épouse, mais, cela mis à part, leurs faits et gestes étaient les plus arrogants qui soient.

La vie de Yang Kouei-fei avait changé du tout au tout depuis un an. A l'époque où elle était encore Yang Yu-houan, elle ne représentait rien de plus qu'une des femmes qui recevaient les faveurs impériales, tandis qu'elle avait maintenant sa vie propre, indépendante de Siuan-tsong, en tant qu'épouse de premier rang du souverain du Grand Empire T'ang. Accorder largement audience, recevoir nombre d'invités à dîner faisait partie de ses obligations. Il lui arrivait aussi de devoir organiser des banquets dans sa propre résidence, en dehors des banquets officiels de la Cour, pour des étrangers de haut rang en visite à Tch'ang-an. Naturellement, en prévision de ce genre d'obligations, le nombre de ses proches serviteurs avait décuplé, et le nombre d'eunuques attachés au palais de la Kouei-fei s'était également multiplié. Kao Li-che lui dit un jour :

— Je souhaiterais établir un atelier de fileuses attachées à la confection de vos vêtements.

La Kouei-fei avait pris pour habitude de tout laisser aux soins de Kao Li-che et de suivre ses avis, et cette fois encore, elle répondit simplement :

— C'est entendu.

— D'ici l'automne, j'aurai rassemblé le nombre d'ouvrières nécessaire et elles pourront s'activer du matin au soir à tisser vos vêtements.

Cette façon de s'exprimer lui semblant pleine d'exagération, la Kouei-fei demanda alors :

— Combien d'ouvrières faudra-t-il ?

— Environ sept cents au total, répondit Kao Li-che.

Chaque jour, elle devait passer en revue les soieries, les joyaux, les vases, les animaux ou les plantes rares qu'on lui offrait de Chine ou de l'étranger. Quand un cadeau lui plaisait, elle le faisait mettre de côté pour son palais, mais si elle ne disait rien, les objets disparaissaient à nouveau elle ne savait où, aussi mystérieusement qu'ils étaient apparus.

Tchang Kieou-tchang, gouverneur militaire du Ling-nan et Wang-yi, administrateur en chef du Hong-ling (actuel Yang-tcheou) se distinguaient tous deux par le nombre et la qualité de leurs présents. La plupart des objets qui attiraient les yeux de la Kouei-fei par leur beauté et leur raffinement provenaient de l'un ou l'autre de ces deux personnages. Cela valut à Tchang Kieou-tchang d'être élevé au troisième niveau des neuf degrés des fonctionnaires, et à Wang-yi d'être nommé vice-président du ministre des Finances. Ces deux avancements eurent lieu à des moments différents mais chacun d'entre eux vint présenter ses remerciements à la Kouei-fei.

Au cours du septième mois, un messager fut spécialement envoyé au Ling-nan pour aller chercher des litchis pour la première concubine. Elle avait entendu vanter la saveur des litchis de son Sseu-tch'ouan natal, et en discourait à l'envi, mais avait finalement préféré faire venir ces fruits du Ling-nan, où on les disait plus savoureux encore. Cette fois ce ne fut pas Kao Li-che, mais l'empereur Siuan-tsong lui-même qui les envoya chercher pour elle.

Le train de vie de la Kouei-fei avait certes de quoi éblouir, mais l'excessive opulence dans laquelle vivaient ses trois sœurs s'y ajoutait pour faire remarquer davantage la famille Yang. Les trois jeunes femmes avaient été élevées au titre de duchesses : l'aînée était la dame de la principauté de Han, la puînée, la dame de la principauté de Kouo, et la cadette, la dame de la principauté de Ts'in. L'absence de l'une d'entre elles à un festin créait immédiatement un vide. Toutes trois avaient l'esprit vif et la repartie piquante : la douce cascade de leurs rires garantissait de l'animation à tous les banquets. Mais dès qu'elles n'étaient plus en présence de l'empereur et de son épouse, leur façon d'agir, disait-on, changeait du tout au tout : leurs faits

116

et gestes faisaient assaut d'arrogance, et c'était à qui mènerait le plus grand train. La dame de Kouo, la deuxième princesse, se distinguait par sa présomption. Quand elle se déplaçait, les soieries froufroutaient autour de sa menue personne, deux fois plus mince que la Kouei-fei. Elle était plutôt moins jolie que ses deux sœurs, mais c'est elle que l'on trouvait la plus belle lors des banquets. Son corps disparaissait sous un entassement d'étoffes d'un luxe magnifique, et tout en elle – ses yeux, sa bouche, ses oreilles – était tourné vers un unique effort : plaire à l'empereur. Plus rapide que quiconque à trouver des reparties, elle excellait à faire dévier les conversations de l'assemblée sur ses propres sujets de prédilection.

« La dame de Kouo jouit des faveurs impériales,
A l'aube elle franchit à cheval les portes du palais,
Dédaignant les fards qui gâteraient son teint,
La courbe des sourcils simplement soulignée d'un trait
          [noir, elle se présente à l'empereur. »

C'est ainsi qu'un poème de l'époque, attribué à Tou fou ou à Tchang-hou, selon les cas, décrit la dame de Kouo. Et c'est sans doute ainsi qu'elle apparaissait, passant à cheval au point du jour les portes du palais pour aller retrouver l'empereur. Cette femme, tôt mariée dans le clan P'ei, avait perdu son mari et gardait le veuvage. Le sort la combla en faisant d'elle la sœur de la Précieuse Epouse, lui permettant ainsi de couler le reste de ses jours dans l'opulence.

La seule parmi les trois sœurs dont la présence mit quelque peu mal à l'aise la Kouei-fei était cette dame de Kouo. Bien qu'elle respectât envers elle, en tant que Précieuse Epouse, une étiquette sans défaut, elle ne pouvait se départir d'une certaine méfiance. Siuan-tsong ne traitait jamais la Kouei-fei et ses trois sœurs sur le même plan. Il avait toujours des attentions spéciales pour son épouse, mais n'aurait pas toléré de la part de ses sœurs la moindre familiarité envers lui. Les trois dames, de leur côté, s'y entendaient pour que cela passe inaperçu aux yeux du monde. Quoi qu'il en fût, la Kouei-fei, sans raison apparente, ne parvenait pas à se sentir en confiance avec la dame de Kouo.

Une chanson avait alors cours dans les rues de Tch'ang-an :

> « On ne déplore plus la naissances des filles,
> On ne se réjouit plus de l'arrivée des garçons,
> Voyez ! De nos jours c'est par les femmes
> Que s'illustre une maison ! »

Ce qui signifiait que la naissance d'une fille avait conduit la maison Yang à la gloire. Et en effet, les membres de la famille Yang continuaient à gravir jour après jour les échelons de la réussite. Tous résidaient maintenant dans la cité impériale, et chaque jour les trois sœurs se rendaient de leurs résidences particulières au palais.

Vers le milieu du septième mois, l'empereur se rendit en pique-nique à la Rivière Sinueuse. La Rivière Sinueuse était un petit canal du sud-est de la capitale, qui servait de lieu d'agrément aux habitants de Tch'ang-an. Juste à côté se trouvait la colline dite « Champs-des-Plaisirs », et toute la zone comprise entre la colline et les berges du canal servaient de lieu de promenade au long des quatre saisons. La venue de l'empereur à la Rivière Sinueuse avait été annoncée quelques jours auparavant, aussi le bord de la route menant du palais au canal était-il noir de monde, chacun étant accouru dans l'espoir d'entrevoir le cortège impérial. Chaque fois que l'empereur se rendait dans les lieux d'agrément de la capitale, une foule curieuse emplissait le bord des routes, mais jamais autant qu'en ce jour. Ce qui attirait ce jour-là le peuple de Tch'ang-an friand de spectacle, c'était de voir figurer ensemble dans le cortège toutes les belles les plus en vue de l'époque : la Précieuse Epouse et ses trois sœurs devaient en effet accompagner l'impériale sortie.

L'empereur et Yang Kouei-fei partageaient le même palanquin, suivis par les trois duchesses, montées chacune dans un palanquin incrusté d'or et de nacre. Comme en cette saison la chaleur était au plus haut, on avait prévu de quitter le palais en fin d'après-midi, afin d'éviter la canicule de la journée. Le pique-nique aurait lieu au coucher du soleil, et l'on rentrerait au palais à la nuit tombée. Tout le corps des hauts fonctionnaires en service participait aux festivités. La procession s'avançait, interminable, avec un intervalle entre chaque palanquin. A peine croyait-on avoir vu le dernier qu'il en apparaissait un autre.

Le passage des trois duchesses, qui se suivaient de près, déclencha une certaine pagaille. Le large intervalle entre leur cortège et le suivant s'emplit de cris et d'exclamations. La foule agglutinée au bord du chemin s'était ruée vers leurs palanquins, dans une mêlée d'hommes, de femmes, d'enfants et de vieillards : divers objets venaient d'être lancés des voitures des duchesses, épingles à chignon, chaussures, coffrets, objets de grande valeur uniquement, incrustés de perles ou pierreries.

Du bord du canal jusqu'à la colline du Champ-des-Plaisirs avait été aménagée une salle de banquet en plein air. On avait monté par intervalles des petits salons de réception fermés par des courtines, et installé également une multitude de petites baraques destinées aux victuailles et aux boissons. Sur cette aire s'éparpillait un nombre incalculable de hauts dignitaires, de dames de la Cour et de suivantes. Le palanquin impérial arriva enfin, au moment précis où le soleil estival, déclinant vers l'ouest d'instant en instant, lançait ses derniers feux sur la plaine, tandis que la brise du soir approchant amenait la fraîcheur du canal. Un poète de l'époque T'ang, Li Tchang-yin, chante ainsi le coucher du soleil sur le Champ-des-Plaisirs :

« A l'infini, la douceur du soleil couchant.
Ainsi, simplement, approche le crépuscule. »

Le pique-nique impérial, ce jour-là, commençait également à l'approche du crépuscule.

Au sommet de la colline du Champ-des-Plaisirs se trouvait un belvédère, datant du début de la dynastie T'ang où des générations de souverains étaient venus se distraire. C'est là que Siuan-tsong prit place en compagnie de Yang Kouei-fei. Le lieu offrait un vaste panorama, l'on apercevait le tracé bleu de la Rivière Sinueuse poursuivant son cours, ainsi qu'au loin le cours du Ts'in Tch'ouan. En direction de l'ouest, on apercevait au premier plan le grand bâtiment du temple de la Miséricorde, entouré d'une épaisse forêt. Bientôt la partie de plaisir en contrebas du belvédère impérial commença à s'animer. Les invités se plaçaient à leur guise par petits groupes de trois ou de cinq, ou se promenaient aux alentours, tandis que des serviteurs chargés de plats et de boissons couraient çà et là d'un air empressé. La musique emplissait l'espace : les accents en montaient jusqu'au belvédère, plus ou moins assourdis selon le gré du vent.

L'empereur et sa suite quittèrent bientôt le pavillon pour prendre part au banquet. Siuan-tsong tenait la main droite de la dame de Kouo pour descendre l'impraticable petit sentier. La Kouei-fei, appréciant la vue magnifique qu'offrait le belvédère, trouvant aussi que c'était le meilleur endroit pour jouir de la fraîcheur, s'attarda encore un moment avec une dizaine de dames de compagnie.

L'esprit absent, elle contemplait la scène sous ses yeux, quand l'image de Siuan-tsong qui continuait à descendre le sentier, entouré d'un groupe de femmes, entra soudain dans son champ de vision. Son regard s'attarda sur les minuscules silhouettes teintées de rouge par le soleil couchant. Des voix coquettes et des rires insouciants parvenaient sans fin jusqu'à elle, tandis qu'elle regardait fixement Siuan-tsong et la petite silhouette de la dame de Kouo à ses côtés. Un étrange pressentiment serra le cœur de la jeune femme ; l'instant d'après, l'événement qu'elle attendait eut effectivement lieu.

Elle vit l'empereur attirer vers lui des deux mains le corps menu de la dame de Kouo, tandis que les deux bras de celle-ci se nouaient autour de son cou, comme en réponse à ce geste. Des voix rieuses fusèrent du groupe de femmes, et tous deux relâchèrent aussitôt leur étreinte. Il ne s'agissait guère que d'une farce, jouée en présence de nombreuses dames de la Cour, mais la Kouei-fei en ressentit une violente colère. C'était aussi désagréable qu'un chien apprivoisé mordant la main qui l'a nourri.

Accompagnée de ses suivantes, la Précieuse Epouse redescendit aussitôt la colline. Coupant à travers l'aire du pique-nique, elle déboucha sur les berges du canal, et ordonna à son escorte de la ramener immédiatement au palais. Elle avait parcouru le chemin à l'aller dans le même palanquin que l'empereur, aussi son propre véhicule incrusté de nacre ne l'attendait-il pas.

« Faites avancer un palanquin », dit-elle seulement. En un instant un palanquin de nacre fut prêt à l'emmener, sans qu'elle sût à qui il appartenait. Au moment où le cortège allait démarrer, un messager dépêché par Siuan-tsong vint lui transmettre l'ordre de se joindre immédiatement au banquet. Refusant d'obéir, la Kouei-fei ordonna le départ.

De retour dans l'enceinte du palais, elle se rendit immédiatement à ses propres appartements, et attendit la venue d'un messager de l'empereur. Il devait déjà avoir compris, se disait-elle, la raison de son acte.

Au beau milieu de la nuit, la dame de Kouo vint lui rendre visite en compagnie de quelques suivantes. Prétextant une indisposition, elle refusa de la recevoir, et fit dire qu'elle était déjà couchée. L'arrogante petite personne dut s'en retourner bredouille. Mais à sa place ce fut Kao Li-che qui entra comme un ouragan.

– Est-ce bien clair ? Vous devez vous en tenir à une seule version : prise d'un malaise, vous avez regagné en hâte le palais en oubliant tout le reste. Voilà tout. Vous répéterez cela à chacun, et absolument rien d'autre que cela.

– Mais c'est faux ! s'exclama Yang Kouei-fei. J'ai reçu un affront de la dame de Kouo.

– Ne dites pas de choses pareilles !

– Quand bien même tu m'interdirais...

– Ne dites pas cela, vous dis-je. Il se peut que la dame de Kouo, de par sa personnalité, vous offense de temps à autre, mais elle est tout à fait consciente que c'est vous et nulle autre qui êtes Kouei-fei. Elle est assez clairvoyante pour comprendre qu'il n'est pas de son intérêt de chercher à vous nuire.

– Es-tu son allié ou le mien ?

– Allons, allons, vous me posez là une affligeante question. Je vous suis entièrement dévoué.

– Et qui est l'artisan de l'ascension des trois duchesses ?

– Mais elles sont pour vous un irremplaçable soutien : ce sont vos alliées, et la sécurité de votre position sera d'autant plus assurée que vous leur accorderez votre confiance. Quoi qu'il advienne, il ne faut pas briser votre alliance avec elles.

– Sais-tu ce que la dame de Kouo a fait aujourd'hui ?

– Pas le moins du monde, mais quoi qu'elle ait pu faire, il ne peut s'agir que d'une broutille. Y a-t-il en ce monde chose qui vaille la peine que vous vous mettiez ainsi en colère ?... Allons, suivez mon conseil, ne serait-ce que cette fois. Venez avec moi jusqu'au palais de Sa Majesté, et tenez-vous-en à l'unique explication que je vous ai dite.

– Ah ! je me sens vraiment mal maintenant.

Sur ces mots, la Kouei-fei planta là Kao Li-che et rentra brusquement dans sa chambre. La voix de l'eunuque, sans qu'elle pût discerner si elle implorait ou exigeait, lui parvint encore quelque temps, puis le calme revint : abandonnant la partie, il avait rebroussé chemin.

Le lendemain, dès l'aube, Yang Kouei-fei fut réveillée par un émissaire de l'empereur. Il faisait encore noir, les portes d'entrée de sa résidence étaient encore closes. La jeune femme changea en hâte de vêtements et sortit de sa chambre pour venir à la rencontre du messager.

– Sur ordre de l'empereur, Votre Altesse doit quitter immédiatement ce palais, et emménager dans celui de messire Yang Tian, frère aîné de Votre Altesse, dit le jeune messager.

La Kouei-fei lui fit répéter une nouvelle fois cet ordre, avant de déclarer simplement :

– J'ai compris.

Quand elle sortit sur la galerie, elle aperçut quelques dizaines de suivantes – étaient-elles déjà au courant ? – postées là à l'attendre, tête baissée. La Kouei-fei descendit les quelques degrés de pierre. Un palanquin était déjà apprêté dans les jardins face à l'entrée. Elle s'y installa. Kao Li-che ne tarda pas à arriver et souleva le rabat pour lui demander si elle n'avait pas froid.

– Vous devez avoir sommeil, après vous être levée si tôt. Je m'inquiétais de savoir si vos yeux n'étaient pas trop sensibles ce matin...

Il baissa la persienne, et le palanquin s'éleva de terre. La Kouei-fei devinait que celui qui cheminait à côté, un martèlement de planche accompagnant son pas, n'était autre que Kao Li-che.

Au palais de Yang Tian, on semblait avoir été prévenu, car la porte était grande ouverte, et tout était prêt pour accueillir la Précieuse Epouse. Tandis qu'elle s'installait dans une pièce retirée, Kao Li-che s'adressa à elle :

– Je vous conjure de garder patience quelque temps. Je reviendrai bientôt vous chercher.

L'expression de l'eunuque semblait différer de l'ordinaire.

– Sans doute ne te reverrai-je plus jamais au palais.

A ces mots, le corps de Kao Li-che fut secoué d'un tremblement exagéré, qui semblait dire : « Jamais de la vie, voyons ! »

– Pareille chose se pourrait-elle ? Non, sur ma vie, je viendrai vous chercher et la demeure impériale vous accueillera à nouveau. Patientez deux ou trois jours. Deux ou trois jours seulement...

Sur ces mots, il quitta les lieux en toute hâte, comme incapable de rester là une seconde de plus. La rapidité de son départ laissait à penser que la situation était loin d'être aussi simple.

La Kouei-fei se retrancha dans sa chambre au fond du palais, sans voir personne. Elle avait refusé de recevoir son frère aîné Yang Tian, de même que tous les membres de la maison Yang, qui étaient accourus, fort surpris de la gravité de l'affaire. Son oncle Siuan-kouei et son cousin Chi se présentèrent tout d'abord, suivis de ses trois sœurs, les dames de Han, de Kouo et de Ts'in, mais la Kouei-fei ne permit à personne de mettre un pied dans sa chambre. Jamais les membres de la famille Yang, qui tous lui devaient leur entrée au palais, ne l'avaient écœurée autant que ce jour-là. Hommes ou femmes, tous lui répugnaient. Même enfermée dans sa chambre, elle imaginait sans peine le degré de désarroi où se trouvait la famille Yang. Un calme apparent régnait dans l'immense résidence, mais en tendant l'oreille, on distinguait des bruits de pas incessants le long des galeries.

En vérité, le vaste corps de bâtiments qui abritait la famille de Yang Tian baignait jusqu'aux moindres recoins dans une atmosphère insolite. Des groupes d'hommes ou de femmes rassemblés discutaient de la meilleure façon de régler le problème. Mais, tout en cherchant une solution, nul n'avait idée de l'objet réel du débat. La Kouei-fei, soudain frappée par le courroux impérial, avait été confiée à la garde de son frère aîné, voilà tout. Quels seraient les développements et l'issue de cette affaire, personne n'en avait la moindre intuition, mais un indicible et funeste pressentiment pesait sur les quelques dizaines de personnes rassemblées sous le toit de Yang Tian. Demain, aujourd'hui peut-être, tous les membres de la maison Yang seraient sans exception destitués des fonctions qui hier encore leur étaient spécialement attribuées, sans même être assurés d'échapper à la mort. La seule solution envisageable, l'unique chose censée à faire dans la situation présente était que l'épouse impériale présente ses excuses à l'empereur, afin de calmer sa colère. Seulement, ils avaient beau vouloir en implorer la principale intéressée, celle-ci se refusait à recevoir quiconque. La dame de Han s'était présentée une fois à sa chambre, et la dame de Ts'in par deux fois, mais toutes deux s'étaient vues éconduites par les cameristes de la Précieuse Epouse.

« Son Altesse ne veut voir personne », répétaient les suivantes. En dernier lieu, la dame de Kouo vint intercéder auprès de sa sœur. Elle avait l'air plus animée encore que d'ordinaire. Elle était accourue la première à la résidence, et depuis on voyait sa petite silhouette s'activer de-ci, de-là, une voix cristalline fusant de sa minuscule bouche. Elle se rendit à la chambre de la concubine et, se voyant refuser audience par une suivante, éclata en sanglots, avant de se mettre à crier de toutes ses forces :

— Ah ! Voici la fin de la joyeuse vie de palais que nous menions hier encore ! Etait-ce rêve ou réalité ? Ah ! Sûrement ce n'était qu'un songe ! Nous avons seulement rêvé, vivant dans un palais de songe, portant en songe de belles parures, servies par des suivantes fantômes, et chaque jour se succédaient en rêve des festins ! Ah ! Hier encore, en compagnie de Sa Majesté l'empereur, nous montions dans des palanquins de songe pour nous promener en rêve sur les berges d'un canal, et nous amuser en songe aux Champs-des-Plaisirs ! Mais voilà le rêve fini, nous voilà éveillées de ce songe joyeux !

Sa voix limpide avait des résonances poignantes, et ses sanglots ne paraissaient pas de convention. Un chagrin sincère jailli du plus profond de son cœur semblait s'exprimer à travers ses paroles. Une cameriste s'approcha d'elle :

— Veuillez entrer par ici, Son Altesse va vous recevoir.

Les yeux de la duchesse brillaient, sans une larme, quand elle entra dans la pièce. Reprenant aussitôt une expression accablée, elle s'approcha lentement de Yang Kouei-fei.

— Tout le passé n'était qu'un songe, disiez-vous à l'instant. Vraiment, pour moi aussi, cela n'a été qu'un rêve, et je me sens toute rafraîchie à considérer les choses sous cet angle. Car si l'on pense que Sa Majesté lui-même n'est qu'un empereur de songe, les traitements qu'il infligera aux membres de notre maison n'auront lieu qu'en rêve, et je ne m'en sens plus fâchée le moins du monde. Quelles que soient les dispositions que prendra Sa Majesté envers vous, veuillez dire à tous de ne pas lui en garder ressentiment.

— Comment aurions-nous le moindre ressentiment envers Sa Majesté ? Quelle que soit sa conduite à notre égard, nous nous conformerons à ses ordres, et sommes résolus à accompagner Votre Altesse jusqu'au bout de son destin. Cependant, en une heure pareille, il est une chose, une seule, que j'aimerais requérir de Votre Altesse.

La mine de la dame de Kouo était on ne peut plus grave.

– De quoi s'agit-il ?

– Je vous supplie de présenter vos excuses à Sa Majesté, ne serait-ce qu'une fois. Pourquoi votre cœur ne pourrait-il s'exprimer auprès de Sa Majesté ? Il le comprendrait, j'en suis sûre, et vous pardonnerait.

– Me pardonner ? s'écria Yang Kouei-fei, puis elle ajouta après un instant de silence : Je n'ai aucunement l'intention de présenter des excuses à Sa Majesté. Si Sa Majesté, de son côté, daigne me présenter les siennes et venir me chercher, alors je retournerai au palais. Mais il est impensable que ce soit moi qui sollicite son pardon.

– Pourquoi Votre Altesse, si douce d'ordinaire, s'obstine-t-elle de la sorte ? Au risque de paraître fastidieuse, je vous demande de consentir à réfléchir de nouveau.

– De quoi devrais-je donc m'excuser ? C'est l'empereur qui s'est conduit d'impardonnable façon, et non moi. Et si j'ai pu lui pardonner, c'est parce que j'ai compris grâce à vous que tout cela n'était que songe illusoire.

– Cependant vous avez courroucé Sa Majesté en partant seule au beau milieu de la fête de la Rivière Sinueuse, cela ne fait aucun doute.

– Entendez-vous par là que je devrais lui expliquer la raison de mon brusque départ ?

– Je crois que cela serait préférable au silence.

– Madame ! Comme vous le disiez à l'instant, le passé n'était autre qu'un songe. C'est bien aussi mon avis, et je souhaite le voir partagé par tous les membres de notre famille, auxquels va sans doute échoir un nouveau destin. Quel que soit notre sort, veuillez dire à tous de s'y soumettre de bon gré. Le rêve de la famille Yang est terminé. Je ne sais ce qui valait mieux, de faire ce rêve ou de ne pas le faire, mais quoi qu'il en soit, nous l'avons fait, pour notre bonheur ou notre malheur.

Sur ces mots, Yang Kouei-fei se leva de son siège. La dame de Kouo rejoignit l'assemblée familiale pour lui annoncer le résultat de l'entrevue :

– Tout est fini. Son Altesse refuse de présenter ses excuses. Son esprit est possédé par un démon, et il est vain d'essayer de convaincre une folle. Quelle erreur fatale d'accepter dans notre famille pareille personne. Si nous sommes condamnés à mort, nul lieu ne pourra nous servir de refuge ; acceptons donc courageusement de mourir. Ce serait une chance inouïe si, à l'issue de pareille affaire, on se contentait de nous envoyer à la campagne... Cependant nous ne sommes pas encore condamnés, aussi préparons-nous au cas où nous en réchapperions : il faut changer tous les objets de valeur en pierres précieuses, facilement transportables grâce à leurs petites tailles.

On entendit s'élever les sanglots de la dame de Ts'in, suivis d'autres pleurs de lamentations, vite taris car chacun avait fort à faire afin de pourvoir à toute éventualité : il fallait se lever et se mettre à l'ouvrage.

Cette nuit-là, trois charrettes s'arrêtèrent devant les portes de la résidence de Yang Tian ; le riz, la farine et l'alcool dont elles étaient chargées furent transportés à l'intérieur. Ces réserves avaient été envoyées par les fermiers chargés de la garde des entrepôts du gouvernement. Dans la maison de Yang Tian les avis divergeaient quant à l'interprétation de cet envoi. Certains pensaient proche la ruine de la maison Yang, tandis que d'autres voyaient là un signe précurseur du tour favorable qu'allaient prendre les événements.

Le jour suivant, dix charrettes amenèrent en quantité considérable des vêtements de dames de la Cour. Là encore, une moitié de la famille en fut plongée dans l'affliction, tandis que s'éclairaient les visages de l'autre moitié. Encore un jour, et ce furent cette fois cinquante charrettes chargées de monceaux de victuailles. Les portes de la résidence furent encombrées la journée entière d'une multitude d'ouvriers occupés à les transporter à l'intérieur. Puis, cette nuit-là, trente dames de compagnie arrivèrent du palais impérial, avec pour mission de servir la Kouei-fei. La famille Yang au grand complet se vit contrainte de déménager pour céder toutes les chambres disponibles aux dames d'honneur.

Cinq jours après l'installation de la Kouei-fei au palais de son frère aîné, Kao Li-che se présenta.

– Vous rentrerez au palais aujourd'hui à minuit. Sa Majesté a ordonné votre déménagement dans la journée, mais la sagesse conseille la discrétion, cela évitera les rumeurs dans la capitale.

– Que pense Sa Majesté de toute cette affaire ? demanda la Précieuse Epouse.

– Du jour où vous avez quitté le palais, Sa Majesté n'a plus touché à ses repas. J'avais bien pensé que les choses se passeraient ainsi, et en effet... Ah, par le Ciel ! Quelle terrible histoire ! Ne sachant comment assouvir sa colère, Sa Majesté s'est montré fort rude, et sujet à des sautes d'humeur... Ah, Altesse ! Quels épouvantables moments je vous dois !

– Si c'était à ce point, sans doute eût-il mieux valu ne pas m'envoyer ici.

– En effet, mais ayez l'obligeance de ne pas trop évoquer ce sujet après votre retour au palais. La crise est finie, et Sa Majesté regrette beaucoup son geste... J'ai dû longuement réfléchir à cette affaire, car il n'y avait pas une personne de votre famille pour présenter des excuses à Sa Majesté à votre place. Votre mère la dame de la commanderie de l'Ouest du Long n'était guère appropriée, votre frère aîné Tian n'a pas l'influence suffisante, et votre cousin Chi manque par trop de sang-froid. Quant à votre oncle Siuan-kouei, président de la cour des banquets impériaux, il devrait être votre premier soutien dans ce genre de cas, mais ne s'y entend absolument pas à traiter les affaires dans ce domaine. Le seul à être venu me voir pour s'enquérir de l'évolution de la situation a été votre cousin Zhao, qui vient d'être nommé censeur de la cour des enquêtes au-dehors. Lui, au contraire...

La Kouei-fei se dit à part elle que Yang Zhao, conti-

128

nuant sa belle ascension, s'élèverait bientôt au-dessus du reste de la famille Yang. Elle ne l'avait guère revu depuis leur première rencontre, mais elle considérait ce jeune homme à l'air altier et exigeant comme le seul membre de la famille capable de devenir pour elle un soutien puissant. Sans doute avait-il joué un rôle dans cette affaire pour l'aider à revenir au palais.

Vers minuit, la Précieuse Epouse, escortée de ses nombreuses dames de compagnie, quitta la résidence de son frère. Au centre d'une longue procession, elle avançait sur la grand-route de la capitale, qu'elle avait cru ne plus jamais revoir. Etait-ce par mesure de sécurité ? On ne voyait pas l'ombre d'un passant, les portes des maisons étaient hermétiquement closes, partout régnait le silence d'une ville abandonnée. Kao Li-che chevauchait à côté du palanquin de la Kouei-fei, il n'était plus à pied comme le matin où il l'avait accompagnée chez son frère.

Les portes de bois du quartier An-sing étaient ouvertes. S'engageant dessous, le cortège entra dans la cité impériale par la résidence de Ta-houa. Se dirigeant tout de suite vers les bâtiments intérieurs, la Kouei-fei gagna sa chambre pour se reposer. Elle fit un court somme, et s'éveilla tôt le lendemain.

Aux approches du premier repas du matin, on lui annonça la visite de Siuan-tsong. Elle sortit sur la galerie et attendit, tête profondément baissée, l'arrivée du monarque. Quand elle vit le visage de Siuan-tsong en entrant dans la chambre, elle eut l'impression de le revoir après une longue absence.

– Cela fait bien longtemps que je ne vous ai vu, lui dit-elle sans ironie aucune.

– Idiote ! Où étais-tu donc partie t'amuser, en m'abandonnant de la sorte ?

Tels furent les premiers mots de Siuan-tsong. Yang Konei-fei pensa d'abord que ces paroles étaient destinées à sauver les apparences, puis elle s'aperçut que Siuan-tsong fixait sur elle un regard d'un terrible sérieux. Jamais il n'avait eu l'air aussi vieux. D'ordinaire, il paraissait dix ans de moins que Kao Li-che, mais on ne pouvait penser cela en ce moment. Même s'il n'émanait pas de lui cette ombre sinistre particulière à l'eunuque, les empreintes de la vieillesse étaient bien semblables chez lui et il ne paraissait pas plus jeune.

Yang Kouei-fei pénétra sous les tentures du lit. Se coulant dans les bras de Siuan-tsong, elle caressa ses mains, sa poitrine, sa nuque, ses joues : elle croyait toucher son destin même. Celui qu'elle enlaçait à nouveau était l'être qui détenait droit de vie et de mort sur elle. Ce que ses mains cherchaient pour en vérifier l'immuable présence n'était autre que sa propre vie...

Un fastueux banquet fut donné ce jour-là dans la salle de réception du palais. Des bateleurs avaient été mandés de tous les coins de la capitale, et des spectacles variés destinés à consoler le cœur de la Précieuse Epouse se déroulèrent. C'étaient des cerceaux enflammés s'élançant en tourbillonnant vers le ciel, des épées nues jonglant en l'air, des cordes traçant divers motifs dans l'espace, des groupes de nains en équilibre les uns sur les autres faisant chacun tournoyer une assiette au bout d'une perche : ce genre de tours se succédaient à l'infini. De temps à autre fusait le rire aguichant de la dame de Kouo. Les trois sœurs assistaient en effet au banquet, vêtues comme à l'accoutumée de leurs plus beaux atours, assises en rang d'oignons, l'air aussi enjoué que si rien n'était jamais arrivé.

De toute évidence, la dame de Kouo ignorait le rôle qu'elle avait joué dans l'affaire. Yang Kouei-fei observa longtemps les trois ravissantes sœurs. Elle les voyait maintenant comme des satellites de son propre destin, vivantes si elle-même vivait, mourant quand elle mourrait, et leur beauté avait quelque chose d'aussi vain qu'un bouquet de fleurs éphémères.

Chapitre 5

Peu après cet incident, au cours duquel le courroux de l'empereur valut à Yang Kouei-fei d'être confinée dans la résidence de son frère, avant d'être rappelée au palais, éclata une autre affaire que la jeune femme ne devait jamais oublier. Houang-fou Wei-ming fut condamné à mort, un mois à peine après avoir été déposé de ses fonctions de commissaire impérial au commandement de la Droite du Long et du Ho-si, et rabaissé au rang de préfet de la commanderie de Po-tch'ouan. A la suite de ces mesures, l'affaire était retombée, et l'éloignement de Houang-fou de la capitale donnait à penser que les persécutions contre lui ne s'étendraient pas plus avant. Du moins était-ce l'avis de Yang Kouei-fei, apparemment partagée par Kao Li-che.

C'est alors que, comme une traînée de poudre, la rumeur de la condamnation à mort de l'ancien général des marches lointaines se répandit dans les rues de la capitale, suscitant une excitation extraordinaire : le mauvais sort s'acharnait sur le héros d'autrefois, tant acclamé par le peuple de Tch'ang-an.

Ce fut son frère Yang Tian qui mit la Première Epouse au courant de l'exécution de Houang-fou, au moment où les commérages commençaient déjà à s'éteindre dans les rues de la capitale.

— En êtes-vous certain, n'y a-t-il pas d'erreur posm sible ? insista-t-elle, mais Yang Tian répondit :

— Moi aussi j'ai commencé par douter de cette rumeur qui vient de la rue, mais cela m'a été confirmé, et la nouvelle en sera bientôt donnée officiellement.

Yang Kouei-fei se contint à grand-peine jusqu'au départ de son frère ; une fois seule, elle s'effondra sur un siège. Plusieurs suivantes l'aidèrent à gagner son lit.

Elle envoya aussitôt un messager auprès de Kao Li-che, mais celui-ci trouva un prétexte pour ne pas venir. Ainsi, même Kao Li-che, qu'elle avait fini par considérer comme son allié, était donc finalement du côté de son ennemi mortel. Les malheurs de Houang-fou Wei-ming étaient dus aux machinations du Premier ministre, la chose était claire, mais Li Lin-fou n'avait pu manquer de discuter aussi de cette affaire avec Kao Li-che, lequel avait pourtant feint de tout ignorer jusqu'à maintenant. Elle ne pouvait que se rendre à l'évidence et voir en Kao Li-che l'allié de Li Lin-fou. Le coup que lui portait la mort de Houang-fou lui prouvait la profondeur de l'attachement qu'elle avait éprouvé pour lui. Leurs relations n'avaient jamais été particulièrement intimes, à peine s'il lui avait adressé une fois ou deux des paroles pleines de chaleur, certes, mais aussi de courtoisie. Elle était pourtant obligée aujourd'hui de reconnaître l'importance de la place occupée dans son cœur par ce guerrier d'âge mûr aux manières raffinées. Jamais elle n'avait cessé d'espérer son retour à la capitale, non comme une simple chimère mais plutôt comme un événement qui ne pouvait manquer de se produire un jour. Combien de rêves n'avait-elle brodés avec Houang-fou pour principal héros ! Non qu'elle éprouvât pour lui l'amour d'une simple femme : l'épouse impériale de premier rang était pour toujours une femme d'une position telle qu'il n'aurait pu que la servir et rester un guerrier agissant conformément à ses ordres. Leurs rapports étaient fixés ainsi à jamais. Elle-même se tenait à la droite de l'empereur pour le servir, mais à sa gauche elle avait imaginé Houang-fou Wei-ming. Les affaires politiques et militaires, Houang-fou aurait tout réglé selon son propre jugement, il aurait lui-même transmis à l'empereur toutes ses décisions. Ses visites au palais auraient été à la fois majestueuses et austères. Il fallait que son attitude chevale-resque le distingue des autres.

Tous ces rêves s'étaient effondrés sans un bruit. Le malheur était venu trop tôt, pour Houang-fou comme pour la Kouei-fei. Deux ou trois ans de plus seulement, et alors sans nul doute, son pouvoir à elle aurait été plus affermi, celui de sa famille sans comparaison avec aujourd'hui. Le sort du malheureux guerrier mort en exil sans pouvoir attendre ce jour lui paraissait d'une infinie tristesse.

Vers le soir, Kao Li-che se présenta enfin. N'était-ce qu'une impression ? Elle lui trouva un regard scruta-teur quand il s'avança devant elle avec une profonde révérence.

– Assieds-toi, je t'en prie, fit-elle en s'efforçant de garder son calme.

Elle fit amener du thé par ses caméristes puis les congédia toutes sans exception. L'eunuque, conscient que les propos qu'ils allaient échanger étaient de carac-tère secret et ne devaient être entendus de personne, se leva pour inspecter les environs. Son visage se trans-formait d'instant en instant : ce n'était plus celui d'un eunuque, mais celui d'un guerrier au regard d'une transparence glacée, une ombre cruelle avait envahi ses traits hermaphrodites. De retour à son siège, Kao Li-che reprit son expression ordinaire, et commença :

– Permettez-moi de deviner ce dont il s'agit.

Silencieuse, la Kouei-fei observait le visage de l'eu-nuque d'un air peu amène.

– Dame Prunus, n'est-ce pas ?... fit Kao Li-che en baissant la voix. Fiez-vous-en à moi. Je suis au courant des visites de Sa Majesté au pavillon de dame Prunus : y a-t-il chose que j'ignore ? Je suis au courant de tout ce qui concerne les appartements intérieurs du palais, même d'une mouche qui vole. J'en sais bien plus que Votre Altesse elle-même. N'ayez donc aucun ressenti-ment envers Sa Majesté, car elle songe maintenant à expédier dame Prunus plus loin encore que son palais, si loin que vous ne la reverrez plus jamais. Je suis tout à fait au courant, l'empereur est justement parti le lui annoncer.

Yang Kouei-fei se taisait toujours. Elle voulait écouter jusqu'au bout ce que Kao Li-che avait à dire. Celui-ci, évidemment, se trompait : elle entendait parler de cette histoire pour la première fois. Elle pouvait cependant déduire de ses paroles que le vieux monarque rendait ces temps derniers des visites à la concubine Prunus. La Précieuse Epouse ne pouvait fermer ses oreilles à pareil sujet.

– Altesse, remettez-vous-en à moi. Vous savez que mes plans réussissent toujours.

– ...

– Pourquoi votre beau visage reste-t-il assombri de la sorte ? Très bien, procédons ainsi : si cette nuit encore, Sa Majesté...

Quand il fut parvenu à ce point, la jeune femme l'interrompit :

– J'ignorais tout de cette histoire. C'est en t'écoutant que j'apprends la conduite de l'empereur. Mais cela m'importe peu. Et quand bien même, je n'ai aucun pouvoir vis-à-vis de ces choses. Que l'empereur se rende donc chez dame Prunus cette nuit si tel est son désir. Je me garderai désormais de lui faire grise mine pour ce genre de caprices, car je n'ai nulle envie d'être envoyée à nouveau chez mon frère. Je tiens à la vie, et préfère éviter d'être condamnée à mort.

Le sourcil nuageux, la Kouei-fei parlait d'un ton triste. A la vue de cette expression affligée, une ombre de tristesse parcourut également le visage de l'eunuque. Il fit une grimace lugubre et poussa un grand soupir.

– Par le Ciel ! Alors, à propos de dame Prunus...

– Ah, ne me parle plus de cette histoire. Cela ne me regarde pas, je lui laisse volontiers l'empereur tout entier.

– Voyons, Altesse...

– N'en parlons plus ! fit la Kouei-fei d'un ton véhément. Je n'ai pas envie d'être condamnée à mort, puisqu'en ce monde ce sont les innocents que l'on condamne.

– Altesse, attendez !

Kao Li-che se leva brusquement pour inspecter les alentours puis se rassit.

— Un peu de patience, encore un peu de patience, fit-il à voix basse.

— Ma patience ne ramènera pas Houang-fou Wei-ming à la vie.

— Altesse !

L'anxiété déformait le visage de l'eunuque au point de stupéfier son interlocutrice. Ses yeux fixaient un point dans l'espace, tandis qu'il agitait ses mains parcheminées devant lui d'un air significatif. Puis il s'immobilisa, ouvrit ses deux paumes et les plaça comme un rempart face à elle.

— Altesse, ne prononcez plus ce nom une seule fois. Un jour sans doute vous pourrez reparler de lui, dans deux ans, ou dans cinq, je ne sais. Ecoutez-moi bien, Altesse. Houang-fou n'est pas le seul à avoir été exécuté : Wei Tsien et ses frères cadets l'ont également été. A Yi-tch'ouen, Li Che-tche a devancé sa condamnation en absorbant du poison pour mourir, et à Kiang-houa, Wang Kiu s'est pendu. Dans le Ho-nan, les héritiers de Li Che-tche ont été bastonnés à mort. Li Yong et P'ei Touen-fou ont été ensemble bastonnés à mort. A la capitale même, Yeou-lin, Tsi, Tseng, et leurs partisans ont été bastonnés à mort, leurs femmes et leurs enfants ont été bannis. Tout l'empire tremble de peur, et vous devez être la seule à l'ignorer encore. Si je vous disais les noms de tous les politiciens et les généraux inconnus de vous qui ont été exécutés, j'y passerais des heures.

La Kouei-fei se tut, sous l'emprise de sinistres pensées. Aucun doute, tous les opposants de Li Lin-fou avaient été mis à mort. Elle était impuissante à imaginer le rôle qu'avait pu jouer Siuan-tsong dans cette vague d'exécutions, et elle n'avait pas idée du vrai jeu de Kao Li-che lui-même, présent là sous ses yeux. Etait-il l'allié de Li Lin-fou, ou appartenait-il à un autre camp ? Elle n'en savait rien.

Suivant les conseils de l'eunuque, elle s'interdit de prononcer à l'avenir le nom de Houang-fou Wei-ming. Il était indéniable qu'un sombre tourbillon à la nature

trouble traversait la cour des T'ang avec une inimaginable violence.

Cette nuit-là, la Kouei-fei ne put ôter dame Prunus
de ses pensées. Son esprit cherchant une échappatoire
au chagrin suscité par la mort de Houang-fou Wei-
ming s'était emparé de l'affaire de Prunus, envers laquelle sa haine ne s'était jamais estompée. Elle avait
simplement relâché sa garde, croyant le cœur du vieux
monarque définitivement éloigné d'elle. Elle avait cru
facile de l'éliminer à n'importe quel moment, attendant
simplement l'occasion propice depuis son accession au
rang de Précieuse Epouse. Son chagrin sans issue dû
au sort de Houang-fou s'était maintenant mué en une
violente colère dirigée contre Prunus. C'était elle
qu'elle voulait voir exécuter, sans attendre une heure
de plus.

Le lendemain matin, la Kouei-fei s'éveilla plus tôt
que de coutume, et fit appeler deux suivantes pour
s'informer du chemin menant au pavillon de Prunus.
L'une des suivantes changea de couleur.

– La résidence de dame Prunus ?

L'embarras se lisait clairement sur son visage. Sa
maîtresse lui ordonna aussitôt de se retirer. La
deuxième suivante lui dit, sans changer d'expression le
moins du monde :

– Dame Prunus demeure dans le pavillon est du palais du Yang Supérieur. Je vais vous montrer immédiatement le chemin.

Celle-là nourrissait clairement des sentiments d'ini-
mitié à l'égard de Prunus. Seule avec sa suivante, la
Précieuse Epouse quitta son palais.

Elles suivirent de longues galeries, croisant de temps
à autre des groupes de femmes qui baissaient profondément la tête à son approche. Quittant la galerie à
mi-chemin, elles coupèrent par une cour intérieure pavée de gros blocs de pierre. Empruntant de nouvelles
galeries, elles coupèrent par d'autres cours dallées de
pierre. Beaucoup de ces endroits étaient nouveaux
pour la Précieuse Epouse. Des pavillons identiques, des
galeries et des cours intérieures entièrement semblables se succédaient sans interruption. Vers la moitié du

chemin, la Kouei-fei commença à avoir les pieds dou-
loureux. Comme elle ne marchait guère en temps ordinaire, traverser pas à pas les larges plates-formes dallées était pour elle une épreuve.

Quand elles entrèrent dans l'aile orientale du palais
du Yang Supérieur, la Kouei-fei était épuisée. Comment Siuan-tsong venait-il jusqu'ici ? se demanda-t-elle.
Il était impensable qu'il s'y rendît à cheval et plus encore en palanquin. Elle posa la question à sa suivante.

— Je pense, répondit celle-ci, que Sa Majesté doit
quitter l'enceinte du palais en palanquin, et entrer à
nouveau par la porte la plus proche d'ici.

Il devait en effet y avoir un moyen de parvenir jusque-là de la sorte. Ainsi, le palais du Yang Supérieur ne
se trouvait plus situé au fin fond de la cité impériale :
en passant par certaine porte, il devait se trouver tout
près des appartements impériaux.

— Nous aurions dû passer par cette porte.

— C'est impossible. Je ne crois pas qu'il y ait de
chemin convenant à une visite de Votre Altesse à dame
Prunus autre que celui que nous avons emprunté.

Quand le pavillon de la concubine Prunus apparut
au loin, les environs changèrent soudain d'aspect. Les
dames de compagnie étaient alignées des deux côtés de
la galerie où avançait la Kouei-fei : on avait été prévenu, semblait-il, de son arrivée, et on lui préparait,
non sans une certaine agitation, un accueil irréprocha-
ble. Un groupe de vieilles femmes la reçut respectueusement à l'entrée du pavillon.

— Son Altesse a une importante communication à
transmettre immédiatement à Sa Majesté, c'est pourquoi elle s'est rendue jusqu'ici, déclara sa suivante, tête
haute, fixant sur le groupe de duègnes un regard dé-
daigneux.

Cette jeune fille, âgée de dix-sept ou dix-huit ans,
était fort belle, et surtout d'un imperturbable sang-
froid.

— Son Altesse désire voir Sa Majesté sans plus attendre, ajouta-t-elle, d'un ton autoritaire et sans réplique.

Les vieilles femmes inclinèrent respectueusement la
tête, et l'une d'elles se dirigea vers le fond du palais.

Tout en étant consciente du fait qu'elle agissait comme lors de l'affaire de la dame de Kouo, et risquait d'encourir la colère impériale, la Précieuse Epouse restait sans crainte. Elle avait acquis la certitude que quel que soit son courroux envers elle, l'empereur ne l'enverrait jamais en exil. Le dénouement de l'affaire précédente lui avait naturellement insufflé cette confiance en elle. La nature de leurs relations voulait que dès qu'elle augmentait d'une once son pouvoir, l'empereur de son côté perdait une once du sien.

Debout en silence, elle attendait. L'intérieur du pavillon semblait être le théâtre d'une agitation soudaine. L'empereur en personne allait peut-être se manifester, se dit-elle en voyant réapparaître avec un air majestueux la vieille femme qui était sortie un instant plus tôt. Mais celui qui déboula dans l'entrée dans un bruit de pas précipités n'était autre que Kao Li-che. Passant devant le groupe des duègnes, il inclina la tête en direction de la Kouei-fei.

– Altesse ! C'est... C'est...

Hors d'haleine, il dut s'interrompre.

– Ah ! Jamais je n'ai couru de la sorte dans le palais ! dit-il, la respiration toujours saccadée.

Et en vérité, il était selon toute apparence accouru au saut du lit, prévenu par quelque domestique.

– Altesse, veuillez retourner à vos appartements avec moi.

– Je veux voir Sa Majesté, fit Yang Kouei-fei.

– Sa Majesté ? Qu'est-ce que Sa Majesté ferait ici ?

– Si Sa Majesté n'est pas là, je veux voir dame Prunus.

– Dame Prunus ? Cela... C'est... Vraiment, Altesse, cette conduite n'est pas digne de la Précieuse Epouse.

– Je suis venue tout exprès jusqu'ici, et ne saurais m'en retourner sans avoir vu dame Prunus, ne serait-ce qu'un instant. Pourquoi cela ne peut-il se faire ?

– Ah !

– Dame Prunus est-elle absente ?

Le ton de la Kouei-fei commençait à monter.

– Non, non, elle est là.

– Dans ce cas, je veux la voir. Montre-moi le chemin.

Le vieil eunuque essuya de la main son visage en sueur.

– Veuillez attendre un instant, je vais la prévenir.

– Ce n'est pas la peine, rendons-nous tout de suite à sa chambre. Montre-moi le chemin.

– Vraiment, comme Votre Altesse est déraisonnable ! Une personne de votre rang !...

L'air perplexe, Kao Li-che réfléchit, puis :

– Entendu. Mais attendez tout de même un petit instant. Il rentra précipitamment à l'intérieur du pavillon. Le groupe de vieilles était resté là sans ciller, tête baissée, l'air impassible comme si les événements ne les concernaient nullement. Kao Li-che fut bientôt de retour.

– Elle n'est pas là, fit-il d'un air désolé, les deux bras écartés.

– Que voulez-vous dire ?

– C'est vrai, je vous assure. Dame Prunus n'est pas là. Sa santé laissait à désirer et elle a pris hier soir le chemin du palais des Sources Chaudes. Etant donné son absence, je ne puis rien faire, c'est irrémédiable. Allons, Altesse, je vous accompagne. Regagnez sans tarder vos appartements.

– Si elle est absente, du moins montrez-moi sa chambre.

– Altesse !

Mais au moment où Kao li-che cherchait à l'en empêcher, la Kouei-fei avait déjà mis le pied à l'intérieur du pavillon.

– Arrière ! cria la jeune suivante de sa voix claire à l'intention des vieilles femmes, comme pour appuyer la volonté de sa maîtresse.

D'un seul mouvement, les duègnes se rangèrent sur les deux côtés de la galerie pour leur frayer un chemin. La suivante passa la première au milieu de cette haie, suivie par la Précieuse Epouse.

– Altesse ! Altesse !...

Kao Li-che tourbillonnait autour d'elles, les dépassant, les suivant, pour être finalement aspiré avec elles vers l'intérieur du pavillon.

Plusieurs caméristes étaient alignées dans le vestibule, têtes baissées. La suivante de Yang Kouei-fei, qui jusque-là la précédait, repassa devant elle, et c'est dans cet ordre : la Kouei-fei, sa suivante et l'eunuque sur leurs talons, qu'ils pénétrèrent dans les lieux. Il n'y avait pas signe de présence humaine dans la première pièce. Sur la droite se trouvait une antichambre, au fond de laquelle se devinait la chambre à coucher. A peine entrés dans la première pièce, Kao Li-che et la jeune suivante s'arrêtèrent net, et se tinrent côte à côte comme par un commun accord. L'eunuque avait même renoncé à ses protestations. Sur le seuil de l'antichambre, la Kouei-fei hésita légèrement ; quelqu'un, semblait-il, se trouvait là. Et en effet, une voix lui parvint de l'intérieur de la pièce :

— Que signifie un tel tapage, de si bon matin ?

C'était la voix de Siuan-tsong. Il était donc bien là !

— Sa Majesté vient-elle de se réveiller ? fit la Kouei-fei en réponse.

— Il n'est pas question de me réveiller ou non. J'arrive moi-même à l'instant, et suis en train de boire le thé. Tu arrives à point : il y a du thé du Sseu-tch'ouan.

La Kouei-fei pénétra dans l'antichambre. Le vieux monarque était seul en train de boire du thé. La pièce, mal exposée, était sombre. Une grande table, des jarres, un paravent, des vases étaient disposés çà et là en désordre, et dans le fond on apercevait un lit aux courtines baissées.

— Et dame Prunus ? demanda la Précieuse Epouse.

— Je ne sais... On m'a dit qu'elle était partie au mont du Cheval Noir.

— Pourquoi venir ici en son absence ?

— J'ai entendu parler d'un arrivage de thé rare du Sseu-tch'ouan.

— Le thé rare se cacherait-il derrière ces tentures ?

L'empereur éclata de rire.

— Tu peux les écarter pour voir.

C'était bien là l'intention de la Kouei-fei. Elle s'approcha du lit et en ouvrit les rideaux : un désordre évident régnait dans ce lit refait à la hâte. Au premier coup d'œil, elle aperçut une paire de chaussures bleues et une épingle à cheveux de jade qui avaient roulé au pied du lit.

– Pauvre dame Prunus, qui a dû s'enfuir pieds nus !

Ces mots à peine prononcés, elle se précipita hors de la pièce sans même un regard pour Siuan-tsong, et repartit vers son propre palais. Dans les galeries, sur son passage, duègnes et suivantes baissaient la tête. A mi-chemin, sa jeune dame de compagnie repassa en tête. L'eunuque, toujours sur leurs talons, grommelait sans relâche des bribes de phrases inaudibles.

De retour à ses appartements, Yang Kouei-fei s'enferma dans sa chambre sans voir personne. Kao Li-che se présenta plusieurs fois à la porte, mais elle prétexta un malaise pour éviter de le recevoir. Le soir, quand Siuan-tsong entra dans la chambre, elle resta couchée et lui déclara de son lit :

– Envoyez-moi chez mon frère Yang Tian sans attendre une heure de plus. J'y attendrai l'ordre de mourir. Je ne saurais dire à quel point la mort me sera plus douce que de supporter pareille humiliation. Si vous ne donnez pas l'ordre de m'exécuter, je renoncerai de moi-même à la vie. J'aurais mieux fait de choisir la mort quand vous m'avez fait mander du palais du prince de Cheou. Touchée par votre affection, je suis restée en vie jusqu'à maintenant, mais les jours de joie ont pris fin, ma vie ne sera plus désormais qu'une suite de jours emplis de tristesse. Je préfère mettre moi-même fin à ma vie que de vivre dans une telle affliction.

La Kouei-fei pleurait à chaudes larmes, levant de temps à autre vers l'empereur un regard chargé de reproche.

Siuan-tsong sortit sans mot dire et revint une heure plus tard, accompagné, cette fois, de Kao Li-che. La Kouei-fei lui adressa derechef des paroles pleines de rancœur, et exprima sa résolution de se suicider. Siuan-tsong et Kao Li-che repartirent. Puis des suivantes amenèrent les unes après les autres des présents de la part de l'empereur. La Kouei-fei n'accorda pas un regard aux drageoirs incrustés de pierres précieuses, pas plus qu'aux étoffes d'une beauté à couper le souffle.

La nuit venue, elle se sentit enfin délivrée des affres de la jalousie qui l'avaient assaillie la journée entière. Cette crise de jalousie disparut aussi brusquement qu'elle était venue. Elle-même ne comprenait plus comment elle avait pu être la proie de sentiments aussi excessifs. En une journée, elle s'était complètement émaciée.

L'image des chaussures azur et de l'épingle de jade au pied du lit l'avait poursuivie la journée durant, leur pointe acérée lardant de coups et son cœur et son corps.

Se levant de son lit, elle enfila des chaussures et se mit debout sur le plancher. Passant dans la pièce voisine, elle ouvrit les rideaux, et la plate-forme dallée, bleue sous les rayons de la lune, frappa son regard. C'était une vaste terrasse pavée de grosses pierres, dépourvue du moindre brin d'herbe, de la moindre pincée de terre. Comme il faisait chaud et humide dans la pièce, la Kouei-fei eut envie de sortir. Dès qu'elle s'approcha de la porte, trois suivantes surgies de nulle part se précipitèrent.

– Votre Altesse sort-elle ? demanda l'une d'elles à voix basse.

– J'ai envie de faire quelques pas sur la terrasse.

– Vous exposer ainsi à l'air froid de la nuit...

– Cela m'est égal.

Les lourds battants de la porte s'écartèrent sur son ordre. Dans la journée les portes de son pavillon restaient ouvertes et elle n'y prêtait guère attention mais vues de nuit, elles avaient la lourdeur funeste de celles d'une prison, et le nombre de ses suivantes augmentait en un instant. Une fois dehors, elle perçut un bruit de pas provenant de la galerie d'en face. Une forme humaine se profila bientôt sur la galerie, la quitta à mi-chemin pour s'approcher de la terrasse dallée où elle projeta bientôt son ombre noire. C'était Kao Li-che. Il était sûrement accouru en hâte, prévenu par une suivante.

142

– Altesse ! Voyons, en pleine nuit !...

Courbé en deux, il tendait la tête pour lever les yeux vers elle. A la lumière de la lune, son étrange visage creusé de rides paraissait blafard.

– Pusi-je vous entretenir en particulier ? demanda-t-il à voix basse. Les suivantes disparurent aussitôt, les laissant seuls.

– La nuit dernière, tous les membres de votre famille ont reçu de l'avancement, chacun selon ses fonctions. Nous en aurons l'annonce officielle dans les prochains jours.

– Qu'est-ce qui nous vaut cet honneur ?

– Je ne sais. Une preuve d'amour de Sa Majesté envers vous, sans doute. Mais quelle qu'en soit la raison, pareille nouvelle ne peut qu'agréer à Votre Altesse.

La Précieuse Epouse scruta le visage de son interlocuteur, comme pour y vérifier quelque chose. « Ce vieil eunuque ne manque pas une occasion de promouvoir la maison Yang... » se dit-elle.

– Messire Yang Zhao dispose désormais d'une influence sans commune mesure avec le passé. Vous pourrez dresser tous les plans avec lui... Mais je vous expliquerai tout cela en détail très bientôt. Pour l'heure, c'est la nuit, et je me retire. Puis-je suggérer à Sa Majesté de vous honorer de sa visite ?

Puis Kao Li-che regarda fixement la Précieuse Epouse, l'air de dire : « Puis-je convier l'empereur à venir ici tout de suite ? »

– Je vous en prie. Je suis prête à l'accueillir.

La place de Siuan-tsong dans son cœur avait légèrement changé, il n'était plus simplement l'objet de sa jalousie. Elle avait beaucoup de choses à obtenir de lui, et devait le faire avant que Kao Li-che ou Li Lin-fou ne s'en chargent. Elle l'avait jusque-là considéré comme la personnification de son destin, mais il ne s'agissait pas uniquement de son destin à elle : il était aussi celui de Li Lin-fou et de Kao Li-che. Pour l'un comme pour l'autre, le vieux monarque n'était autre que la proie qui leur permettait de réaliser leurs ambitions.

Entre l'affaire de la dame de Kouo, la mort de Houang-fou Wei-ming, et l'épisode de la concubine Prunus, Yang Kouei-fei eut de nombreux sujets d'inquiétude jusqu'à l'été de l'An Cinq du Céleste Trésor (746). A partir de l'automne s'écoulèrent des jours relativement paisibles. Après les incidents dus à dame Kouo puis à Prunus, elle sentit l'amour de Siuan-tsong se refermer autour d'elle de façon presque maladive. Il prêtait attention au moindre changement d'expression de sa part. Montrait-elle un visage souriant, le souverain était d'humeur joyeuse, mais le chagrin assombrissait-il son visage, il se montrait tout larmoyant, à l'unisson de l'humeur de sa belle. La Kouei-fei, de son côté, l'aguichait et le repoussait tour à tour. Il lui arrivait de partager la couche de Siuan-tsong de sa propre initiative, et de refuser si c'était lui qui le lui demandait.

Dans son sommeil, la Précieuse Epouse serrait étroitement contre elle le monarque dont dépendait son bonheur comme son malheur, ou bien elle écartait sa main en le repoussant rudement. Le désir la tenaillait parfois de voir une bonne fois ce que cachait le corps sénile de cet être, l'empereur Siuan-tsong, et d'en extirper jusqu'à la moelle. Elle se gaussait de lui, jouant comme on joue, à demi conscient du risque, avec un objet dangereux prêt à exploser à tout moment. Que lui arrivait-il donc ? S'abandonnant au flot de son propre désir, tantôt elle berçait dans ses bras le corps du vieux monarque dont la peau se couvrait à présent de taches de plus en plus visibles, tantôt elle le traitait avec un dédain glacé, comme au contact de quelque immondice.

En ce sens, les rapports du souverain et de la Précieuse Epouse s'inversaient de plus en plus. Elle prit conscience vers cette époque de la métamorphose de son propre corps, d'où émanait maintenant une beauté rayonnante qui en était absente auparavant. Elle savait que cette splendeur qu'elle-même ressentait éblouissait Siuan-tsong chaque fois qu'il posait les yeux sur elle, et elle éprouvait grand plaisir à faire ramper devant elle celui qui représentait son destin et avait tout pouvoir sur sa personne.

Le dixième mois venu, elle accompagna l'empereur au palais des Sources Chaudes au mont du Cheval Noir. La rénovation de l'ensemble palatial, entreprise plusieurs années auparavant, venait enfin de s'achever, et Siuan-tsong le rebaptisa « palais de la Pure Splendeur ».

Vers cette même époque à Tch'ang-an, le nom de Wang Tchong-sseu commençait à résonner glorieusement. Il avait en main le commandement des régions du Ho-si, de la Droite du Long, du Chouo-fang et du Ho-tong, et ses campagnes contre les barbares des régions frontalières étaient chaque fois couronnées de succès. Il occupait à présent la place autrefois échue à Houang-fou Wei-ming. Aussi une grande effervescence accompagna-t-elle la rumeur de sa venue à la capitale. Wang Tchong-sseu quittait en effet son poste pour venir rendre compte à l'empereur des opérations militaires de la région.

Le onzième mois, le commissaire impérial se présenta à la capitale, et fut reçu en audience par l'empereur, en présence également de la Kouei-fei. Si Wang Tchong-sseu égalait Houang-fou Wei-ming en popularité, l'apparence des deux hommes différait du tout au tout. Il suffisait d'un coup d'œil pour se rendre compte que le général Wang, négligé dans sa tenue, le visage couvert de barbe, arrivait des régions reculées de l'empire.

— Mon retour à la capitale a pour but d'informer Votre Majesté des intentions subversives du général An Lou-chan : il a érigé la « Forteresse des Braves » près de la rivière Hong-mo à Sou-tcheou. Il y a emmagasiné des armes en grande quantité et n'attend que l'occasion de se révolter. Sur place, il n'y a plus un officier ni un soldat qui doute qu'An Lou-chan ait fomenté de traîtres desseins. Il n'y a pas plus grand danger que de confier le commandement d'une armée à un général d'origine barbare.

Personne ne répondit mot au discours de Wang Tchong-sseu. A l'évocation de la silhouette du général barbare des marches lointaines, favori de l'empereur, personne à la Cour ne songeait à lui prêter le moindre projet de révolte. Le Premier ministre Li Lin-fou prit la parole :

– Pourquoi An Lou-chan serait-il animé de l'esprit de subversion ? Ne serait-ce pas plutôt le fait de celui qui fait exagérément valoir ses exploits militaires, et qui, de retour à la capitale cherche à évincer un ministre ?

En entendant cette critique ouvertement dirigée contre lui, Wang Tchong-sseu changea de couleur et se leva, mais quelqu'un le retint et il se rassit, tandis que Li Lin-fou poursuivait :

– L'idée de l'empereur est d'écraser les Tourfans une fois pour toutes. Alors, vous, général, dont on dit que vous les combattez sans les vaincre pour autant, organisez donc une offensive contre la place forte de Che-pao. Cette citadelle, tombée aux mains des Tibétains en l'an vingt-neuf de la Fondation, n'a jamais été reprise depuis.

A cela, le général Wang répondit :

– La protection de Che-pao a été renforcée, c'est le pays tourfan tout entier qui la défend. A l'heure actuelle, même en y concentrant nos troupes, on ne peut espérer de victoire, à moins d'y perdre des dizaines de milliers d'hommes. Je crains comme résultat de très lourdes pertes pour un gain minime.

Li Lin-fou rétorqua :

– Le général Tong Yen-kouang a sollicité l'autorisation d'attaquer Che-pao en prenant en personne la tête de ses troupes. L'empereur approuve ce dessein, et a déjà accédé à son souhait. Vous enverrez vos troupes lui prêter main-forte.

Comme le Premier ministre avait pris le nom de l'empereur pour caution, Wang Tchong-sseu ne pouvait répliquer.

La Précieuse Epouse, qui se rappelait l'altercation d'autrefois entre Houang-fou Wei-ming et le Premier ministre était tentée d'épauler le général dans la mesure de son possible. Elle n'avait jusqu'ici guère éprouvé de sympathie à son égard, pour la simple raison qu'il était le remplaçant de Houang-fou, mais il en allait différemment maintenant. Elle non plus, cependant, ne prenait pas au sérieux l'annonce des intentions subversives d'An Lou-chan. Elle ne pouvait imaginer idée si téméraire dans l'esprit de ce colosse difforme qui s'était surnommé lui-même « Sang-mêlé », et se montrait candide au point de demander à devenir son fils adoptif.

Peu après le retour de Wang Tchong-sseu sur les terres de sa charge, la rumeur se mit à courir dans la capitale qu'il était devenu l'intime du prince héritier Heng et avait l'intention de prendre en temps voulu la tête de ses troupes pour servir la cause de celui-ci. Cette rumeur fut suivie de près par l'annonce officielle de la déposition de Wang Tchong-sseu et du choix de son successeur. Chacun pouvait sentir une machination malsaine à l'œuvre derrière ces événements. Peu après l'annonce de la chute du général, apparurent sur les murs d'argile délimitant les quartiers de la capitale des graffiti dénonçant « la corruption du gouvernement ».

A partir de l'automne de cette année-là jusqu'au printemps suivant, celui de l'An Six du Céleste Trésor, nombreux furent les ministres et hauts fonctionnaires exécutés sous de fausses présomptions. On remarqua spécialement parmi eux le vice-président du ministère des Finances, Yang Chen-tsin et sa famille. Ce personnage avait bénéficié de l'entière confiance de l'empereur, mais ce fut là justement ce qui suscita la haine de Li Lin-fou, qui le fit arrêter et bastonner sous l'inculpation de complot. Yang Chen-tsin se donna la mort de sa propre lame, à la suite de quoi sa femme, ses enfants et sa famille tout entière furent bannies ou assassinées. Le sort tragique de cette maison resta longtemps le sujet de prédilection de conversations de la capitale.

A partir du printemps de l'An Six du Céleste Trésor, la santé de l'empereur déclina et il cessa de s'occuper des affaires du gouvernement, dont il confia la quasi-totalité à Li Lin-fou. Siuan-tsong passait la plus grande partie de son temps dans les appartements de Yang Kouei-fei. Un seul jour sans la voir le rendait plein d'inquiétude, et il prenait fréquemment les trois repas de la journée chez elle, en sa compagnie. La plupart des affaires politiques importantes se traitaient en conséquence dans le palais de la Précieuse Epouse.

Le Premier ministre Li Lin-fou s'y rendait chaque jour pour une audience avec l'empereur. Il tenait maintenant tout le pouvoir politique entre ses mains, mais se gardait bien d'y faire allusion en présence de l'empereur et de sa favorite, feignant au contraire de demander la sanction impériale pour le moindre détail. La Kouei-fei trouvait quelque peu étrange l'espèce de confiance aveugle que Siuan-tsong avait conçue envers Li Lin-fou. Il avait une extraordinaire vénération pour sa bien-aimée, mais il semblait en aller de même avec son Premier ministre. Yang Kouei-fei voyait bien que le vieux souverain était entièrement à la merci de ce personnage auquel s'appliquait si bien l'adage : « Bouche de miel, cœur de fiel. » Les discours de Li Lin-fou semblaient avoir le don d'engourdir les perceptions de l'empereur.

Quant à An Lou-chan, il ne montait plus à la capitale, mais dépêchait sans cesse des messagers, comme preuve de son intention de tenir Siuan-tsong au courant du moindre mouvement de ses troupes. On ne pouvait déceler dans son attitude le moindre atome de ces intentions subversives dont avait parlé Wang Tchong-sseu. Siuan-tsong ne manquait jamais d'inviter Sang-mêlé, par l'intermédiaire de ses messagers, à se rendre à la capitale. En vérité, il souhaitait le retour d'An Lou-chan à la Cour. Il s'était persuadé qu'il suffirait d'un banquet en compagnie de Lou-chan pour recouvrer la santé. Après son audience avec l'empereur, l'émissaire du général barbare rendait immanquablement visite à Li Lin-fou aussi, vers la résidence duquel étaient chaque fois acheminés d'innombrables présents.

Kao Li-che passait ses journées aux côtés de l'empereur, assistant à l'audience du Premier ministre, présent à l'arrivée des émissaires d'An Lou-chan. Même à présent, la Kouei-fei ne comprenait toujours pas les relations de ces trois personnages. Ils semblaient à la fois se mettre des bâtons dans les roues et agir de concert. Ils avaient en commun de ne jamais critiquer les défauts les uns des autres. S'ils émettaient des commentaires, c'était toujours pour se protéger mutuellement, et ce point dénotait tout de même une étroite coopération entre eux. Li Lin-fou était naturellement supérieur en rang à Kao Li-che, étant Premier ministre tandis que l'eunuque occupait les fonctions de chef du département de l'intendance du Palais intérieur et grand général de la Garde gauche du palais. Cependant Li Lin-fou faisait grand cas de Kao Li-che et celui-ci, s'il s'adressait respectueusement au Premier ministre, n'avait pas la moindre attitude d'humilité à son égard. La présence permanente de l'eunuque auprès de l'empereur était une façon de faire remarquer à Li Lin-fou qu'il était un personnage à part. L'on pouvait aisément déduire de tout cela que l'existence de Siuan-tsong les menaçait tous deux plus que jamais, alors que sa santé déclinante l'empêchait de se rendre à la Cour, et qu'il s'abandonnait totalement à l'amour de la Précieuse Epouse. Le pouvoir final de décision lui appartenait toujours. Pour les ambitieux avides de pouvoir absolu qui l'entouraient, il constituait sans aucun doute aujourd'hui encore un adversaire gênant et menaçant, sur lequel ils n'avaient aucune prise et qui pouvait n'importe quand, d'un seul mot, les dépouiller de leur rang.

La Kouei-fei considérait aussi bien Li Lin-fou que Kao Li-che ou An Lou-chan comme des ambitieux prêts à se marcher les uns sur les autres pour assurer leur propre ascension. Elle ne les croyait pas capables d'aller jusqu'à se rebeller contre Siuan-tsong, mais il était clair qu'ils rivalisaient entre eux, chacun cherchant à devenir le personnage le plus influent du monde politique en dessous de l'autorité suprême de l'empereur. Li Lin-fou occupait le poste de Premier ministre, mais il ne pardonnait sans doute pas à Kao Li-che de passer vingt-quatre heures sur vingt-quatre auprès du souverain. Le commandement d'une immense armée assurait à An Lou-chan sa part du pouvoir, mais son éloignement de la capitale le mettait en mauvaise position par rapport aux deux autres. Kao Li-che de son côté ne disposait ni de la force militaire, ni du pouvoir exécutif, cependant c'était lui le plus proche de l'empereur et lui qui le manipulait le plus.

Soudain, lors du douzième mois, un décret impérial annonça que le peuple devait fournir un tribut annuel à son Premier ministre. Le département des Affaires d'Etat procéda à l'examen des produits et les fit charger dans des charrettes pour les amener à la résidence de Li Lin-fou. Le fait se répandit aussitôt à travers toute la Chine, accompagné de la rumeur que la puissance de Li Lin-fou l'emportait désormais sur celle de l'empereur. En fait, tout le corps des hauts dignitaires se réunissait à cette époque chez Li Lin-fou, et le pouvoir tripartite [1] n'avait plus aucune réalité, l'ensemble des affaires politiques se traitant à la résidence du Premier ministre. Lorsque le décret accordant une redevance annuelle à Li Lin-fou tomba tel un coup de tonnerre, Kao Li-che se précipita chez la Précieuse Epouse.

— Altesse, étiez-vous au courant ?

— Pas du tout, répondit la Kouei-fei.

— C'est bien ce que je pensais. Il est pourtant impossible que Sa Majesté et le Premier ministre Li aient pu se voir seul à seul au cours de ces deux derniers mois, je ne comprends absolument pas comment une chose pareille a pu se produire. Que le peuple verse une redevance annuelle à Li Lin-fou n'a guère d'importance en soi, mais cela n'a pu lui être accordé sans qu'il l'ait lui-même demandé. Or c'est impossible. Tout le problème est de savoir quand, à quel moment, le Premier ministre Li a pu solliciter la chose, et Sa Majesté accéder à sa demande.

---

1. La division du pouvoir central entre les trois organes du Grand Secrétariat impérial, de la Chancellerie impériale, et du département des Affaires d'Etat avait justement pour but d'éviter que de hauts fonctionnaires s'emparent d'un pouvoir exclusif faisant concurrence à celui de l'empereur.

Yang Kouei-fei n'avait jamais vu l'eunuque aussi grave. Dans son visage tout ridé, seuls ressortaient ses yeux et son nez énergique, accentuant la ressemblance avec un vieux faucon. Même sa voix rendait ce jour-là un son différent.

– Quand et où Sa Majesté et le ministre Li ont-ils pu échanger cette conversation ? Altesse, c'est la main sur le cœur que je vous prie de bien réfléchir à cette question.

Il avait l'air de sous-entendre que Li Lin-fou avait dû s'introduire dans la chambre où l'empereur et sa favorite se trouvaient normalement seule à seul. L'eunuque était clairement sous le choc de cette affaire : l'idée que quelque chose ait pu se produire sans qu'il ait été au courant semblait lui être intolérable.

Peu de temps après cette affaire, au quatrième mois de l'An Sept du Céleste Trésor, Kao Li-che fut promu par décret impérial au titre de grand général de la Cavalerie Hardie, titre qui s'ajoutait donc à ses fonctions usuelles de grand général de la Garde gauche du palais et de chef du département de l'intendance du Palais intérieur. Dans la hiérarchie en vigueur sous les T'ang, le titre de grand général de la Cavalerie Hardie représentait l'échelon supérieur des vingt-neuf degrés de mérite : le vieil eunuque avait obtenu le titre le plus glorieux auquel puisse prétendre un vassal de l'empereur.

Cette fois, c'était au tour de Lin-fou de n'être pas au courant. La voix du Premier ministre tremblait lorsqu'il adressa les félicitations protocolaires à Kao Li-che au cours de son audience quotidienne avec l'empereur, après l'annonce officielle de cette promotion.

Kao Li-che vint ce jour-là saluer la Kouei-fei avec un air épanoui reflétant la vanité qu'il tirait de cette splendide revanche sur son adversaire. Quand la Précieuse Epouse lui dit que Li Lin-fou ne lui avait pas paru tout à fait dans son assiette :

– Oh, Altesse ! fit-il comme si cela n'était rien encore, j'aurai l'occasion de surprendre le ministre Li une fois de plus, grâce à une annonce officielle concernant messire Yang Zhao. Il a été récemment promu secrétaire supérieur au ministère des Finances, mais ce nouvel avancement fera de lui le vice-président à la fois du ministère des Armées et du tribunal des Censeurs. Ainsi, pour la première fois, un membre de la maison Yang accédera au statut de haut fonctionnaire et disposera d'un réel pouvoir.

Cela faisait longtemps que la Kouei-fei n'avait vu Yang Zhao. En tant que cousin d'une épouse impériale de premier rang, celui-ci pouvait par son intermédiaire obtenir à tout moment une audience avec l'empereur, mais il n'usait jamais de cette prérogative. De toute la famille Yang, il était le seul à agir ainsi.

A la suite de sa nouvelle nomination, le pouvoir de Kao Li-che s'étendit aussi bien au-dedans qu'au-dehors de la Cour. Le prince héritier se mit à l'appeler « Frère Aîné », et tous les princes et les nobles de la Cour « Vénérable Ancien ». Au début de l'été fut célébré un service en l'honneur du grand âge des cloches du temple bouddhiste du Trésor de Longévité que Kao Li-che avait fait construire autrefois dans la capitale occidentale. Le vieil eunuque sollicita la présence de la Kouei-fei à cette occasion. Elle accepta de bonne grâce, sachant qu'en accédant à cette requête, elle lui permettrait de faire étalage de son pouvoir aux yeux du monde, mais souhaitant offrir au moins cette récompense au vieil eunuque qui s'était dévoué à son service pendant de longues années.

Le jour de la cérémonie, la Kouei-fei se rendit pour la première fois à la résidence que Kao Li-che s'était fait construire, et put se rendre compte à quel point elle était imposante. Mais Kao Li-che n'y résidait jamais et passait d'ordinaire ses nuits derrière une tenture à côté de la chambre de Siuan-tsong, prêt à servir celui-ci à tout instant.

Le déroulement de la cérémonie fut grandiose, à la mesure de la puissance de son instigateur. Tout le corps des hauts dignitaires était rassemblé dans l'enceinte du temple du Trésor de Longévité. Le rite bouddhiste parut extrêmement étrange à la Kouei-fei. Tous les participants faisaient tinter les cloches pour le repos de l'âme des défunts et, à chaque tintement de cloche, il fallait jeter en offrande des pièces de monnaie et des rubans de papiers consacrés. La plupart des gens ne se contentaient pas de frapper un seul coup mais faisaient sonner la cloche six ou sept fois, certains même, dans l'espoir de s'attirer les bonnes grâces de Kao Li-che, allèrent jusqu'à vingt coups. Simplement grâce à ce rite des cloches sonnant pour le repos des âmes, le temple du Trésor de Longévité récolta une énorme somme d'argent. Comme tous les eunuques, Kao Li-che avait un côté avide et rusé, et il était sans aucun doute critiqué dans le monde pour ce défaut. La Kouei-fei, elle, ne songeait pas à lui en faire grief, car il était caractéristique de sa part de faire ce genre de choses comme si c'était tout naturel.

Ce même été, les notables conférèrent à l'empereur le nouveau titre de respect de « Empereur Sage Lettré et Divin Guerrier Conforme à la Voie, de la Fondation et du Céleste Trésor ». Par rapport au titre précédent, seul le terme de « Conforme à la Voie » avait été ajouté, mais ce nouveau surnom plut à Siuan-tsong, qui annonça aussitôt une mesure d'exemption pour les paysans de la taxe sur les récoltes de l'année à venir. Il s'était aussi réjoui la fois précédente de l'attribution d'un surnom respectueux, mais cette fois, c'était sans commune mesure. Il était à prévoir qu'un autre surnom lui serait conféré d'ici à quelques années, et qu'il en tirerait une joie plus grande encore. Sa prédilection pour les titres de respect s'accentuait sans aucun doute avec l'âge.

Alors qu'elle serrait Siuan-tsong contre sa poitrine plantureuse pour lui murmurer à l'oreille les phrases de félicitation qu'il venait déjà d'entendre répéter tant de fois, la Précieuse Epouse se sentit attirée malgré elle au fond d'un gouffre de sinistres pensées. « Quel est cet être que je serre sur mon cœur ? se demandait-elle, cette créature docile et pitoyable comme il n'en existe nulle autre au monde ? » Elle raffermit son étreinte et serra de toutes ses forces entre ses bras le corps émacié du vieil empereur. Mais ce n'était pas pour l'étouffer, non, elle cherchait simplement à vérifier comment ce corps affaibli pouvait encore être le réceptacle d'un

pouvoir si immense que Kao Li-che et Li Lin-fou le re-
doutaient encore.

L'automne venu, les membres de la famille Yang reçurent de l'avancement les uns après les autres : le
simple fait d'appartenir à la maison Yang semblait
donner droit à des postes importants. A l'évidence,
Kao Li-che se trouvait derrière tout cela. Poussant
l'empereur, intriguant avec le Premier ministre, il avait
entrepris de consolider l'entourage de la Première
Epouse à l'aide de sa famille. Il était impossible de savoir si Li Lin-fou voyait cela d'un œil favorable ou non,
mais tout Premier ministre qu'il fût, il ne pouvait s'opposer de front à la famille de la Précieuse Epouse. Huit
ans s'étaient écoulés depuis l'arrivée de la Kouei-fei au
palais, et ceux qui avaient réussi à s'élever au-dessus
du reste de la famille Yang commençaient naturellement à disposer d'une certaine influence.

Ses trois sœurs, les duchesses de Han, Kouo et Ts'in
se faisaient plus remarquer encore que par le passé.
Entrant et sortant à leur guise du palais, intimes de
Siuan-tsong, elles manifestaient de plus en plus d'arrogance. Le frère aîné de la Kouei-fei, Tian, avait été
nommé président de la cour du cérémonial envers les
étrangers, son cousin Chi, censeur de la cour des affaires générales. Tous deux s'étaient jusque-là conduits
avec discrétion mais, au fur et à mesure que leur pouvoir s'étendait, leurs faits et dits devenaient insolents.
Les trois sœurs, ainsi que Tian et Chi, se firent tous les
cinq construire d'immenses résidences dans la capitale.
Les frais de construction de chacun de ces bâtiments
furent de dix millions de pièces d'or, et le palais de la
dame de Kouo entre autres était d'un luxe outrancier.

On disait que les princesses de sang impérial elles-
mêmes cédaient le passage aux trois sœurs de la
Kouei-fei dès qu'elles les apercevaient. On disait aussi
que lorsque les cinq membres de la famille Yang voya-
geaient en province, tous les hauts fonctionnaires ad-
ministrateurs de la préfecture accouraient à leur rencontre, et que leurs exigences étaient plus sévères encore que des édits impériaux. Des présents de toute
provenance s'entassaient devant les portes de leurs ré-

sidences, et, d'après la rumeur, leur envoyer des pots-de-vin permettait d'obtenir à peu près tout ce qu'on désirait. Il n'est pas exagéré de dire que le pouvoir peu à peu penchait en leur faveur.

C'est vers la même époque que Yang Zhao commença lui aussi à se faire remarquer. A la différence des autres membres de sa famille il n'avait jusque-là guère fait d'allées et venues à la Cour, mais à partir de l'An Sept du Céleste Trésor, on le vit devenir assidu au palais. Il gagna la confiance du souverain, son air rassurant attirant tout le monde. La prédiction de Kao Li-che selon laquelle Yang Kouei-fei allait pouvoir réaliser tous ses plans grâce à son cousin semblait effectivement prête à se réaliser.

Zhao se démarquait volontairement du reste de sa famille. Il respectait une étiquette pointilleuse vis-à-vis de la Précieuse Epouse, et se tenait complètement à l'écart des autres membres de la maison Yang pour bien montrer sa différence. C'est Kao Li-che qui avait découvert Yang Zhao et l'avait aidé à gravir les échelons de la réussite, mais le Premier ministre Li appréciait lui aussi le jeune homme. Le bruit courait dans le monde que les nombreuses arrestations attribuées à Li Lin-fou étaient en réalité l'œuvre de Yang Zhao, et que celui-ci devait sa nomination à la charge de censeur aux recommandations du Premier ministre, enfin qu'ils avaient partie liée au-delà de tout ce qu'on pouvait imaginer.

Lorsque Zhao accéda au poste de censeur, la Précieuse Epouse eut enfin l'occasion de le revoir. Si l'eunuque avait dit vrai, Li Lin-fou devait se trouver dans l'ignorance de cette promotion. Le lendemain de l'annonce officielle, Zhao vint présenter ses hommages à la Kouei-fei. S'avançant fort respectueusement vers elle, il déclara :

– Je vous ai souvent aperçue ces derniers temps aux côtés de Sa Majesté, malheureusement sans avoir l'occasion de m'entretenir plus familièrement avec vous. Trois années, je crois, se sont écoulées depuis ma dernière visite à votre palais, et c'est un grand bonheur pour moi de constater que vous avez occupé ce temps à consolider sans faillir votre position.

– C'est vous, au contraire, qui faites aujourd'hui toute la force de la maison Yang, grâce à votre brillant avancement.

– Tous les membres de la famille Yang, et moi le premier, sommes uniquement dévoués à la cause de Votre Altesse. J'ose dire que la famille Yang n'existe que par vous. Nous ne vivons que parce que vous-même vivez, et le jour où cessera votre vie, nous nous éteindrons avec vous, répondit Yang Zhao, en fixant sa cousine au fond des yeux.

Il avait l'air si majestueux qu'il en était méconnaissable. La Kouei-fei se demanda subrepticement si elle ne finirait pas par ne plus aimer ce personnage. Yang Zhao produisait la même impression glaciale que Li Lin-fou. Mais à cause justement de cette froideur qui émanait de lui, elle fut tentée de lui confier le projet qu'elle dissimulait en son cœur depuis plusieurs années.

– Je voudrais vous demander votre soutien à propos d'une chose que je ne puis confier à personne, lui déclara-t-elle.

– De quoi s'agit-il ? Si Votre Altesse m'ordonne une mission, je m'en acquitterai selon sa volonté, dussé-je pour cela être réduit en poussière.

– Il s'agit en fait d'une femme des appartements intérieurs, qui bénéficiait autrefois des faveurs de l'empereur, cette personne est la seule à me causer du tourment.

– Une personne causant du tourment à Votre Altesse ne peut qu'en causer aussi à la maison Yang. Mais ne s'agirait-il pas de la concubine Prunus ?

– Si fait.

– Dame Prunus a quitté le gynécée depuis un an pour une destination inconnue. J'ai fait des recherches dans tous les lieux où elle avait le plus de chances de se trouver, à commencer par sa province natale de Fou-Kien, mais elle reste introuvable. A mon avis, craignant quelque malheur pour sa personne, elle aura volontairement disparu sans laisser de traces.

— L'empereur ignorerait-il où elle se trouve ?

— Sa Majesté l'empereur, le Premier ministre Li ainsi que le Vénérable Ancien l'ignorent tous pareillement, je crois. Il ne devrait rien arriver de fâcheux venant d'elle, même en laissant les choses en l'état.

La Kouei-fei pouvait faire confiance à Yang Zhao, qui avait entrepris une enquête avant même qu'elle lui demande quoi que ce soit ; de plus tout laissait à penser, comme il le disait lui-même, qu'elle pouvait abandonner la partie sans crainte de voir réapparaître sa rivale, mais elle ne pouvait s'en contenter.

— Ne négligez pas davantage votre enquête.

Elle ne put s'empêcher de prononcer cette phrase intempestive : maintenant qu'elle pouvait enfin disposer à son gré de la vie ou de la mort de la concubine Prunus, voilà que ce pouvoir lui était dénié à cause de sa disparition. Comme elle aurait voulu, si elle l'avait pu, la tirer de sa cachette pour lui faire subir le fouet jusqu'à ce que mort s'ensuive !

Au Nouvel An de l'An Huit du Céleste Trésor, parvint à la Cour la nouvelle de la victoire remportée à la fin de l'année contre les Tibétains près du Koukou-nor par le commissaire impérial à la Droite du Long Ko-chou Han.

Au lac Koukou-nor, Ko-chou Han avait construit une ville forte sur l'île du Dragon et du Cheval, qu'il avait baptisée forteresse de l'Allégeance au Dragon, et c'est de là qu'il avait préparé l'attaque contre les Tour-fans. L'annonce de ce succès militaire, comme un printemps hâtif, plongea la Cour dans une joie unanime.

Au cours du deuxième mois, Yang Zhao, en tant que responsable des finances de l'empire, fit à l'empereur le rapport suivant :

— La grâce de Votre Majesté s'étend jusqu'aux Quatre Océans, les préfectures et les provinces sont florissantes et prospères, et les greniers de l'empire regorgent de grains et d'étoffes. Jamais les greniers n'ont été aussi pleins qu'aujourd'hui, et il est devenu impossible d'y emmagasiner davantage de denrées. Il est de la première urgence de troquer ne serait-ce que les biens que le Ciel a placés dans les greniers de la capitale contre des marchandises plus légères, afin de libérer un peu de place. De plus, la redevance sur les récoltes et l'impôt sur les terres devraient être prélevés cette année sous forme de pièces de tissu, qu'il conviendrait de faire envoyer à la capitale. Non seulement les greniers sont pleins, mais les coffres eux aussi débordent d'argent, et la place manque pour le versement des taxes sur les récoltes et les terres. J'aimerais, quoi qu'il en soit, montrer à Votre Majesté l'état des greniers et des coffres.

Ce rapport reflétait une situation économique excellente. Accompagné des notables de la Cour, l'empereur alla se pencher sur les coffres de réserves du palais, et offrit des pièces d'étoffe à tous les notables. Un autre jour il alla inspecter des greniers et des coffres, et se rendit compte à quel point les affaires de l'empire étaient prospères. Il était accompagné de Yang Zhao, qui lui expliquait tout en détail. Pour remercier celui qu'il estimait responsable de cette abondance, l'empereur offrit à Zhao une robe de soie violette et un poisson rare, en même temps que ses félicitations.

Le troisième mois, Tchang K'i-ts'ieou, commissaire impérial au commandement de la région du Chouo-fang érigea la ville forte de la Muraille Latérale, à plus de cinquante lieues au nord-ouest de la forteresse de la Barrière Centrale, et Kouo Tseu-yi fut nommé parlementaire.

Le quatrième mois, Tchao Feng-tchang, préfet de la commanderie de Sien-ning, envoya à l'empereur une missive exposant plus de vingt différentes charges contre le Premier ministre Li Lin-fou. Mais Li Lin-fou intercepta la lettre avant qu'elle ne parvienne à l'empereur, et fit aussitôt arrêter et bastonner à mort son auteur. Grâce à on ne sait quelle fuite, les habitants de Tch'ang-an eurent vent de l'affaire, et un parfum de sang flotta sur la saison de fleurs, tout occupée à ces rumeurs. On ne sut jamais qui l'avait révélé, mais la première des accusations portées contre Li Lin-fou était la brèche qu'il avait créée dans la protection de l'empire en envoyant à une mort certaine sur les frontières du Nord-Ouest toutes les troupes d'élite et les généraux les plus intrépides. Sans doute personne ne connaissait la teneur exacte de cette fameuse lettre à l'empereur, ce qui donne à penser que cette charge était due plutôt à la voix de la vindicte populaire contre le Premier ministre qu'à une réelle accusation de Tchao Feng-tchang. Les effectifs militaires de l'empire étaient étonnamment légers. Les appelés se cachaient pour échapper à l'enrôlement, car la majorité des soldats étaient envoyés dans les régions frontières où ils étaient exploités jusqu'à la mort. Les troupes recrutées étaient sans exception composées de jeunes vauriens qui n'entendaient rien au maniement des armes.

Au moment où le mécontentement populaire contre Li Lin-fou grondait de plus en plus dans les rues de la capitale, un ermite du mont Tai-po du nom de Li Houen rapporta ceci à l'empereur : « Je vis retiré depuis de longues années sur le mont Tai-po, où j'ai fait dernièrement la rencontre de dieux qui m'ont révélé la présence dans la grotte de l'Etoile du Matin d'une tablette de jade, qui est une amulette sacrée assurant bonheur et longévité. Le fait m'a paru assez étrange pour le soumettre à Votre Majesté. »

Siuan-tsong donna l'ordre au vice-président du tribunal des censeurs Wang Kong d'aller au mont Tai-po chercher l'amulette mentionnée par les dieux. Wang Kong ne tarda pas à revenir avec le précieux objet.

L'empereur en fut fort réjoui. Hériter d'une amulette de bon augure envoyée par les dieux était considéré comme un effet des grands mérites des ancêtres de la dynastie, aussi attribua-t-on dès le sixième mois de nouveaux titres aux empereurs d'autrefois. Cheng-tsou, le Saint Patriarche, devint Empereur de l'Origine Profonde et du Grand Tao, Kao-tsou, le Sublime Patriarche, devint Grand Empereur Sage et Divin Souverain des T'ang, T'ai-tsong reçut le titre de Grand Empereur Sage Lettré et Guerrier, Kao-tsong celui de Grand et Sage Empereur du Ciel, Tchong-tsong celui de Grand et Sage Empereur de la Paix et de la Piété Filiale, Jouei-tsong celui de Grand et Sage Empereur

159

de la Profonde Sincérité, et d'autres titres encore furent conférés à toutes les impératrices à partir de l'impératrice Teou.

Un au auparavant, Siuan-tsong lui-même s'était vu décerner le long titre respectueux d'Empereur Sage Lettré Divin Guerrier Conforme à la Voie, de la Fondation et du Céleste Trésor, mais cette fascination qu'exerçait sur lui les titres paraissait étrange aux yeux de ses tiers. La Kouei-fei elle-même, voyant Siuan-tsong se creuser la cervelle des jours durant pour trouver des titres appropriés aux empereurs de la dynastie, ne pouvait s'empêcher de trouver son attitude totalement incompréhensible. Le vieux monarque lui paraissait un être bien compliqué. Elle avait déjà eu l'occasion de s'apercevoir que son esprit bouillonnait de sentiments très éloignés des siens, mais si elle cherchait à le comprendre en profondeur, elle parvenait tout de même la plupart du temps à entrer dans ses vues d'une façon ou d'une autre. Elle prenait part à ses joies ou à ses colères comme si c'étaient les siennes propres. Mais quand il était pris de folle passion pour les titres des empereurs d'antan, alors elle ne pouvait le suivre dans ces profondeurs. Comment ces titres creux, vides de tout pouvoir, pouvaient-ils élever plus haut la lignée de ses ancêtres ? Cela lui échappait totalement.

Au commencement de l'été, Siuan-tsong donna l'ordre à Ko-chou Han, commissaire impérial au commandement de la Droite du Long, de lancer l'offensive contre la ville forte de Che-pao aux mains des Tourfan. L'agitation que lui avaient causé les titres de respect des empereurs s'était un peu calmée, et, à la place, Siuan-tsong se passionnait maintenant pour l'offensive contre les Tibétains. La question de l'attaque de Che-pao, qui servait de base d'opérations militaires aux Tourfans, ne concernait pas uniquement le vieux souverain : on peut dire, au risque de paraître pompeux, que se trouvait là en jeu le destin futur de tout l'empire T'ang. Depuis la chute de Che-pao en l'an vingt-neuf de l'ère de la Fondation, nombre de plans avaient été échafaudés pour la reconquérir mais ils avaient toujours été abandonnés à cause du nombre élevé de victimes qui devait être chaque fois le prix à payer. A l'automne de l'An Cinq du Céleste Trésor, le problème avait été à nouveau débattu lors de la visite de Wang Tchong-sseu à la Cour : Li Lin-fou avait insisté en faveur de l'attaque, tandis que Wang Tchong-sseu s'y opposait à cause du sacrifice de plusieurs dizaines de milliers de soldats que nécessiterait la victoire. A la suite de quoi, Wang Tchong-sseu avait été démis de ses fonctions et banni, pour être remplacé par Ko-chou Han. Les nouvelles de ses victoires successives avaient valu graduellement à ce dernier une haute réputation de guerrier, et la Cour des T'ang avait finalement pris la décision de mettre à exécution le plan caressé depuis tant d'années : l'offensive contre Che-pao.

Ko-chou Han, à la tête de l'ensemble des troupes du Ho-si et de la Droite du Long, les bataillons barbares d'A-pou-sseu ainsi que des soldats turcs également rangés sous sa bannière, partit à l'assaut de la place forte tibétaine. Le gouvernement central donna aussi l'ordre de mobiliser les soixante-trois mille soldats du Chouo-fang et du Ho-tong, comme auxiliaires des opérations militaires de Ko-chou Han. Tant par le déploiement des forces que par l'enjeu de l'attaque, il s'agissait de la plus importante opération militaire mise en œuvre depuis nombre d'années.

Pour la première fois depuis longtemps, la Cour des T'ang mais aussi la population de Tch'ang-an vivaient sous la tension de cette guerre qui se déroulait aux frontières. On fut longtemps sans nouvelles du front. Les troupes basées à Che-pao n'excédaient pas quelques centaines d'hommes, mais des précipices cernaient la ville forte sur trois côtés, et l'attaque ne pouvait être lancée que d'une seule direction.

Un mois après l'ouverture des hostilités, la nouvelle de la victoire parvint à la capitale. Ko-chou Han, à la tête de ses troupes, s'était enfin emparé de la place forte, et ramenait quatre cents prisonniers tourfans. Mais cette opération militaire avait coûté la vie à plusieurs dizaines de milliers de soldats des T'ang, réalisant ainsi les anciennes prédictions de Wang Tchong-sseu. Devant le nombre excessif de victimes, les fomentateurs de cette bataille ne pouvaient s'abandonner à l'ivresse de la victoire. Siuan-tsong donnait toujours des banquets fastueux en l'honneur de chaque victoire, même après de modestes combats, mais cette fois-là, il ne put s'y résoudre et se contenta de publier un avis officiel de la victoire, sans les moindres instructions relatives à un banquet. On envoya Ko-chou Han entreprendre la colonisation de l'ouest du Col Rouge, et deux mille de ses soldats furent placés en garnison sur l'île du Dragon et du Cheval. Mis à part le nombre élevé des victimes, il avait fait du beau travail. Les populations des régions frontalières, qui souffraient depuis de longues années des incursions barbares, ne revirent plus, grâce au général Ko-chou, les chevaux gris des Tibétains. On composa dans la région un chant de louanges dédié à Ko-chou Han :

« Haut dans le ciel, les sept étoiles de la Grande Ourse.
Dans la nuit le général Ko-chou ceint son épée.
Ceux qui jusqu'à présent menaient paître leurs
          [chevaux chez nous à notre insu,
On ne les reverra plus à Lin-t'ao. »

Au dixième mois, Siuan-tsong se rendit au palais de la Pure Splendeur au mont du Cheval Noir, accompagné de Yang Kouei-fei. Au cours de leur séjour, l'empereur proposa à sa favorite de se rendre en visite à la résidence toute proche de Yang Zhao. Il était tout à fait exceptionnel qu'un souverain se rendît ainsi chez un de ses vassaux.

– Pour quelle raison Votre Majesté souhaite-t-elle lui rendre visite ? s'enquit la Précieuse Epouse.

– La tête que fera Yang Zhao sera fort drôle à voir, tu ne crois pas ? répondit l'empereur.

Yang Kouei-fei savait que son cousin plaisait à l'empereur, mais elle était loin de penser qu'il voulût devenir à ce point son intime. Ni Kao Li-che, ni Li Lin-fou n'avaient à ce jour eu l'honneur d'une visite impériale à leur résidence.

Deux ou trois jours plus tard, quand Kao Li-che vint

la voir, Yang Kouei-fei lui fit part des intentions de Siuan-tsong. L'eunuque commença par secouer la tête de droite et de gauche, comme excédé par ce projet insensé, puis, reprenant une expression sérieuse :

– Ainsi Sa Majesté a manifesté ce désir ! Ce sont ses propres paroles ! Sa Majesté, en personne, à la résidence de messire Yang Zhao... ! Ah, par le Ciel !

Tout en parlant, il reculait progressivement. Parvenu à mi-chemin de la porte, il tourna soudain les talons, et disparut avec une rapidité étrangement aérienne. A sa réaction, la Kouei-fei comprit l'ampleur du choc qu'il avait dû ressentir. C'était en effet aux recommandations de l'eunuque que Zhao devait sa position actuelle, tous les projets le concernant avaient été réalisés de la main même de Kao Li-che, et voilà qu'il commençait à avancer par lui-même. Il avait même réussi cette chose absolument incroyable : obtenir que l'empereur lui fasse l'honneur d'une visite chez lui ! Bien entendu, il était impensable qu'il en eût lui-même formulé le désir, Siuan-tsong avait simplement dû exprimer là une soudaine lubie de sa part, mais il fallait bien que l'idée de voir l'empereur exprimer ce souhait soit venue à l'origine de Yang Zhao lui-même.

Kao Li-che était donc parti, oubliant dans sa hâte de saluer la Kouei-fei, mais il ne tarda pas à réapparaître. Cette fois, il avait récupéré tout son sang-froid.

– Sa Majesté honorera certainement messire Zhao de sa visite sous de brefs délais, car une fois apparue dans l'esprit de Sa Majesté, cette idée ne présente aucune difficulté de réalisation. C'est absolument magnifique. J'ai beau y réfléchir, je ne vois que des raisons de se réjouir pour Votre Altesse. La position de messire Zhao sortira renforcée de cette visite, et ni le Premier ministre Li, ni An Lou-chan ne pourront plus lever le petit doigt contre lui. Vous pouvez désormais confier à messire Zhao n'importe quelle tâche. Et à propos, il conviendrait de saisir cette occasion pour changer son nom. Ce n'est pas que Yang Zhao ne convienne pas, mais en temps que support de la maison Yang, juste après Votre Altesse, un nom plus imposant, d'un peu plus de poids, disons, me paraîtrait préférable. Cela mis à part, c'est un événement qui va faire du bruit. Sa Majesté sera certainement obligée d'accorder aussi quelque faveur à An Lou-chan, et au Premier ministre Li également. Si Sa Majesté honore messire Zhao de sa visite, il lui faudra offrir quelque chose d'équivalent aux autres, vis-à-vis de son entourage... Ah, je me sens débordé rien que d'y penser. Grâce à vous, je vais avoir encore plus de travail que de coutume. Mes cheveux vont blanchir davantage, et cela me causera quelques rides supplémentaires.

Kao Li-che semblait s'adresser plus à lui-même qu'à Yang Kouei-fei. Il s'était vite remis du choc que lui avait causé ce nouveau caprice de l'empereur, et sans s'attarder à le considérer comme une simple lubie de Siuan-tsong, il avait résolu de donner au projet une forme bien définie.

Au discours de l'eunuque, Yang Kouei-fei comprit que la visite de Siuan-tsong à la résidence de Zhao allait devenir une indéniable réalité. De plus, se dit-elle, Siuan-tsong allait lui donner un nom digne d'un important notable de la Cour des T'ang. Sans aucun doute, cela allait se réaliser, comme s'étaient réalisés les uns après les autres tous les projets émis par Kao Li-che.

Siuan-tsong se rendit chez Yang Zhao au début du onzième mois, sur le chemin du retour du mont du Cheval Noir à la capitale. Une escorte d'une centaine de personnes accompagnait l'empereur, mais il ne s'agissait évidemment pas d'une visite officielle. Kao Li-che était le seul haut dignitaire à l'accompagner, et la Kouei-fei était également présente. A la résidence de Yang Zhao, dans le quartier du Yang Proclamé, on se préparait à l'impériale visite, et en une dizaine de jours les maisons du voisinage avaient été évacuées et entièrement arrangées à neuf, de façon à inclure leurs terrains dans une partie des jardins.

En fait de visite, le palanquin impérial s'arrêta fort peu de temps chez Yang Zhao, où l'empereur prit seulement le thé, mais l'impact fut important dans la mesure où l'image de Yang Zhao auprès des habitants de Tch'ang-an s'en trouva transformée. Désormais nul ne s'étonnerait de le voir construire un immense palais, et il pouvait se complaire dans des attitudes arrogantes : plus personne sous le ciel ne pourrait ignorer que Yang Zhao était un notable que l'empereur honorait de la plus grande confiance.

La visite de l'empereur chez Yang Zhao occupa bien entendu les conversations de la capitale. Pour un temps on ne parla plus que de cela dans les rues, mais un sujet autrement plus important captiva bientôt les esprits à la place de celui-là.

La capitale apprit brusquement une triste nouvelle. Le gouvernement central avait entrepris peu auparavant l'exploitation des terres de l'ouest du Col Rouge, et avait à cette fin placé deux mille soldats en garnison sur l'île du Cheval et du Dragon, mais à l'entrée de l'hiver, il s'étaient soudain trouvés bloqués par les neiges, tandis que les Tibétains relançaient l'offensive : la totalité des deux mille gardes-frontières avait péri. L'incident était de taille à emporter comme un fétu de paille la rumeur concernant Yang Zhao. Cette tragique nouvelle venait s'ajouter à l'annonce des dizaines de milliers de victimes de la bataille de Che-pao. Les opérations militaires du gouvernement central dans les régions frontalières subissaient échec sur échec, force était de le reconnaître.

Chapitre 6

L'année changea. Commença le printemps de l'An Neuf du Céleste Trésor (750), assombri par le souvenir des incidents aux frontières, encore vivace dans les esprits. Les célébrations du Nouvel An à la Cour furent loin de leur éclat habituel ; chants, danses, banquets et musique restèrent très mesurés.

Au cours du deuxième mois, une nouvelle mésaventure advint à Yang Kouei-fei. Siuan-tsong possédait un frère cadet du nom de Tch'eng-k'i, qui avait été nommé prince de Ning, et vivait dans un coin retiré de la cité impériale. Siuan-tsong s'entendait bien avec lui et festoyait souvent en sa compagnie. Tout comme son frère, le prince de Ning aimait la musique. Il jouait lui-même de la flûte traversière, et avait largement dépassé le niveau d'un amateur.

Yang Kouei-fei soufflait un jour dans une flûte de jade empruntée à ce prince, quand Siuan-tsong l'interpella :

— A qui appartient cette flûte ?

Il avait pris d'emblée un ton violent.

— Je l'ai empruntée au prince de Ning.

— Une flûte où l'on pose sa propre bouche n'est pas un objet qui s'emprunte ou se prête ! Est-ce le prince qui a proposé de te la prêter ?

— Non, c'est moi qui la lui ai demandée.

— Et pourquoi voulais-tu emprunter cet objet ?

— Il en sort un son si pur quand le prince de Ning en

166

joue, que j'ai voulu à mon tour essayer d'en tirer de belles mélodies.

— Quelle belle attention ! Ainsi le prince de Ning te fascine !

— Tout comme Votre Majesté est fascinée par dame Prunus, sans doute ?

La Précieuse Epouse se montrait à nouveau indocile. Le vieux souverain lui paraissait en ce moment un être ennuyeux, tout à fait ordinaire et dénué de pouvoir. Le cœur bouillant de jalousie, il avait perdu toute trace de majesté royale. La Kouei-fei le regarda en silence quitter la pièce, les épaules tremblantes de rage.

Une heure plus tard environ, un émissaire de l'empereur se présenta avec le message suivant : « Sur ordre de Sa Majesté, vous devez déménager chez Sa Seigneurie Yang Tian. »

— J'écoute et j'obéis, répondit la Kouei-fei.

C'était la deuxième fois que l'empereur la renvoyait chez son frère. La fois précédente, en l'An Cinq du Céleste Trésor, la cause en avait été sa propre jalousie, mais aujourd'hui, c'était la jalousie de Siuan-tsong. Après le départ du messager, les courtisans familiers du palais de la Kouei-fei apparurent en hâte les uns après les autres et la pressèrent de se rendre auprès de Siuan-tsong pour implorer son pardon.

— Je n'en ai absolument aucune envie pour le moment, répondit-elle.

Elle ne sut combien de temps s'était écoulé, quand une jeune suivante vint lui annoncer que les préparatifs de départ étaient terminés. Elle se leva. Cette suivante, la seule à avoir conservé tout son calme, était celle-là même qui lui avait un jour montré le chemin des appartements de la concubine Prunus. La vue de son visage inexpressif dénué de la moindre trace d'émotion ne fut pas pour déplaire à la Kouei-fei. Elles suivirent des galeries tortueuses, passèrent sous les portes de maintes tourelles, pour déboucher enfin devant une vingtaine de palanquins qui n'attendaient qu'elles. La Précieuse Epouse, puis ses dames d'honneur, y prirent place une à une. Au moment où le cortège allait s'ébranler, Kao Li-che arriva en hâte.

– Que se passe-t-il ? Je ne suis au courant de rien.

– J'ai reçu l'ordre de déménager chez Yang Tian.

– Quelle en est la raison ?

– Sa Majesté la connaît.

– Messire Yang Zhao est-il au courant ?

– Je l'ignore.

Kao Li-che lui demanda alors de retarder légèrement le départ des palanquins, et s'en fut demander sur-le-champ une audience à Siuan-tsong. La Kouei-fei resta environ une demi-heure à se morfondre, assise dans son palanquin. A son retour, Kao Li-che fit simplement : « Je vous accompagne », et le cortège se mit en route.

Yang Kouei-fei passa trois jours à la résidence de son frère. Comme elle avait encouru la disgrâce de l'empereur, elle n'était pas autorisée à mettre un pied hors de sa chambre. Ses suivantes, ignorant le sort réservé à leur maîtresse, et duquel dépendait aussi le leur, réduisaient leurs conversations au minimum et remuaient le moins possible. Il fallait que l'attitude de soumission de l'entourage de la Kouei-fei saute immédiatement aux yeux de l'émissaire du palais qui se présenterait, à quelque moment que ce soit.

Comme la fois précédente, toute la famille Yang, à commencer par les trois sœurs, se réunit chez Yang Tian. Ces dames de Han, de Kouo et de Ts'in étaient en pleine métamorphose : peu maquillées, elles portaient des toilettes discrètes et avaient changé jusqu'à leur façon de s'exprimer. Toutes trois n'avaient qu'un nom à la bouche : celui de Yang Zhao, qui saurait certainement calmer sans tarder la colère du souverain. Yang Kouei-fei, pour sa part, ne se laissait pas troubler par la situation. Si son entourage ne l'avait pas surveillée, elle aurait volontiers commandé un banquet, et avait grande envie de se distraire avec des chants et des danses. La fois précédente, elle n'était pas sans désirer faire un retour sur elle-même, mais cette fois, il n'en était rien. Elle allait jusqu'à secrètement souhaiter donner une leçon à Siuan-tsong. Sans aucun doute, en éloignant sa favorite du palais, c'était l'empereur lui-même qui se trouvait puni. Elle avait suffisamment confiance en elle pour en être persuadée.

Au bout de quatre jours, l'animation revint à la résidence de Yang Tian : la nouvelle venait d'arriver que Yang Zhao était intervenu auprès de l'empereur au sujet de sa cousine. Les trois duchesses se remirent à folâtrer, répétant à l'envi que l'empereur allait maintenant tout pardonner. Comme il leur avait été interdit de s'amuser trois jours durant, on eût dit qu'elles étaient incapables de patienter davantage : la dame de Kouo reprit aussitôt ses tenues extravagantes, tandis que la dame de Han commençait les préparatifs en vue de faire venir des bateleurs de la ville.

Mais la résidence de Yang Tian retomba vite dans le silence, quand on apprit la teneur des déclarations de Yang Zhao à l'empereur. Il avait en fait chargé le secrétaire supérieur du ministère des Finances Tsi Wen d'exprimer sa pensée à l'empereur à sa place : la Précieuse Epouse faisait preuve de bien peu de considération, à la différence de l'empereur, qui se contentait de la renvoyer chez son frère. Il convenait plutôt de la faire exécuter au palais même. Si l'empereur avait tant soit peu d'affection pour la famille Yang, il lui ferait l'honneur de rappeler son épouse au palais pour l'y mettre à mort, plutôt que de lui faire subir son châtiment en ville.

Voilà ce qui avait été dit à l'empereur, et seule cette déclaration était transmise, sans aucune indication quant à la réaction de Siuan-tsong. En entendant cela, les trois sœurs pâlirent affreusement. La dame de Ts'in, la plus calme en temps ordinaire, éclata en sanglots, tandis que la dame de Kouo, la plus forte de caractère, se mettait à hurler : « Ah ! Voilà enfuis ces jours de bonheur inouï, jamais ils ne reviendront ! Son Altesse la Kouei-fei sera sûrement exécutée, et le même sort nous attend peut-être ! »

Les déclarations de Yang Zhao furent également rapportées à la Précieuse Epouse, mais son impression à elle fut qu'il s'agissait là d'un discours à sa façon. Le visage perplexe de Siuan-tsong vint flotter devant ses yeux. En mettant les choses au pis, il repousserait la suggestion de Yang Zhao, mais, en misant sur le désir de voir la Kouei-fei revenir au palais que ne manquerait pas d'avoir le vieux monarque une fois sa colère retombée, le jeune ambitieux avait monté un coup d'une merveilleuse habileté.

Effectivement, un eunuque se présenta cette nuit-là en messager. Ce messager n'avait rien à dire, mais apportait simplement comme présent de la part de Siuan-tsong une somptueuse table basse pour les repas. Yang Kouei-fei se répandit longuement en remerciements, puis coupa une mèche de ses cheveux en priant le messager de la remettre à l'empereur.

– Tous les objets rares en ma possession sont des présents de Sa Majesté. Je n'ai donc rien de personnel à lui offrir. Seule ma chevelure me vient de mes parents, et m'appartient en propre, aussi j'offre cette mèche à Sa Majesté, en gage de ma sincérité.

Après avoir renvoyé le messager, la Kouei-fei attendit l'arrivée du suivant, qui ne devait normalement pas tarder à se manifester, sans attendre le lendemain.

En effet, une heure après le départ du premier eunuque, Kao Li-che en personne arriva.

– Eh bien, cette longue attente a dû vous être bien pénible.

– Longue ? Mais il ne s'agit que de quatre jours ! J'aimerais au contraire qu'on me laisse encore quelque temps ici.

Il était clair que Kao Li-che était venu pour la ramener au palais, et la Kouei-fei se disait qu'elle ne devait montrer aucun signe de joie.

– Pourquoi dites-vous des choses pareilles ? La colère de Sa Majesté est complètement tombée, et...

– La colère de Sa Majesté est peut-être tombée, mais pas la mienne. Quand on s'est résolu à la mort, peut-on revenir si facilement sur sa détermination ?

La Kouei-fei avait maintenant envie de montrer au vieux monarque qui décidait de tout à sa guise, que tout le monde n'acceptait pas de se plier à ses quatre volontés.

– Altesse ! fit Kao Li-che de son air le plus sévère. Seriez-vous devenue folle ? Voyons, vous n'êtes pas une personne ordinaire, votre destin diffère de celui du commun des mortels. Vous avez l'immense pouvoir de réaliser tout ce que vous pouvez souhaiter au monde.

– Quoi que je puisse souhaiter, rien de tout cela ne me rendra la liberté. J'en ai assez d'être chassée du palais ou d'y être rappelée, selon le bon désir de Sa Majesté. Rentrez donc transmettre cela à l'empereur.

Aucun des arguments de Kao Li-che ne put la persuader de repartir avec lui.

– Fort bien, je transmettrai vos paroles à Sa Majesté, et ferai en sorte que cela ne se reproduise plus. Mais une fois que je l'aurai convaincu, j'entends que vous reveniez au palais.

Sur ces mots, l'eunuque quitta les lieux. Il ignorait lui-même s'il allait ou non raconter tout cela à l'empereur, du moins s'en alla-t-il sur cette déclaration d'intention.

Il revint le lendemain chercher la Kouei-fei, qui quitta la résidence de son frère pour rentrer au palais. A son arrivée, elle retint un cri en voyant le vieux monarque venir à sa rencontre. En l'espace de cinq jours, il avait terriblement vieilli : c'était un vieillard de soixante-dix ans, dont la peau et les yeux avaient perdu tout éclat, qui se tenait là d'un air intimidé, comme s'il était venu accueillir sa petite-fille. La Kouei-fei s'approcha de lui en silence, puis :

– J'aimerais vous présenter des excuses, mais je ne saurais de quoi m'excuser.

– Je sais...

– Vous avez terriblement vieilli.

– Je sais.

– Il n'y a plus rien en vous qui rappelle la jeunesse.

Le vieux monarque parait une à une ces phrases cinglantes comme des coups d'épée, tandis que son visage prenait une expression de plus en plus défaite. Les yeux fixés sur le visage de la Kouei-fei, il déclara :

– Ma vie, c'est toi...

– Eh bien, cette vie si précieuse, pourquoi vous en séparer ainsi sans en faire plus de cas ? répondit la jeune femme sans même un sourire.

Cette affaire eut une incidence mémorable sur la vie

de Yang Kouei-fei. Après son retour au palais, elle ne fut plus la même. L'empereur Siuan-tsong lui apparaissait désormais comme un être totalement dénué de pouvoir. Celui qui était autrefois son destin, à l'époque où elle n'avait aucun pouvoir sur sa propre vie, était devenu ce misérable pantin dont elle pouvait tirer les ficelles à sa guise ! Les étreintes de la Kouei-fei étaient pour Siuan-tsong les dernières joies de sa vie, et il vivait dans la crainte de froisser son humeur. C'était elle maintenant qui était devenue le destin de l'empereur.

La Précieuse Epouse devint difficile sur tous les plans, et particulièrement au sujet de ses repas. Si on lui amenait quelque plat qui lui déplaisait, elle refusait même d'y toucher de ses baguettes. Siuan-tsong prenait alors un air craintif et totalement désemparé, comme si la faute lui en incombait. Il se torturait l'esprit pour arriver à la faire manger. Cela devint un cérémonial au palais : chacun rivalisait d'imagination pour lui proposer des mets susceptibles d'être à son goût. Siuan-tsong nomma l'eunuque Yao Sseu-yi officier de bouche exclusivement chargé de la table de la Kouei-fei. Les mets les plus exquis et les plus rares lui étaient présentés en amoncellement sur d'innombrables plateaux. Un seul de ces plateaux, disait-on, représentait la fortune de dix maisons de la classe moyenne.

Au cours du quatrième mois, le président du tribunal des censeurs Song Houen fut accusé de corruption et banni à Tchao-yang. Cette affaire causa un choc non seulement à la Cour, mais aussi à l'ensemble de la population. Song Houen devait en effet sa position à Li Lin-fou, et on le considérait généralement comme le bras droit du Premier ministre, aussi personne n'imaginait qu'il pût perdre sa place, tant que Lin-fou gardait la sienne. Or cet événement inimaginable venait d'avoir lieu. Personne n'était à même d'élucider les circonstances de cette affaire, mais de nombreuses rumeurs circulaient dans les rues de la capitale. On disait que le vice-président du ministère des Finances Tsi Wen, jusque-là en bons termes avec Li Lin-fou, s'était rapproché de Yang Zhao, et qu'à la demande de celui-ci il avait trahi sa fidélité au Premier ministre, ou

172

bien que c'était Tsi Wen qui avait poussé Yang Zhao à dénoncer Song Houen à l'empereur pour le faire chasser. Quelle était la part de vérité dans ces racontars, tout le monde l'ignorait, toujours est-il qu'une scission s'était bel et bien produite entre le Premier ministre Li Lin-fou et Yang Zhao, qui cumulait maintenant les fonctions de vice-président du tribunal des censeurs avec celles de vice-président du ministère des Armées ; de plus, Zhao avait fait bannir de la Cour un allié influent de Li Lin-fou, telle était la réalité de l'affaire.

Chaque fois que Kao Li-che rendait visite à la Kouei-fei, il lui faisait l'éloge de Yang Zhao. La maison Yang était maintenant bien stable, et la position de la Kouei-fei inébranlable. Il n'était pas un ordre de l'empereur, ajoutait l'eunuque, qui ne reçût l'approbation préalable de Yang Zhao. En analysant les propos de Kao Li-che, la Kouei-fei comprit que Yang Zhao commençait soudain à disposer d'un pouvoir considérable, et qu'il allait, soit entrer en opposition avec le Premier ministre, soit continuer sa progression jusqu'à dépasser celui-ci en influence.

Au cinquième mois, An Lou-chan fut nommé prince de la commanderie de Tong-p'ing. Un général de l'empire recevant le titre de prince constituait un exemple sans précédent, et Siuan-tsong accordait là à son vassal une faveur exceptionnelle. Si ce que disait Kao Li-che était vrai, cet anoblissement avait dû recevoir aussi l'approbation de Yang Zhao. Etait-ce là la raison des commérages en cours à la capitale, selon lesquels Yang Zhao et An Lou-chan avaient formé une coalition pour renverser Li Lin-fou ?...

Peu après cela, au huitième mois, il fut annoncé officiellement qu'An Lou-chan cumulait désormais ses fonctions avec celles de commissaire impérial organisateur et enquêteur du Ho-pei. Au cours de ce même mois, l'empereur conféra un nouveau nom à Yang Zhao, annulant Zhao au profit de Kouo-tchong, « Dévoué à l'Empire ». Se souvenant que Kao Li-che avait autrefois évoqué la nécessité de changer le nom de Yang Zhao, la Kouei-fei se doutait du rôle que l'eunuque avait dû jouer dans l'attribution de ce nouveau nom. Il avait certainement suggéré à l'empereur l'idée de rebaptiser son vassal, et peut-être même avait-il personnellement choisi le terme de « Kouo-tchong ». Quoi qu'il en soit, ce changement pour le nom plus majestueux de Yang Kouo-tchong confirmait l'influence de ce personnage de premier plan et la force de sa position à la Cour. Cela constituait aussi une consécration officielle de son statut aux yeux de l'empire tout entier.

Quatre ans à peine s'étaient écoulés depuis que Yang Kouo-tchong avait commencé à siéger à la Cour. Poussé au départ dans le monde par les recommandations de Kao Li-che, se liant ensuite avec Li Lin-fou, tout en se sachant soutenu par la Kouei-fei, et bénéficiant des faveurs de Siuan-tsong, il avait gravi un à un les échelons du pouvoir, jusqu'à sa position actuelle. Qui plus est, il n'avait pas tardé à acquérir une influence surpassant toutes les autres en siégeant à la Cour et en s'associant à An Lou-chan pour contrecarrer le Premier ministre. Voir Yang Kouo-tchong devenir l'homme le plus influent de l'empire, surpassant Li Lin-fou lui-même, n'était pas pour déplaire à Yang Kouei-fei, car non seulement cela garantissait la prospérité de la maison Yang, mais en même temps, cela consolidait encore sa propre position. Pour reprendre l'expression autrefois employée par Kao Li-che, elle avait maintenant bâti autour d'elle une muraille capable de résister à toutes les attaques.

L'extraordinaire ascension de Yang Kouo-tchong n'était cependant pas imputable à ses seuls talents, si remarquables fussent-ils. Kao Li-che, parfois dans l'ombre, parfois ouvertement, s'était toujours tenu derrière lui pour tirer les ficelles. L'ensemble du comportement de Yang Kouo-tchong, depuis le dévouement fidèle de ses débuts envers Li Lin-fou jusqu'à la façon dont il s'était retourné contre lui en s'alliant avec An Lou-chan, après s'être assuré la confiance de Siuan-tsong, oui, tout cela, à n'en pas douter, était l'œuvre des manigances de Kao Li-che. La Précieuse Epouse en était sûre. L'apparition de Yang Kouo-tchong sur la scène politique avait à première vue bouleversé l'équilibre des forces qui s'était constitué ces dernières années autour de l'empereur Siuan-tsong entre Li Lin-fou, An Lou-chan et Kao Li-che, mais, en réalité, c'était Kao Li-che lui-même, et non Yang Kouo-tchong, qui avait brisé cet équilibre.

La Précieuse Epouse commença à considérer le vieil eunuque d'un œil différent. Jusque-là, Kao Li-che avait tout projeté et réalisé pour elle, mais elle ne s'était jamais sentie totalement en confiance avec lui. Il lui fallait reconnaître aujourd'hui qu'il était son véritable allié. Il s'agissait en outre d'un allié doué de l'inquiétant pouvoir, à la limite du surnaturel, de manipuler à sa guise les relations entre différentes personnes.

Elle n'avait plus de raison d'ignorer le dévouement pour elle qui émanait de toute la personne du vieil eunuque, de son visage parcheminé au nez proéminent, de ses larges yeux à l'éclat glacé, de sa haute stature qui ne paraissait pas appartenir à un vieillard et jurait avec l'étrange fragilité de sa silhouette vue de dos. La moindre parole tombant de ses lèvres lui paraissait maintenant digne de confiance.

La nuit, dans sa chambre, Yang Kouei-fei dormait en tenant serré dans ses bras le corps du vieux souverain comme un précieux coffret. Quand elle enlaçait ainsi Siuan-tsong, le corps de celui-ci paraissait tenir aussi peu de place que s'il avait été replié, tandis que son propre corps, pourtant beaucoup plus petit, lui semblait prendre une ampleur démesurée.

La nuit durant, elle ne pouvait s'éloigner de ce précieux réceptacle du pouvoir. Tant qu'elle le tenait ainsi, il ne pouvait lui échapper.

Une nuit, elle entendit le vieux souverain endormi dans ses bras émettre un étrange gémissement. C'était la voix souffrante d'un être à l'agonie. Siuan-tsong tordait ses mains sur sa poitrine comme si elle se déchirait, puis, soudain, il se dressa sur le lit. Sans doute avait-il rêvé car il reprit son calme et s'allongeant aussitôt à nouveau, retrouva une respiration régulière de dormeur.

Yang Kouei-fei, cependant, ne put retrouver le

sommeil. Elle contemplait maintenant ce précieux coffret reposant entre ses bras avec des pensées différentes. Elle se rendait compte que ce coffret, qu'elle avait cru ne pouvoir lui échapper tant qu'elle le retiendrait entre ses bras, était en fait devenu un fardeau excessivement embarrassant, et qui un jour se révélerait peut-être vide. Elle tenta de se représenter sa vie à elle après la mort de Siuan-tsong. L'empereur mort, tout le contenu du coffret glisserait dans les mains du prince héritier Heng !

Comme le monarque un instant plus tôt, Yang Kouei-fei se dressa tout à coup sur sa couche. Cette pensée lui glaçait les sangs. Le visage de l'héritier du trône vint flotter devant ses yeux, et elle le regarda comme si elle le voyait pour la première fois. On ne pouvait dire que son regard exprimât de la sympathie pour elle, et avec ses petites oreilles fines il paraissait capable de toutes les cruautés.

Ce fut pour Yang Kouei-fei une nuit sans sommeil, telle que durent en connaître l'impératrice Wou Tsöt'ien, dame Wei ou la princesse Tai-ping. Des langues de flammes rouge et bleu venaient trouer l'obscurité de cette nuit infernale : elle ne pouvait faire sien le contenu de la précieuse cassette, à moins de l'en ôter pour l'appliquer sur son propre corps. Alors, pour s'assurer qu'il n'appartenait qu'à elle seule, il lui faudrait éliminer tous ceux qui représentaient un danger tant soi peu menaçant. Elle aussi, cette nuit-là, fut confrontée à la fatalité qui avait poursuivi toutes les favorites impériales : obsédée comme cela ne lui était jamais arrivé par ce pouvoir si proche, à portée de la main, elle fut irrésistiblement tentée par l'expédient de réduire tous les autres à l'impuissance pour s'assurer que ce pouvoir tant convoité restât sien à jamais.

Au début du dixième mois, l'empereur se trouvant grippé, la Kouei-fei passa quelques nuits seule dans son palais. Une fois, en pleine nuit, elle se réveilla en sursaut :

– Qui va là ?

Terrifiée, elle appela ses suivantes, croyant quelqu'un tapi dans un coin de la pièce. Les suivantes accoururent aussitôt avec des lanternes : tout semblait normal dans la pièce brillamment éclairée. Les suivantes reparties, les lumières à nouveau éteintes, la même angoisse revint : quelque chose, tapi dans l'obscurité de la chambre, allait l'attaquer. C'était la première fois que pareille chose lui arrivait. Siuan-tsong était de temps à autre terrorisé par un assassin fantôme, mais sa favorite l'avait toujours protégé de ses terreurs ridicules. Et voilà que cette peur risible lui advenait à son tour. Une fois prisonnière de ces pensées, impossible de leur échapper. Elle entendait des bruits de pas autour de son pavillon, avait l'impression que des tueurs se dissimulaient du côté des marches menant à la terrasse dallée.

Elle appela de nouveau ses suivantes, puis Kao Li-che. Comme lorsqu'il répondait à l'appel de Siuan-tsong, l'eunuque apparut seul au fond de la longue galerie, une lanterne à la main.

— Pourquoi se trouverait-il en ce monde des gens voulant attenter à votre vie ? lui dit-il, se tenant courbé en deux sur la galerie extérieure du pavillon.

Mais Yang Kouei-fei ne pouvait être aussi affirmative que lui. Les partisans de Li Lin-fou ne devaient pas être les seuls à ne pas apprécier la puissance de la maison Yang, et même s'ils ne la haïssaient pas elle directement, il n'y aurait rien eu d'étrange à ce que leur haine de la famille Yang se retournât contre elle.

— Je suis désolée pour tout ce tapage en pleine nuit. Je songe à tant de choses ces derniers temps, cela doit me fatiguer...

— Avez-vous quelque sujet d'inquiétude ?

La Précieuse Epouse se dit que l'occasion était bonne pour s'entretenir seule à seul avec Kao Li-che. Renvoyant les suivantes, elle revêtit un manteau et sortit sur la terrasse. Il n'y avait pas de lune, les alentours baignaient dans les ténèbres.

Sa lanterne à la main, l'eunuque s'avança jusqu'au milieu de la terrasse. Là, il se courba à nouveau devant elle, puis éteignit la lanterne.

— Je vous écoute.

– La maison Yang, dit la Précieuse Epouse, est à son apogée, grâce à votre influence. Mais pour combien de temps ?

Un rire bas se fit entendre.

– Voyons, pourquoi dites-vous cela ?

– Toute vie humaine a une certaine durée seulement. Même la vie de l'empereur est limitée.

Il y eut un silence, puis :

– Vous accrocher fermement à Yang Kouo-tchong et à An Lou-chan assurera la stabilité de votre position, quoi qu'il advienne. Vous devez les favoriser tous les deux.

– Je ne sais rien de la personnalité de l'héritier du trône, fit résolument la Kouei-fei.

A nouveau Kao Li-che se tut longuement, puis il répondit d'une voix à peine audible :

– Je comprends votre sentiment, Altesse. Il faut écarter toutes les pierres qui entravent votre chemin, mais il est préférable, je crois, de laisser en place celles qui ne vous gênent pas pour le moment. Le moment venu, Yang Kouo-tchong ou An Lou-chan se chargeront l'un ou l'autre de la besogne à votre place... Allons, rentrez maintenant dans votre pavillon et dormez sans inquiétude : je suis au courant de tout ce qui se passe.

Il ralluma sa lanterne et la tint à bout de bras pour éclairer la Précieuse Epouse, qui rentra dans sa chambre. Il n'y avait plus l'ombre d'un assassin. L'excitation d'avoir parlé ouvertement de deux sujets tabous avait changé l'état d'esprit de la Kouei-fei du tout au tout.

La nuit de la Fête des Lanternes de l'An Dix du Céleste Trésor, « les cinq branches de la maison Yang » défilèrent ensemble dans les rues nocturnes de la capitale, accompagné chacun d'une importante escorte. A cette époque les habitants de Tch'ang-an appelaient les trois sœurs de Yang Kouei-fei, ainsi que Yang Tian et Yang Chi « les cinq branches de la maison Yang ». Leur influence dépassait maintenant celle des familles de sang impérial ; chacun d'eux s'était fait construire un palais dans le quartier du Yang Proclamé et leur vie tapageuse faisait écarquiller les yeux à toute la population. Cette nuit-là, le groupe de la maison Yang se heurta dans les rues de Tch'ang-an au groupe de la princesse Hong-ping, la vingt-quatrième fille de Siuan-tsong. Ils refusèrent réciproquement de se céder le passage, chacun voulant passer le premier la porte du Marché de l'Ouest. Au cours de la bousculade, l'un des gens de l'escorte des Yang brandit un fouet, qui frappa la robe de la princesse, la faisant choir de son cheval. Tch'eng Tch'ang-yi, époux de la princesse, descendit de cheval pour la secourir et essuya à son tour plusieurs coups de fouet.

La princesse se plaignit de cet incident à son père l'empereur, et c'est ainsi qu'il fut révélé au public. Siuan-tsong fit bastonner à mort le vassal des Yang qui avait manié le fouet, mais en même temps il destitua Tch'eng Tch'ang-yi de sa charge gouvernementale, et lui interdit l'accès aux audiences de la Cour. Il voulait par là faire mesurer à tous l'étendue du pouvoir de la maison Yang. Tout en encourageant le despotisme de la famille Yang, Siuan-tsong comblait de plus en plus de faveurs An Lou-chan, comme par un souci d'équilibre. Dans le quartier de l'Amour Paternel, qui avoisinait au sud avec le quartier du Yang Proclamé, où les Yang avaient établi leurs résidences, il fit édifier un nouveau palais destiné à son protégé barbare. Construite de façon splendide et sans regarder à la dépense, sur ordre impérial, cette résidence était simplement destinée à héberger An Lou-chan lors de ses rares visites à la Cour, et chacun trouvait extraordinaire la conduite de l'empereur, qui dépensait l'or sans compter à cette seule fin.

Quand la nouvelle résidence fut prête, on vit An Lou-chan arriver à la capitale. Comme il ne s'agissait pas d'une visite officielle, il ne fit pas son habituelle entrée tapageuse, entouré de ses troupes. Sur la requête du général barbare, l'empereur fit visiter la résidence au Premier ministre Li, et y amena également les uns après les autres tous les membres de la famille Yang. En outre, quand Siuan-tsong avait à sa table des mets rares, il en faisait immédiatement envoyer aussi chez An Lou-chan. Des chevaux chargés de volailles et de poissons faisaient chaque jour la navette entre le palais et la résidence du favori.

L'anniversaire d'An Lou-chan eut lieu pendant son séjour à Tch'ang-an. Ce jour-là, il fut convié au palais et cordialement reçu par Siuan-tsong et Yang Kouei-fei, qui le comblèrent de vêtements, d'objets précieux, et de libations diverses. Trois jours plus tard, le sang-mêlé fut à nouveau invité, cette fois dans les appartements de la Précieuse Epouse où fut donné un banquet sans cérémonie. Les trois duchesses eurent l'idée de traiter l'hôte de leur sœur comme un nourrisson, et le déshabillèrent entièrement pour le laver avant de l'emmailloter dans un lange fait d'une immense pièce de brocart. De nombreuses femmes suivirent ensuite leur exemple.

Se pliant sans broncher aux exigences les plus sottes de cette assemblée de femmes, An Lou-chan le barbare fut le grand favori de la soirée. Ce poupon gigantesque dont le ventre pesait à lui seul plus de deux cents kilos ne ressemblait guère au dangereux ennemi de l'empire décrit par certaines rumeurs. Pas plus n'avait-il l'air d'un ambitieux briguant le pouvoir, ni d'un guerrier maintenant l'ordre sur trois armées dans les régions frontières. Il n'était qu'un barbare de sang mêlé légèrement pitoyable, prêt à remplir avec joie le rôle du bouffon si le souverain de la Cour des T'ang le lui ordonnait, tant il lui était reconnaissant de ses faveurs.

Siuan-tsong apparut ce soir-là vers le milieu du banquet, fournissant l'occasion d'une nouvelle scène burlesque au cours de laquelle il distribua à la Kouei-fei les présents d'or et d'argent que l'on remettait habituellement à une accouchée, et les festivités se poursuivirent fort avant dans la nuit. Cette soirée scabreuse causa quelques problèmes les jours suivants. Certains facétieux lancèrent le bruit que la Kouei-fei avait dîné seule avec An Lou-chan et que tous deux étaient restés enfermés ensemble dans une pièce jusque tard dans la nuit. On disait aussi que l'empereur ne soupçonnait rien de tout cela. Des rumeurs se répandirent dans tout le palais, et à quelque temps de là dans les différents quartiers de la capitale. Comme le bruit paraissait plausible, il se trouva des gens pour y ajouter foi.

Peu avant son retour en poste, An Lou-chan vint demander à Siuan-tsong de lui accorder aussi le commandement de la région du Ho-tong. L'empereur nomma alors Han Sieou-min, qui était jusque-là commissaire impérial au commandement du Ho-tong, général de la Forêt de Plumes de gauche[1], pour mettre An Lou-chan à la tête du Ho-tong selon ses vœux.

Le quatrième mois de cette année-là arriva la nouvelle de la défaite subie, en combattant les barbares dans la province du Yun-nan, par Sien-yu Tchong-tong, commissaire impérial au commandement de la région du Sud-de-l'Epée (actuel district de Tch'eng-tu au Sseu-tch'ouan). On apprit peu après que le général Wang T'ien-yun avait trouvé la mort sur le champ de bataille, et que les bases défensives du Yun-nan étaient tombées au mains des barbares.

Le sujet des opérations militaires dans la région du Yun-nan accapara les conversations entre le printemps et l'été : l'armée impériale accumulait les défaites, et d'innombrables soldats trouvèrent la mort dans ces terres tropicales. Yang Kouo-tchong, qui dirigeait toutes les campagnes aux confins de l'empire tenta de dissimuler les défaites en omettant de les signaler, mais les nouvelles se répandirent malgré tout on ne sait comment, poussant une partie de la population à critiquer Yang Kouo-tchong. Après la chute des bases d'opérations du Yun-nan, les défaites se succédèrent. Au septième mois, Kao Sien-tche fut vaincu lors de l'attaque du Territoire des Pierres (actuelle Tashkent) ; un mois plus tard, l'offensive d'An Lou-chan contre les Kitans près du fleuve T'ou-houo-tchen se solda également par un échec. Kao Sien-tche, à la tête de trente mille soldats barbares et han, franchit les Monts du Ciel pour pénétrer dans le Territoire des Pierres et livrer bataille à ce peuple vorace, mais il perdit dans l'aventure la majeure partie de ses soldats.

---

1. Première Compagnie des gardes du corps de l'empereur.

Yang Kouo-tchong se devait de reconquérir les bases militaires du Yun-nan : il y allait de son honneur. Il lança une campagne de recrutement de soldats en vue d'une expédition dans le Yun-nan, mais personne ne répondit à l'appel. La région du Yun-nan était infestée de miasmes, et huit sur dix des soldats mouraient avant même de combattre, disait-on, aussi personne ne voulait-il répondre à l'appel. Yang Kouo-tchong envoya des censeurs enrôler les paysans dans les provinces. Tous les hommes jeunes furent emmenés de force à l'armée. Ils partaient la mort dans l'âme, et le pays entier, disait-on, retentissait de lamentations lors des adieux de leurs familles.

Yang Kouo-tchong commença dès cette époque à faire preuve d'un peu trop d'arbitraire dans le déroulement des affaires dépendant de sa compétence, et s'attira des critiques de plus en plus virulentes de la part du peuple.

Vers cette même époque eut lieu un incident auquel Yang Kouei-fei et Kao Li-che se trouvèrent mêlés. Yang Kouo-tchong évoqua en effet devant l'empereur les intentions subversives d'An Lou-chan, et ce en présence uniquement de Siuan-tsong et de son épouse. Siuan-tsong considérait Yang Kouo-tchong comme son favori au même titre qu'An Lou-chan. L'un de ses protégés se rendait donc coupable de diffamation envers l'autre. La Kouei-fei, quant à elle, se rendit compte que son cousin, tout en étant en apparence l'allié du barbare, cherchait en fait à l'évincer.

Quand la jeune femme rapporta les déclarations de son cousin à Kao Li-che, celui-ci changea instantanément de couleur.

— Inadmissible, c'est inadmissible... fit-il en battant l'air de ses bras comme si Yang Kouo-tchong en personne s'était trouvé devant lui.

— Messire Yang Kouo-tchong fait totalement fausse route. Quelle que soit son opinion intime sur An Lou-chan, il doit absolument se garder de la révéler, car c'est grâce justement à son alliance avec Lou-chan qu'il maintient sa position actuelle. An Lou-chan dirige une armée de plusieurs dizaines de milliers d'hommes aux confins du pays. Personne à la Cour des T'ang ne peut prétendre à une telle puissance. C'est précisément sa coopération avec ce personnage qui donne tout leur poids aux propos de messire Yang, mais dans le cas contraire, il risque d'être supplanté par le Premier ministre Li. Il faut absolument éviter le schisme avec An Lou-chan. C'est là une chose grave, que Votre Altesse ne doit pas négliger. Il y va de votre propre intérêt : Yang Kouo-tchong et An Lou-chan constituent ensemble le rempart qui vous protège. La discorde de ces deux-là ne peut que vous être nuisible. Encore est-il heureux que cette déclaration à Sa Majesté n'ait eu que Votre Altesse pour témoin ! Si An Lou-chan venait à apprendre les sentiments de votre cousin à son égard, la situation deviendrait irrémédiable. Si le Premier ministre Li venait à recouvrer tout son pouvoir à la Cour, la position actuelle de messire Yang se trouverait en danger. Et puis... Je ne pense pas que nous ayons le moindre souci sur ce point, mais si Sa Majesté tient pour vraies les allusions de messire Yang Kouo-tchong, et songeait à réduire les pouvoirs de Lou-chan, alors je ne sais jusqu'où celui-ci pourrait aller, à seule fin de se protéger.

– Que voulez-vous dire au juste ? demanda la Précieuse Epouse.

– Eh bien, donc, au lieu de sentiments d'affection pour l'empereur...

L'eunuque laissa sa phrase en suspens, et la Koueifei ne sut s'il s'apprêtait à dire qu'An Lou-chan brandirait alors l'étendard de la révolte, ou qu'il formerait alliance avec le prince héritier Heng, mais elle était sûre qu'il ne pouvait s'agir que de l'une ou l'autre de ces possibilités.

Une quinzaine de jours après cette conversation, Yang Kouo-tchong déclara de nouveau à l'empereur qu'étant donné l'antagonisme d'An Lou-chan à l'égard de la Cour, il convenait de couper le mal à la racine, avant qu'il ne mît ses desseins à exécution. Cette fois encore, cela fut dit uniquement en présence de Siuantsong et de la Kouei-fei. Yang Kouo-tchong paraissait intimement persuadé des intentions de rébellion du général barbare, et il mettait dans son discours une passion insolite qui blêmissait son visage.

– Je vous implore d'envoyer quelqu'un en reconnaissance sur place. S'il s'avère qu'il ne se passe rien, tant mieux, mais si par hasard mes craintes se révélaient fondées, le problème devrait être traité sans atermoyer davantage, pour le bien même de l'Etat.

Suivant la suggestion de Yang Kouo-tchong, Siuan-tsong résolut d'envoyer un émissaire, muni de quelque prétexte officiel, sonder la situation sur les lieux dont An Lou-chan avait la charge. Autrefois, quand Li Lin-fou bénéficiait de ses faveurs, Siuan-tsong acceptait inconditionnellement toutes ses suggestions, tout comme il était incapable aujourd'hui de repousser les arguments de Yang Kouo-tchong, son nouveau favori. La chose étrange était qu'il lui était pareillement impossible de résister à An Lou-chan, un homme auquel il s'apprêtait pourtant à envoyer un émissaire pour vérifier sa loyauté. Le visage du vieux souverain ne laissait rien paraître de ces contradictions intérieures, et c'est d'une voix étonnamment inexpressive qu'il entérina les suggestions de son favori du moment et émit l'ordre de s'assurer des intentions réelles de son autre favori.

Cette nuit-là, la Kouei-fei manda de nouveau Kao Li-che à ses appartements.

– La nature humaine est bien compliquée. Même quelqu'un de la valeur de messire Yang Kouo-tchong a des lacunes. Il n'y a rien à redire à ses talents de ministre, mais il a simplement l'œil trop perçant. Il se peut qu'An Lou-chan fomente quelque révolte, mais il est fâcheux qu'il s'en soit aperçu. Qu'il ait ou non des intentions rebelles, quelle importance ? N'importe quel général barbare à la tête d'une immense armée aux confins de l'empire en serait tenté. Le seul problème est le passage à l'acte. Qu'il ait ou non des idées subversives, du moment qu'il reste loyal à la Cour des T'ang, cela doit nous satisfaire. En tant qu'allié, il suffit qu'il reste notre bouclier jusqu'au bout. Mais tout cela échappe à messire Yang : il se laisse aveugler par les intentions rebelles du général, et cela seul accapare son attention...

Kao Li-che rapprocha soudain son visage de celui de la Kouei-fei et reprit à voix basse :

– Mais à quoi bon dire tout cela ? Ce qu'il faut, c'est que vous souteniez An Lou-chan jusqu'au bout. Quoi qu'il arrive, ne vous séparez pas de lui, il doit rester l'allié de Sa Majesté et de Votre Altesse. Si vous vous éloignez de lui, les conséquences seront terribles. Si vous vous éloignez…, c'est avec le prince héritier que…

Kao Li-che se tut, et regarda fixement la Précieuse Epouse. Cette fois, il avait clairement évoqué « le prince héritier », et la jeune femme savait très bien ce qu'il voulait dire.

Le groupe d'émissaires envoyés dans les marches lointaines fut de retour à la capitale vers le milieu de l'automne.

Ils ramenaient un rapport très détaillé : An Lou-chan, dont le pouvoir était extrêmement étendu, cumulait le commandement de trois places fortes, et distribuait lui-même récompenses ou châtiments à ses subordonnés. Il entretenait une armée de plus de huit mille barbares, Kitans, Si et T'ong-lo, qui s'étaient soumis à lui. Il avait baptisé cette armée d'un nom signifiant en langue barbare « le déferlement des braves », et comme leur nom l'indiquait, ces barbares, célèbres pour leur audace au combat, lui seraient un important renfort en cas de besoin. De plus, il s'était constitué un bataillon de gardes du corps de plus de cent hommes, choisis parmi les plus intrépides de ses jeunes vassaux. Un seul d'entre eux, disait-on, valait cent soldats des T'ang. En outre, ses haras comptaient plusieurs dizaines de milliers de chevaux de combat, et il avait tant de soldats de réserve qu'on ne pouvait les dénombrer. Il avait aussi envoyé des marchands dans les provinces alentour, et les objets rares et de valeur ainsi amassés étaient estimés à plusieurs centaines de milliers. C'était également par centaines de mille qu'il fallait compter les quantités d'armes et d'armures qu'il tenait en réserve. Ses alliés les plus fidèles étaient Kao Chang, Yen Tchouang, Tchang T'ong-jou, et le général Souen Siao-tche. Parmi eux, Kao Chang, de son vrai nom Pou-Wei « Pas-de-Danger » était le personnage le plus extraordinaire : cet homme d'une érudition remarquable gouvernait en vassal dévoué sous la bannière d'An Lou-chan. Le général Siao-tche, homme de talent lui aussi, tenait en main le commandement de la cavalerie. Après avoir exposé tous ces faits, la conclusion commune des envoyés de l'empereur fut la suivante : « An Lou-chan dispose d'un immense pouvoir aux confins de l'empire, mais il n'y a par ailleurs aucun élément qui laisse présager une rébellion. Nous sommes persuadés que sa loyauté envers Sa Majesté reste entière. »

Dans ces circonstances, Yang Kouo-tchong ne pouvait insister plus longtemps sur les intentions rebelles de Lou-chan. Siuan-tsong fut soulagé de pouvoir conserver son favori, et Yang Kouei-fei, de son côté, fut rassurée de ne pas voir s'écrouler sa muraille protectrice.

Comme tous les ans, Siuan-tsong partit faire un séjour au palais de la Pure Splendeur. Sa favorite, bien entendu, ainsi que tous les membres de la maison Yang, l'accompagnèrent au mont du Cheval Noir. A l'occasion de ce voyage, les « cinq branches de la maison Yang » se déplacèrent en un seul groupe, revêtu de tenues chatoyantes. La route de Tch'ang-an au mont du Cheval Noir était couverte d'une bruyante haie de spectateurs venus admirer les magnifiques toilettes du cortège impérial.

Cette année-là, exceptionnellement, le Premier ministre Li Lin-fou était lui aussi du voyage. La *vox populi* disait que s'il suivait lui aussi le char impérial, c'est que, se méfiant des manigances que Yang Kouo-tchong aurait pu tramer en son absence, il avait décidé pour y couper court de prendre lui aussi ses quartiers d'hiver au mont du Cheval Noir. Quand Yang Kouo-tchong apprit que Lin-fou allait s'installer là-bas, il invita tous les notables de la Cour à suivre cet exemple et leur fit préparer des résidences au pied du mont ; c'est ainsi que cette année-là le domaine de la Pure Splendeur fut témoin d'une animation aussi grande que si toute une partie de la ville de Tch'ang-an s'y était transplantée.

L'empereur avait coutume de quitter sa villégiature pour rentrer à la capitale au plus tard au début du douzième mois, mais il resta cette fois jusqu'à la fin de l'année, et ne rentra à Tch'ang-an que pour les fêtes du Nouvel An.

L'événement marquant de ce voyage fut la visite de l'empereur à la résidence de Yang Kouo-tchong, et la nomination de celui-ci au titre de commissaire impérial au commandement du Sud-de-l'Epée.

Le sixième mois de l'An Onze du Céleste Trésor, Yang Kouo-tchong fit à l'empereur le rapport suivant, au sujet de la situation militaire dans la région du Yun-nan qui se trouvait maintenant sous son commandement :

– Cent soixante mille soldats tourfans se sont ralliés aux Nan-tchao. Les soldats du Sud-de-l'Epée les ont attaqués et ont repris trois villes fortes. Ils ont fait six mille trois cents prisonniers parmi lesquels, en raison de la longueur du chemin, ils ont dû sélectionner afin de les offrir à Votre Majesté plus de mille soldats et chefs de tribus qui ont déposé les armes.

Peu après, cependant, des habitants du Sseu-tch'ouan vinrent se plaindre à la capitale des incursions des Nan-tchao aux frontières, et demandèrent l'organisation d'une expédition punitive pour y remédier. Cette plainte se renouvela plusieurs fois.

Le Premier ministre Li Lin-fou en référa à l'empereur, et lui demanda instamment d'envoyer au Yun-nan contre les Nan-tchao une armée commandée par le commissaire impérial de la région lui-même, c'est-à-dire Yang Kouo-tchong. Cette proposition fut faite en présence de tous les notables de la Cour, et Yang Kouo-tchong ne put invoquer aucune raison valable pour la refuser. Au cours des deux ou trois dernières années, Yang Kouo-tchong avait poussé l'offensive contre Lin-fou, et avait réussi à réduire l'influence de ce dernier, mais cette fois, le Premier ministre semblait enfin tenir la revanche tant attendue pendant ces années passées à ressasser sa haine. Siuan-tsong lui-même ne trouva aucune raison pour repousser la suggestion de Lin-fou.

Yang Kouo-tchong se rendit au pavillon de la Kouei-fei et lui déclara :

— Si je dois partir en expédition dans les provinces méridionales, je suis sûr que Li Lin-fou mettra l'occasion à profit pour essayer de nuire à notre famille ; je compte donc sur Votre Altesse pour nous tirer d'embarras.

Cette façon de recourir à l'influence de sa cousine lui ressemblait bien peu, mais le mauvais sort l'y contraignait.

— Quel besoin aussi aviez-vous de devenir commissaire impérial du Sud-de-l'Epée ? Sans votre insatiable ambition, rien de tout cela ne serait arrivé ! lui répondit Yang Kouei-fei non sans quelque ironie. C'était une façon de blâmer le manque de réflexion du jeune intrigant. Une fois de plus, elle se rendait compte qu'elle ne pouvait se fier totalement à lui. Il avait fait preuve d'irréflexion en accusant An Lou-chan devant l'empereur, c'était indéniable, et ce nouveau faux pas était également imputable à son étourderie. Tant qu'il avait la chance pour lui, ses façons d'agir arbitraires donnaient sans aucun doute de bons résultats, mais le moindre écart produisait des résultats irrémédiablement contraires. Yang Kouei-fei elle-même était sensible aux dangers de l'attitude de son cousin, qui, après s'être fait un ennemi de Li Lin-fou, s'apprêtait à s'en faire un d'An Lou-chan. Dans le cas présent, il s'était fait complètement piéger par Lin-fou.

La Précieuse Epouse eut un entretien avec Kao Li-che au sujet de l'affaire :

— Pour en finir avec cette histoire, mieux vaut que messire Yang aille passer quelque temps au Sseu-tch'ouan à s'occuper des affaires militaires. A mon avis cela ne peut que lui être bénéfique, déclara l'eunuque.

Kao Li-che avait jusqu'ici entouré Yang Kouo-tchong de sa protection pour l'aider à s'élever, agissant parfois dans l'ombre, parfois au grand jour, mais aujourd'hui Yang Kouo-tchong avait tendance à l'ingratitude, comme s'il devait tout à ses idées et à son talent personnels.

— Il est vrai que la maison Yang a besoin de lui,

aussi faudra-t-il, une fois qu'il aura atteint le Sseu-tch'ouan, demander à Sa Majesté de le rappeler à la Cour.

Yang Kouo-tchong partit au début de l'automne pour les provinces du Sud dont il avait la charge. Mais avant même qu'il soit parvenu dans le Sseu-tch'ouan, l'empereur, conformément aux prévisions de Kao Li-che, envoya un messager pour le rappeler à Tch'ang-an.

Un tour imprévu du destin attendait Yang Kouo-tchong au retour de son voyage en terre lointaine. En effet, le Premier ministre Li Lin-fou était au plus mal, on ne lui donnait plus pour longtemps à vivre. Dès son retour, Yang Kouo-tchong se rendit à son chevet. L'infortuné Premier ministre s'inquiétait du sort que connaîtrait sa famille après sa mort.

– Ma fin est proche. Vous prendrez certainement ma succession comme Premier ministre, aussi je vous confie le soin de régler mes affaires après ma mort.

– Sans doute ne pourrais-je répondre à votre attente, répondit le jeune homme, mais je ferai personnellement le nécessaire.

Puis il couvrit de ses mains son visage, et essuya la sueur qui en ruisselait au point de le surprendre lui-même.

Le Premier ministre Li Lin-fou quitta ce monde le onzième mois de l'An Onze du Céleste Trésor. C'est en l'an vingt-deux de l'ère de la Fondation qu'il était devenu ministre pour la première fois ; il avait ensuite accédé au poste de Premier ministre en l'An Un du Céleste Trésor, et était resté en place durant onze années. Malgré sa réputation de perfidie, il n'avait connu que des succès en politique tout au long de sa vie.

Après avoir gagné les bonnes grâces de l'empereur, Li Lin-fou avait éliminé de la Cour tous ses adversaires. Il avait fait exécuter Wei Tsien et Houang-fou Wei-ming, et poussé Li Che-tche à s'empoisonner. Il avait profité de sa faveur grandissante auprès de Siuan-tsong pour éliminer jusqu'à ses propres alliés. Yang Chen-tsin avait été la première victime de cette nouvelle purge, en tête d'une liste si longue qu'on ne saurait les nommer tous.

« Lin-fou, grand opportuniste, s'assura par la flatterie la faveur des puissants, puis accomplit ses vilenies en s'aidant de la censure et de l'obscurantisme ; jaloux de la sagesse, haïssant le talent, il sut maintenir sa place en éliminant tous ceux qui le surpassaient, et assurer son hégémonie en remplissant les prisons et faisant exécuter ou bannir les hauts dignitaires. » Ainsi est-il critiqué dans le *Miroir général de l'histoire*[2].

Tel était bien Li Lin-fou, mais sans se laisser abattre par les coups de semonce du destin, il avait confié les affaires de sa succession à Yang Kouo-tchong avant de partir pour l'autre monde, commettant ainsi la plus grande erreur de sa vie. Car Yang Kouo-tchong, dès qu'il l'eut remplacé au poste de Premier ministre, s'empressa de donner un grand coup de balai au pouvoir de la famille de Lin-fou, établi par celui-ci au cours des ans.

Alors que commençait la douzième année du Céleste Trésor, Yang Kouo-tchong révéla à l'empereur les projets de rébellion de Lin-fou, en connivence avec le barbare A-pou-sseu. Comme An Lou-chan envoyait de temps en temps à la capitale des barbares de la tribu d'A-pou-sseu qui s'étaient soumis, Siuan-tsong fit venir ceux-ci pour les interroger sur les relations de Li Lin-fou et d'A-pou-sseu. Le projet de révolte de Lin-fou ressortit clairement de l'enquête, et, en conséquence, son titre fut aboli, ses biens confisqués, son cadavre dépouillé de la robe de pourpre et d'or qui l'enveloppait, et sa tombe détruite. C'est ainsi que finit Li Lin-fou, inhumé dans un modeste cercueil anonyme, comme un homme du peuple. Toute sa famille eut également à subir des châtiments.

Cet incident eut lieu deux mois après la mort de l'ancien Premier ministre. D'après certains bruits, c'était l'œuvre d'un plan commun de Yang Kouo-

2. *Histoire chronologique de la Chine*, célèbre ouvrage de Sima Guang (1019-1086).

tchong et d'An Lou-chan, qui prenaient ainsi leur revanche sur le cadavre de leur rival commun, et chas-
saient définitivement de la Cour l'influence de ses partisans.

Le poète Tou-fou chante dans *La Ballade des belles*
les splendides divertissements de la famille Yang au
bord de la Rivière Sinueuse au printemps de cette année-là :

> « Le troisième jour de la troisième lune,
> Les souffles du ciel renaissent
> Et les belles de Longue-paix [3]
> Au bord de l'eau se pressent.
> Plantureuses, évanescentes,
> Virginales et vraies –
> Leur peau se tend sur la graisse fine
> Qui fond leur chair et leurs os.
> Vêtues de gaze brodée
> Où le printemps réfléchit le soir –
> Paons lamés d'or, licornes d'argent.
> Leurs coiffes ?
> Un bleu de cime au chignon,
> Qui retombe jusqu'au coin des lèvres.
> Leurs ceintures ?
> Le poids des perles sur leurs reins –
> La cambrure. [4]

Vêtements brodés de licornes en fils d'argent, de
paons en fil d'or, ceintures de perles, luxueux ornements de coiffure, ces dames de la maison Yang se pa-
vanaient au bord de l'eau au cours des soirées printa-
nières, en compagnie de Yang Kouo-tchong promu
l'année précédente au rang de Premier ministre. Vraiment, ce printemps-là, le monde appartenait à la famille Yang : Li Lin-fou disparu, tout le pouvoir reposait
désormais entre les mains de Yang Kouo-tchong.

C'est vers cette époque que Yang Kouei-fei com-

---

3. Traduction littérale de « Tch'ang-an ».
4. Poème traduit du chinois par Patrick Carré.

mença à se demander si ce vieil eunuque de Kao Li-che n'était pas sujet à des absences. Même en présence de Siuan-tsong, il lui arrivait de rester étonnamment silencieux, ou bien les yeux perdus dans le vague, indifférent aux conversations de son entourage.

La mort de Li Lin-fou lui avait causé un choc. Pendant de longues années, indéfectiblement liés l'un à l'autre, tous deux avaient parfois coopéré, s'étaient souvent haïs ; maniant tour à tour la louange et la critique envers lui, Kao Li-che avait préservé sa propre place, et voilà que brusquement cet adversaire n'était plus là.

De plus, la disparition de Li Lin-fou l'obligeait à reconsidérer l'ensemble de la situation. Grâce justement à la présence de Lin-fou, l'eunuque s'était trouvé à même de renforcer le pouvoir de la famille Yang, en faisant de Yang Kouo-tchong et d'An Lou-chan des alliés. La mort de Lin-fou rendait ces arrangements caducs. Yang Kouo-tchong occupait tout à son aise la place de personnage le plus influent de la Cour des T'ang, sans aucun adversaire pour s'opposer à lui. Il restait An Lou-chan, bien sûr, mais celui-ci était un guerrier vivant à l'autre bout du monde. En conséquence, Yang Kouo-tchong n'avait désormais plus besoin de Kao Li-che, et Kao Li-che n'avait plus de plans à dresser pour soutenir Yang Kouo-tchong.

Une nuit, la Précieuse Epouse fit appeler Kao Li-che chez elle pour s'enquérir de son état de santé.

– Le vieillard que je suis, répondit-il, uniquement soucieux du bien de Votre Altesse, a jusqu'ici toujours écarté ceux qu'il fallait écarter, protégé ceux qu'il fallait protéger, mais aùjourd'hui, il n'est plus rien que je puisse faire. Quand un ingrat oublie qu'il doit sa réussite à Votre Altesse, tout peut arriver.

Tout cela débité sur un ton plaintif, chose rare chez lui.

– La lune est si belle ! Sortons... proposa la Koueifei.

L'eunuque se leva le premier et sortit sur la vaste terrasse dallée. De là partaient des escaliers débouchant sur une autre terrasse en contrebas. Yang

Kouei-fei vint se placer près des marches. Même à l'intérieur du pavillon, les oreilles indiscrètes n'étaient guère à craindre, mais une fois sur la terrasse, ce souci s'évanouissait complètement : on apercevait de là tout l'échelonnement des larges terrasses de pierre réfléchissant la froide lumière de la lune, sans un arbre ni même un brin d'herbe.

– Cette rumeur prêtant à An Lou-chan des intentions subversives me revient continuellement aux oreilles... dit la Kouei-fei à voix basse. Depuis la mort de Li Lin-fou, le nombre de guerriers venus des provinces prévenir l'empereur des dispositions rebelles d'An Lou-chan était en augmentation.

Kao Li-che répondit lui aussi à voix basse :

– Il est humain – et fatal –, quand on est à la tête d'une immense armée, d'éprouver le désir de s'en servir. On ne peut comprendre le cœur d'un barbare à moins d'être soi-même un barbare, mais, si jamais des intentions il passait au stade des actes, la capitale ne serait pas de force à se défendre. Si l'envie de nous envahir lui prend, il peut le faire quand il veut. Si le Premier ministre avait quelque peu de clairvoyance, il trouverait moyen de pallier à cela ; malheureusement, messire Yang Kouo-tchong est un personnage complètement différent du jeune Yang Zhao.

Cette fois, Kao Li-che s'était exprimé sans ambages.

– An Lou-chan ! Lui que Sa Majesté a comblé de tant de faveurs...

– Exactement. C'est pourquoi je ne pense pas qu'il veuille se retourner contre Sa Majesté. C'est même la seule chose dont je sois à peu près sûr. Il a le plus profond respect pour Sa Majesté, ainsi que pour Votre Altesse. Mais dans l'avenir, quand nous changerons d'empereur... Il se peut qu'il attende ce moment, et d'ici là, l'empire des T'ang devrait pouvoir mettre des moyens en œuvre. Ce qui est effrayant, c'est qu'il y a ici même quelqu'un qui pousse An Lou-chan à entreprendre dès maintenant une action. L'atmosphère devient chaque jour plus étouffante, par la faute de gredins sans foi ni loi !

Cette expression désignait clairement Yang Kouo-tchong et ses partisans.

– Quoi qu'il en soit, reprit l'eunuque, An Lou-chan est un volcan prêt à entrer en éruption. Il faut pour le moment le manier avec délicatesse.

Kao Li-che oubliait en parlant sa prudence coutumière. En temps ordinaire, il eût accumulé les précautions et parlé en jetant des regards de tous côtés sur la terrasse, mais cette fois il ne faisait rien de tel. On sentait chez lui une sorte d'indifférence.

– Je me suis trompé, semble-t-il. J'avais pensé qu'il pourrait vous aider, mais mon jugement était erroné, conclut-il simplement.

Puis :

– Vous devez avoir froid. Rentrez vite, sinon...

Il repartit le premier en direction du pavillon.

Yang Kouo-tchong avait maintes fois évoqué devant l'empereur les intentions de révolte d'An Lou-chan, mais celui-ci n'y avait pas ajouté foi. La Kouei-fei avait pour sa part considéré les déclarations de son cousin comme un piège tendu au barbare. Elle s'était donné pour consigne de ne jamais intervenir dans les conversations concernant les affaires politiques, mais chaque fois qu'An Lou-chan s'était trouvé en jeu, elle avait pris sa défense. Sur la requête de Yang Kouo-tchong, le commissaire impérial au commandement de la Droite du Long Ko-chou Han s'était vu offrir également le commandement du Ho-si. Il ne faisait de doute pour personne que Kouo-tchong avait fait alliance avec Ko-chou Han pour s'opposer à An Lou-chan. Personne ne trouva à redire à ce que Ko-chou Han cumule le commandement de ces deux régions, et Kao Li-che lui-même approuva le projet. Tout comme An Lou-chan, Ko-chou Han avait des origines barbares : son père était turc, sa mère sérindienne, tandis qu'An Lou-chan était de mère turque et de père sérindien. Ko-chou Han avait remporté de grands succès dans la guerre contre les Tibétains et la renommée de bravoure de ce général des marches lointaines s'étendait à tout l'empire. Au contraire d'An Lou-chan, qui était un intrigant

194

à l'ambition démesurée, Ko-chou Han était un authentique guerrier, plein de droiture.

En tendant la main à Ko-chou Han, Yang Kouo-tchong avait enfin pris une mesure appropriée. La Droite du Long, que commandait Ko-chou Han, était réputée productive : on appelait cette région sans égal dans toute la Chine le grenier à blé de l'empire. Les messagers de Ko-chou Han, disait la rumeur, se rendaient toujours à la capitale avec pour monture un chameau blanc capable de parcourir cinq cents lieues par jour.

Au dixième mois, l'empereur quitta Tch'ang-an pour le palais de la Pure Splendeur, accompagné de Yang Kouo-tchong, et des trois duchesses, à la tête de toute leur maisonnée, en une procession plus somptueuse encore que l'année précédente. Voyant les membres de sa famille vêtus de leurs plus beaux atours s'apprêtant à suivre le déplacement impérial, Yang Kouo-tchong dit à Kao Li-che :

— Je suis moi-même issu d'une famille pauvre. C'est grâce à Son Altesse la Kouei-fei que je suis arrivé où j'en suis aujourd'hui. J'ai mené autrefois une vie sans le moindre instant de loisir, sans lieu où me reposer. Sans doute mon nom ne passera-t-il pas à la postérité, du moins aurais-je joui quelque temps d'une vie des plus plaisantes.

Ces paroles lui étaient inspirées par la munificence extraordinaire de ce voyage, mais il y avait peut-être une autre raison pour qu'il s'adresse ainsi tout exprès à l'eunuque. « Je souhaite simplement jouir de cette vie plaisante », avait-il dit à Kao Li-che, mais il allait pourtant cette année-là, au palais de la Pure Splendeur, octroyer des promotions et d'importantes positions à tous les membres de sa famille. Il voulait donc peut-être par ces paroles prévenir tout commentaire de Kao Li-che concernant ces décisions prises de son propre chef.

Peu après l'arrivée de Siuan-tsong à son lieu de villégiature, Yang Kouo-tchong lui fit part à nouveau de l'imminence d'une rébellion de la part d'An Lou-chan.

— Majesté, pourquoi ne pas mander An Lou-chan

auprès de vous pour vous rendre compte par vous-même. Il est probable qu'il ne viendra pas.

Siuan-tsong soumit le projet aux dignitaires et aux courtisans qui y souscrivirent tous. An Lou-chan n'allait-il pas différer sa venue à la capitale, par simple méfiance envers Yang Kouo-tchong ? s'inquiétait la Kouei-fei. Mais l'avis de Kao Li-che différait.

– Pourquoi ne viendrait-il pas ? Sa Majesté peut encore l'honorer de nombreuses faveurs. Tant que Sa Majesté vivra, An Lou-chan continuera à venir à la capitale, autant de fois qu'il sera nécessaire. Il en irait différemment si le Premier ministre Li était encore de ce monde. Peut-être alors le barbare n'oserait-il pas venir, car il se méfiait du Premier ministre.

Une fois de plus, Kao Li-che sous-entendait que Yang Kouo-tchong était quantité négligeable aux yeux d'An Lou-chan.

An Lou-chan fit son entrée à la capitale au cours du premier mois de l'An Treize du Céleste Trésor. L'empereur avait passé la fin de l'année au palais de la Pure Splendeur, aussi le barbare se rendit-il directement de Tch'ang-an au mont du Cheval Noir afin d'obtenir une audience.

Après avoir récité à l'empereur les vœux d'usage pour le Nouvel An, il déclara, les larmes aux yeux, son énorme corps agité de tremblements convulsifs :

– Je ne suis qu'un humble barbare du Nord, et si j'en suis arrivé à ma position actuelle, c'est uniquement grâce aux faveurs de Votre Majesté. Voilà pourquoi le Premier ministre Yang Kouo-tchong me hait, et voilà pourquoi mon glas ne tardera pas à sonner, je le sais.

Tous les dignitaires de la Cour assistaient à l'audience, et tous, les yeux fixés sur le général venu des frontières, faisaient des gestes ampoulés pour lui signifier combien ils compatissaient à sa grande douleur. La Kouei-fei ressentit elle aussi de la pitié pour An Lou-chan, dont les gémissements de tristesse et les larmes, coulant le long de ses bajoues, paraissaient absolument sincères.

An Lou-chan fut traité par l'empereur de la façon la plus chaleureuse qui soit, et reçut de magnifiques récompenses pour ses mérites. Siuan-tsong lui accordait quelque chose à chacune de ses visites : la vue du sang-mêlé éveillait en lui le désir de le couvrir de présents. Chaque fois, An Lou-chan se jetait sanglotant à ses pieds, exprimant son éternelle reconnaissance pour ces faveurs répétées.

Quand Siuan-tsong n'eut plus rien à lui offrir, il tenta de l'élever au rang de ministre, ajoutant à la direction militaire le pouvoir de soumettre et d'ordonner toute affaire. Yang Kouo-tchong s'y opposa en ces termes :

– An Lou-chan s'est distingué par ses exploits militaires, mais il ne sait ni lire ni écrire. Si Votre Majesté l'élève au rang de ministre, cela jettera sans doute aucun le discrédit sur l'empire T'ang aux yeux de tous les pays étrangers.

Il avait entièrement raison. Siuan-tsong dut abandonner l'idée de le faire ministre, mais, à la place, il le nomma Grand Archer de la gauche [5], et accorda à l'un de ses fils un poste de fonctionnaire du troisième degré, à un autre un poste du quatrième degré.

An Lou-chan était bouleversé jusqu'aux larmes à chaque nouvelle faveur de Siuan-tsong mais son émotion ne l'empêchait pas d'en réclamer encore davantage. L'empereur lui accordait quelque faveur à chacune de leurs entrevues, mais, y eût-il manqué, le barbare se serait chargé de la demander lui-même. Puis, une fois que l'empereur avait accédé à ses requêtes, il se mettait à suffoquer d'émotion, son énorme corps tout secoué de sanglots. Résultat, l'empereur ne cessait de donner, et le sang-mêlé de recevoir, mais étrangement, personne ne trouvait son attitude affectée. Il se comportait toujours de façon extrêmement naturelle, et n'avait jamais l'air de forcer la main au monarque.

Il demanda le commandement des terres à pâturage du Sien Tsi, et Siuan-tsong le nomma immédiatement

5. Poste de vice-président du département des Affaires d'Etat.

gouverneur militaire des pâturages de la Droite du Long et du Sien Tsi. Alors An Lou-chan, puisqu'il était nommé au commandement de ces deux régions, demanda aussitôt à cumuler ces fonctions avec celles d'inspecteur général. Siuan-tsong lui accorda tout de suite satisfaction. An Lou-chan riposta en demandant que Tsi Wen, qui faisait partie de son état-major, soit nommé vice-président du ministère des Armées et commissaire impérial délégué du Sien tsi. C'était vraiment une chose extraordinaire de voir An Lou-chan pousser ainsi sans relâche ses avantages jusqu'à la plus extrême limite. C'est ainsi que Tsi Wen put officiellement regrouper des troupeaux de chevaux de bataille et en faire l'élevage.

Les exigences d'An Lou-chan étaient illimitées. Il se tourna à nouveau vers l'empereur.

– Les soldats de mes provinces ont écrasé les Si, les Kitans, les Neuf Clans et les T'ong-lo, et se sont distingués par leurs actions d'éclat. Mon souhait le plus cher serait, rompant avec la tradition, de leur accorder des récompenses exceptionnelles.

C'est ainsi qu'eut lieu une distribution de récompenses exceptionnelles selon les mérites, destinée aux soldats placés sous le commandement d'An Lou-chan : plus de cinq cents d'entre eux furent promus généraux en chef et plus de deux mille furent nommés généraux divisionnaires. An Lou-chan avait, de son côté, préparé une énorme quantité de présents à offrir à ses subordonnés.

Après avoir profité de la sorte de tous les avantages qui s'offraient à lui, An Lou-chan quitta la capitale le troisième mois. Au moment de son départ, Siuan-tsong ôta son propre manteau pour le lui offrir. Conformément aux ordres de l'empereur, Kao Li-che accompagna le voyageur jusqu'à la Pente-de-la-Félicité-Eternelle, située à l'est de la cité impériale de Tch'ang-an, où fut donné un banquet d'adieu. Il était clair aux yeux de chacun que les recommandations de la Koueifei étaient derrière ces faveurs spécialement réservées à An Lou-chan.

An Lou-chan s'était conduit avec la plus grande insouciance durant son séjour à Tch'ang-an, allant et venant sans protection ni gardes du corps, à tel point que cela ressemblait à de l'inconscience, mais il changea de comportement dès qu'il fut loin de la capitale. Il galopa jusqu'à la barrière de douane pour quitter la province, et poursuivit son voyage en bateau, le long du fleuve Jaune. Changeant d'équipage toutes les lieues et demie, il navigua jour et nuit, progressant de plusieurs dizaines de lieues par jour, laissant derrière lui préfectures et commanderies, sans jamais descendre de bateau. Il va sans dire que ces précautions étaient destinées à déjouer la poursuite de présumés assassins lancés sur ses traces par Yang Kouo-tchong.

Un mois après le retour d'An Lou-chan à Fan-yang, Ko-chou Han vint à son tour réclamer pour ses subordonnés des récompenses appropriées à leurs faits d'armes et à leurs mérites. Ayant déjà accepté la requête de Lou-chan, Siuan-tsong ne pouvait maintenant décliner celle de Ko-chou Han. Il accorda par conséquent le titre de général à de nombreux combattants des confins de l'empire, à commencer par un personnage dont le titre complet, d'une impossible longueur, était « Kouei-jen le Houo-pa, prince de la commanderie de Yen-chan, gouverneur militaire de la préfecture de Houo-pa, exceptionnellement promu dixième général de la Droite du Long », qui fut en outre nommé grand général de la Cavalerie Hardie.

Au sixième mois eut lieu une éclipse de soleil, que Yang Kouei-fei eut le loisir d'observer de l'angle d'une des galeries du palais, en compagnie de Siuan-tsong. Pendant plusieurs jours, elle fut en proie à une angoisse diffuse, un pressentiment de quelque grand changement à venir sous le Ciel.

L'été de cette année-là, Li Mi, général des forces de réserve du Sud-de-l'Epée, lança une offensive contre les Nan-tchao, à la tête de soixante-dix mille soldats. C'était la première opération militaire lancée par le gouvernement central dans le Sud de longue date, mais elle se solda par un échec total : Li Mi fut capturé, ses troupes entièrement décimées par les fièvres, la famine et les violentes attaques des barbares. Yang Kouo-tchong dissimula la défaite et continua à envoyer des soldats dans la région, élevant ainsi le nombre total des victimes à deux cent mille.

Siuan-tsong déclara un jour à Kao Li-che :

– Maintenant que je suis vieux, je préfère confier le soin des affaires de la Cour au Premier ministre, et celui des affaires militaires des confins de l'empire à mes généraux. Nous n'avons heureusement aucun sujet d'inquiétude.

A quoi l'eunuque répondit que, si l'empereur était vieux, il l'était lui aussi. La Kouei-fei n'avait jamais vu sur le visage du vieil eunuque expression si intense qu'en cet instant. Les commissures de ses lèvres tremblèrent quelques instants, tandis qu'il regardait l'empereur fixement, et ces mots s'échappèrent finalement de sa bouche :

– A ce que j'entends dire, nous ne cessons de perdre des effectifs dans la guerre du Yun-nan, tandis que la puissance militaire des généraux en poste aux frontières, à la tête d'immenses troupes, ne fait qu'augmenter. Comment Votre Majesté compte-t-elle remédier à cette situation ? Si un malheur arrive, je crains fort qu'elle ne devienne vite désespérée. Comment pouvez-vous dire qu'il n'y a aucun motif d'inquiétude ?

– Je sais, répondit simplement Siuan-tsong.

Yang Kouei-fei observait le visage de l'empereur. Quatorze années s'étaient écoulées depuis qu'il l'avait fait mander pour la première fois au palais de la Pure Splendeur, en l'an vingt-deux de l'ère de la Fondation, et le vieux souverain était maintenant âgé de soixante-dix ans. Seules ses entrevues avec An Lou-chan avaient la capacité de ramener un semblant de vitalité sur son visage, mais à part cela, ses sensations étaient en permanence aussi mornes qu'un insondable marais. Certes, les nuits où la peur des assassins fantômes le maintenaient éveillé avaient disparu, mais Yang Kouei-fei ne voyait là que la preuve de son indifférence à tout.

Au cours de l'automne eurent lieu quelques mutations de fonctionnaires, tant civils que militaires. Tch'en Si-lie, que Yang Kouo-tchong haïssait, se retira de la politique pour devenir Grand Précepteur du prince héritier, et fut remplacé par Wei Kien-sou, vice-président du ministère des Lettrés, un des partisans de Yang Kouo-tchong. Wei Tche, qui cumulait les fonctions de commissaire impérial enquêteur des provinces et préfet du Ho-tong fut soumis à la question sous l'inculpation de corruption et rétrogradé au rang de fonctionnaire militaire au Col-des-Canneliers. On prétendit que ces mesures avaient été suscitées par Yang Kouo-tchong, jaloux du renom de Wei Tche. Tsi Wen enfin, vice-président du ministère des Armées, considéré comme un farouche partisan d'An Lou-chan, fut rétrogradé au poste d'officier d'ordonnance à Li-yang. A l'issue de ces modifications, la composition du gouvernement central correspondait aux souhaits de Yang Kouo-tchong.

Des périodes d'inondations puis de sécheresse alternaient depuis plus d'un an. Les silhouettes des affamés commençaient à se profiler aux portes mêmes de la capitale. A l'automne, de longues pluies se succédèrent. Comme Siuan-tsong se lamentait du retard infligé aux moissons par ces pluies incessantes, Kao Li-che lui dit :

– Depuis que Votre Majesté a cédé le pouvoir au Premier ministre, récompenses et châtiments ne connaissent plus de justice, le Yin et le Yang ne sont plus en harmonie. Moi-même je ne sais plus que faire, au point où nous sommes parvenus.

– Je sais, répondit seulement l'empereur.

Il était devenu d'une extrême faiblesse, même vis-à-vis de Kao Li-che, et ne se fâchait jamais, quoi que celui-ci pût lui dire.

Les courtisans lui présentèrent un nouveau titre respectueux le deuxième mois de cette année-là, et cela lui procura quelques jours de joie. Le Sage Empereur Vertueux Emblème de la Voie et de la Piété Filiale, Lettré et Divin Guerrier, Fondateur et Grand Trésor du Ciel et de la Terre, auquel ce nom allait bien mal, se faisait tout petit dans les bras de sa favorite, blotti contre sa plantureuse poitrine. Siuan-tsong était en effet devenu extrêmement craintif vis-à-vis de la Kouei-fei, à laquelle il obéissait en tout. Elle pouvait maintenant réaliser tous ses vœux, donnant ses ordres par la bouche de Siuan-tsong. Son pouvoir augmentait de jour en jour, et les vassaux commençaient à considérer le monarque et sa favorite, non plus comme deux personnes distinctes, mais comme une seule et unique entité. Yang Kouei-fei, cependant, était loin d'avoir tout accompli. Elle avait encore beaucoup à faire pour assurer sa propre sécurité, et ne connaîtrait de répit que quand elle aurait fait sien le pouvoir dont disposait Yang Kouo-tchong. Il lui était difficile de se fier au Premier ministre, bien qu'il fût son propre cousin, et elle ne pouvait pas non plus négliger le problème du prince héritier Heng. A cette fin, elle devait consolider son alliance avec An Lou-chan.

Yang Kouei-fei passait parfois des nuits entières à penser à l'impératrice Wou Tsö-t'ien, la propre grand-mère de Siuan-tsong. L'impératrice Wou n'avait pas hésité a faire exécuter tous ceux qui offensaient sa vue, y compris les membres de sa propre famille. Aujourd'hui, Yang Kouei-fei n'était pas sans la comprendre. Mais faire exécuter Yang Kouo-tchong aurait signifié condamner aussi à mort tous ceux qui naviguaient dans son sillage. Si elle faisait le compte de tous les hommes et les femmes qu'il faudrait alors exécuter, il devenait impossible de critiquer l'impératrice Wou, cette meurtrière notoire. Yang Kouei-fei devrait elle aussi devenir une criminelle de la même trempe, voire plus assoiffée de sang encore... Ces soirs-là, terrorisée, la Précieuse Epouse faisait appeler Kao Li-che. Il n'était plus qu'un vieil eunuque dépourvu de force, mais le savoir sous le même toit qu'elle lui permettait, comme à Siuan-tsong autrefois, de dormir en paix.

Au Nouvel An de l'An Quatorze de l'ère du Céleste Trésor, Si No-lo, fils de Sou Pi, prince de Tourfan, déposa les armes. Depuis l'année précédente, inondations et canicule se succédaient, et de nombreux habitants de la capitale souffraient de famine. De surcroît, des incidents désagréables ne cessaient de se produire, comme par exemple les émeutes provoquées dans le peuple par les vagues d'arrestation ordonnées par Yang Kouo-tchong. La reddition de Si No-lo était la première nouvelle de bon augure parvenant à la capitale depuis fort longtemps. Siuan-tsong, de même que son entourage, commença à espérer que l'An Quatorze du Céleste Trésor serait paisible.

Au deuxième mois, Siang Ts'ien-nien, général en second d'An Lou-chan, se rendit à la capitale : il venait demander à l'empereur l'autorisation de remplacer les trente-deux généraux han en poste dans les territoires frontaliers par des généraux barbares. An Lou-chan lui-même étant d'origine barbare, la présence de Han parmi ses subordonnés était source de désaccord pour des vétilles. D'importantes opérations militaires devaient avoir lieu cette année contre les Tourfans et les Kitans, aussi Siang Ts'ien-nien demandait-il résolument à l'empereur de remplacer les généraux han par des barbares, afin de garantir l'efficacité des opérations de combat.

Siuan-tsong soumit immédiatement le sujet aux délibérations de la Cour. Yang Kouo-tchong, Wei Kien-sou et leurs partisans s'y opposèrent.

– Les intentions subversives d'An Lou-chan sont connues de longue date, déclara Wei Kien-sou. Pareille exigence ne fait que confirmer l'imminence d'une révolte.

Yang Kouo-tchong exposa à son tour des vues similaires, sans obtenir l'attention de l'empereur. Sur tout autre sujet, Siuan-tsong se pliait aux avis de son Premier ministre, mais dès qu'il s'agissait de son protégé, il refusait de les suivre. Récusant les propos du Premier ministre, il s'obstinait à défendre An Lou-chan, comme si c'était son dernier bastion de résistance. Plutôt qu'An Lou-chan lui-même, le vieil empereur semblait chercher à protéger ainsi l'ultime citadelle de son propre pouvoir. Son opiniâtreté était celle du général d'une armée en déroute, défendant sa dernière forteresse avec l'énergie du désespoir, après avoir vu sombrer toutes les autres. Et c'est avec le regard d'un guetteur que Yang Kouei-fei observait alors Siuan-tsong.

Finalement, Fou K'ieou-lin fut envoyé en émissaire

auprès d'An Lou-chan. Sous le prétexte d'apporter à An Lou-chan un présent de fruits rares, son but véritable consistait en une reconnaissance des mouvements de troupes d'An Lou-chan. Peu après le départ de Fou K'ieou-lin en mission, Ko-chou Han, commissaire impérial au commandement de la Droite du Long, arriva à son tour, mais il avait contracté une maladie à mi-chemin du voyage, et dut rester alité à la capitale.

Au quatrième mois, Fou K'ieou-lin fut de retour : « Lou-chan sert l'empire avec la plus grande loyauté. Il est impensable qu'il soit félon », disait son rapport à l'empereur. Au cours de ce même mois, un messager d'An Lou-chan vint porter à la capitale la nouvelle de sa victoire sur les Si et les Kitans. Cette annonce était fort opportune, et balaya sans laisser de traces les propos négatifs de Yang Kouo-tchong, répétant toujours à qui voulait l'entendre que Lou-chan fomentait la révolte.

Au cinquième mois, le Premier ministre conçut un plan destiné à pallier à la rébellion du barbare. La répétition de ses plaintes alarmantes ne parvenant pas à convaincre l'empereur, il eut recours aux moyens d'urgence : il fit surveiller jour et nuit la résidence de Lou-chan à la capitale par des fonctionnaires de la police postés tout autour, donna l'ordre d'arrêter Li Tch'ao et d'autres invités d'An Lou-chan, les fit expédier en prison par le tribunal des censeurs, et les fit exécuter sur un simple prétexte.

Immédiatement après cet épisode, Kao Li-che vint trouver Yang Kouei-fei :

– La situation est grave. Yang Kouo-tchong a finalement décidé de mettre en œuvre ses propres moyens pour se défendre d'An Lou-chan. Par le Ciel, c'est terrible ! La situation m'échappe totalement, je ne peux plus rien faire maintenant.

Kao Li-che était blême, sa voix avait un accent insolite.

– Que puis-je faire ? Parlez, je suivrai vos instructions, quelles qu'elles soient, répondit la Précieuse Epouse, aussi blême que lui.

– An Lou-chan doit déjà être au courant de ce qu'a

fait le Premier ministre Yang, ses partisans à la capitale n'ont pu manquer d'envoyer un messager à Fan-yang. Et dans ce cas, Lou-chan est capable de tout... Sa base d'opérations de Fan-yang est probablement en ébullition à l'heure qu'il est ; tout est sens dessus dessous, les chevaux de bataille hennissent, les soldats sont déjà en marche... Les émissaires envoyés jusqu'à présent pour surveiller ses mouvements sont tous revenus clamer bien haut sa loyauté à l'empereur, mais le messager qu'on enverrait aujourd'hui serait d'un tout autre avis. Quiconque foulera le sol de Fan-yang sera maintenant obligé, je pense, de reconnaître que la révolte gronde dans les territoires frontaliers, et il faudra bien, dans ce cas, en aviser Sa Majesté...

La Précieuse Epouse demanda ce jour-là à l'empereur s'il pouvait prendre les dispositions nécessaires à la venue d'An Lou-chan, qu'elle souhaitait inviter à son propre banquet d'anniversaire. Siuan-tsong donna aussitôt son consentement au projet.

– Enfin ! De nouveau un banquet en compagnie du sang-mêlé ! s'exclama-t-il.

Les deux seules personnes capables désormais de faire vibrer d'émotion le cœur de Siuan-tsong étaient Yang Kouei-fei et An Lou-chan, et nul autre au monde. Pour quelle raison aurait-il refusé d'accéder à la demande faite par sa favorite d'inviter son protégé ?

Le messager envoyé à Fan-yang rentra quarante jours plus tard à Tch'ang-an, et fit le rapport suivant :

– Je n'ai pu rencontrer Lou-chan, qui se dit malade. Il a décliné l'invitation de la Cour, toujours à cause de cette maladie. Fan-yang regorge de soldats et de chevaux, il y règne une atmosphère insolite.

Ce rapport mit Siuan-tsong de mauvaise humeur. Sa colère était due, non à la gravité de la situation, mais simplement à son attente déçue. Il ne croyait absolument pas aux intentions de révolte de son favori, qui étaient à ses yeux pure fantasmagorie. Yang Kouei-fei non plus ne parvenait pas à faire le lien dans son esprit entre la situation dans les régions frontières et les supposés projets de rébellion d'An Lou-chan.

Dix jours après le retour du messager, Yen

Tchouang, l'un des subordonnés de Lou-chan, se présenta à la capitale : il venait énoncer à l'empereur, sur un ton extrêmement virulent, une liste de vingt-quatre crimes reprochés à Yang Kouo-tchong.

– Pourquoi le sang-mêlé se fâche-t-il ainsi ? fit Siuan-tsong.

Il décida de restaurer à son ancien poste le subordonné d'An Lou-chan, qui avait été rabaissé en rang peu auparavant, et fit informer An Lou-chan de cette décision. La Kouei-fei était elle aussi persuadée que, si le barbare nourrissait d'inquiétants desseins, c'était uniquement envers Yang Kouo-tchong, et elle ne pouvait l'imaginer s'attaquant à l'empire des T'ang.

Au septième mois, An Lou-chan manifesta son désir d'offrir près de trois mille chevaux à l'empereur en témoignage de sa reconnaissance. Il enverrait chacune de ses bêtes accompagnée de deux cavaliers, et avec eux vingt-deux généraux barbares ; comme cela représentait un mouvement de troupes important, il souhaitait s'assurer au préalable de l'autorisation impériale. Ta Si-siun, préfet du Ho-nan, proposa un plan en réponse à ce message :

– Tout mouvement de chevaux ou de soldats des régions frontalières doit être considéré comme menaçant. Votre Majesté devrait conseiller à An Lou-chan d'attendre l'hiver pour mettre ses chevaux en marche. Quant aux hommes, c'est l'administration elle-même qui les fournira, afin, dirons-nous, d'éviter tout dérangement à son armée.

La présentation des chevaux devait se faire en hiver – des soldats du gouvernement central de Tch'ang-an seraient dépêchés pour aider à leur déplacement. Nul besoin de déranger ses propres troupes : telle devait être la teneur du message.

Quand il prit connaissance de l'avis de Ta Si-siun, Siuan-tsong conçut pour la première fois un doute quant aux exigences d'An Lou-chan. Il eut une étrange grimace.

– Sang-mêlé... Ah, Sang-mêlé... répétait-il.

Ensuite il demanda à Kao Li-che et à la Précieuse Epouse quel était à leur avis le véritable dessein d'An

Lou-chan en procédant à ce déplacement de chevaux. La Kouei-fei resta silencieuse, mais Kao Li-che répondit :

– A mon avis, il s'agit d'une menace. Pourquoi voudrait-il maintenant, tout à coup, vous offrir des chevaux ? Soit dit en passant, j'ai découvert récemment que Fou K'ieou-lin, qui a affirmé à son retour de Fan-yang la loyauté de Lou-chan à l'égard de Votre Majesté, avait pour cela touché un pot-de-vin du barbare.

A ces mots, Siuan-tsong changea de couleur.

– Comment ? Fou K'ieou-lin, corrompu par Lou-chan ?

Et il se mit à répéter à nouveau : « Sang-mêlé... Ah, diable de Sang-mêlé... » avant de reprendre :

– Que l'on envoie Feng Chen-wei en émissaire pour informer Lou-chan que nous interdisons tout déplacement de chevaux, par un décret spécialement écrit de notre main. Dites-lui aussi que nous ferons construire de nouveaux thermes spécialement pour lui, et l'attendons au dixième mois au palais de la Pure Splendeur.

Chen-wei le messager se rendit à Fan-yang conformément aux ordres, et rentra à Tch'ang-an au début du dixième mois. Il rapporta en détail son entrevue avec Lou-chan :

– J'ai mis vingt jours pour arriver à Fan-yang. J'ai trouvé Lou-chan assis sur son lit, et il a dit sans changer de position ni courber la tête : « La paix soit avec l'Empereur Sacré. » Puis il a dit encore : « Je trouverai une autre occasion d'offrir ces chevaux, et viendrai à la capitale au grand jour lors du dixième mois. » Puis j'ai été emmené contre mon gré dans une résidence où l'on m'a confiné jusqu'à ce que l'on me renvoie, sans que j'aie pu rencontrer Lou-chan à nouveau.

Le rapport de Chen-wei fit clairement comprendre à tous que Lou-chan commençait à aiguiser le tranchant de sa lame contre la Cour des T'ang. Les circonstances obligeaient la Précieuse Epouse elle-même à reconnaître qu'il avait bel et bien l'intention de se révolter, mais sa colère, sans s'arrêter sur le barbare, restait uniquement concentrée sur la personne de son cousin. Malgré les intentions belliqueuses clairement manifestées par

Lou-chan, elle ne pouvait croire qu'il s'attaquerait à la Cour des T'ang. Elle était persuadée qu'il s'agissait d'une déclaration d'insubordination à l'autorité du gouvernement central, sans plus ; tout le monde, y compris Kao Li-che et Yang Kouo-tchong, partageait cet avis, à commencer par Siuan-tsong. On savait maintenant que, tôt ou tard, des changements se produiraient dans les régions frontalières, mais personne ne pensait que cela aurait la moindre incidence sur la capitale : après tout, ces événements avaient lieu aux confins de l'empire, à plusieurs milliers de lieues de Tch'ang-an.

Au huitième mois, un décret impérial exempta les paysans des taxes et redevances de l'année. Au dixième mois, l'empereur se rendit, comme l'année précédente, au palais de la Pure Splendeur. Ko-chou Han était en train d'organiser une expédition punitive contre An Lou-chan, et on tenait fréquemment conseil au palais pour discuter ce projet. La Kouei-fei soutenait qu'une tentative pour dissiper le malentendu et faire revenir le général barbare sur ses intentions de révolte était préférable à un recours armé. Elle réussit à convaincre Siuan-tsong et de nombreux dignitaires, mais Yang Kouo-tchong continua à s'opposer à cet avis.

Chapitre 7

Le neuvième jour du onzième mois, An Lou-chan lança soudain à Fan-yan le signal de la rébellion. Le général barbare, dont le pouvoir s'étendait à l'ensemble des frontières du Nord, avait passé dix ans à nourrir de secrètes ambitions, et trouvait enfin la situation assez mûre pour brandir l'étendard de la révolte.

Les ordres furent donnés en secret : An Lou-chan devait marcher sur la capitale à la tête de son armée pour abattre Yang Kouo-tchong, et tous les soldats devaient rejoindre les rangs. Tous les corps d'armée sous son autorité, ainsi que ses bataillons de barbares T'ong-lo, Si, KitanS et Che-wei[1] reçurent l'ordre de marche. Pour justifier ce vaste mouvement de troupes, An Lou-chan prétendit avoir reçu de Siuan-tsong l'ordre secret de marcher sur Tch'ang-an pour éliminer Yang Kouo-tchong. Seuls quelques généraux de son entourage immédiat savaient qu'il s'agissait en réalité d'un acte de rébellion, dont le but était l'écrasement des T'ang et du gouvernement central. An Lou-chan mit en route cent cinquante mille soldats, et en appela deux cent mille. Kia Siun, vice-commissaire impérial au commandement de Fan-yang, fut assigné à la protection de Fan-yang, Lu Tche-houei, commissaire impérial au commandement de P'ing-lou, à la protection de P'ing-lou, et le général Kao Sieou-yen à celle de

---

1. Barbares de Mongolie orientale.

l'ensemble de ces deux régions, tandis que toutes les autres unités quittaient Fan-yang à la faveur de la nuit en direction du sud.

A l'aube du jour suivant, Lou-chan harangua ses troupes : ceux parmi ses soldats qui objecteraient aux ordres et prêcheraient l'insubordination seraient exécutés séance tenante, ainsi que leurs familles et descendants jusqu'à la troisième génération.

« Lou-chan monta sur son char de guerre, l'élite de ses fantassins et de ses cavaliers soulevait sur mille lieues un nuage de poussière, tandis que le grondement des tambours faisait trembler la terre. L'empire avait longtemps vécu dans la paix, le peuple n'avait pas entendu le fracas des armes depuis plusieurs générations, aussi la nouvelle que l'armée de Fan-yang était en marche sema-t-elle l'épouvante dans tout le pays », rapporte le *Miroir général de l'histoire*. Et Po Kiu-yi évoque ce même moment dans *Le Chant de l'éternel regret* :

« Surgis de Yu-yang,
Les tambours de guerre font trembler le sol à leur
[approche. » [2]

La nouvelle de la révolte parvint au palais de la Pure Splendeur le dixième jour du onzième mois. L'assistant du fonctionnaire gardien de la capitale septentrionale, dans les plaines de T'ai-yuan, fut le premier à annoncer le déferlement de l'armée d'An Lou-chan dans la vallée du fleuve Jaune ; le commandement de la ville forte de la Barrière-Orientale confirma ensuite la nouvelle de la rébellion.

Siuan-tsong se refusa d'abord à y croire, mais quand un messager de la ville forte de la Barrière-Orientale se présenta pour la deuxième fois, il commença enfin à se rendre compte de la gravité de la situation. Six jours déjà s'étaient écoulés depuis le départ de l'armée d'An Lou-chan.

---

2. Voir note 2 chapitre 1.

L'assemblée des dignitaires de la Cour se réunit le soir même en session extraordinaire. Siuan-tsong arriva le premier, suivi de Yang Kouo-tchong puis de Kao Li-che, enfin de tous les notables qui accoururent successivement, le visage grave, dans la salle de conseil du palais. La Précieuse Epouse assistait également à la réunion.

Tous les dignitaires de la Cour arrivaient hors d'haleine dans la pièce – était-ce à cause de la forte déclivité des galeries qu'ils avaient suivies pour venir ? – et tous, comme d'un commun accord, s'asseyaient sans un mot de salutation sur les sièges disposés à cet effet, visiblement accourus à la nouvelle de la crise grave que traversait l'empire.

Siuan-tsong posa immédiatement la question des dispositions à prendre pour pallier la situation. Personne ne répondit tout de suite. La Précieuse Epouse observait la rangée des notables : tous arboraient la mine perplexe de gens complètement dépassés par les événements.

Le nez et les yeux mangeaient tout le visage de Kao Li-che. Son appendice nasal proéminent et ses larges yeux l'avaient toujours caractérisé, mais maintenant on ne voyait réellement plus que ces deux éléments dans son visage tout ratatiné de vieillard. A l'évidence, l'eunuque avait été dupe d'An Lou-chan. Tant que le barbare avait gardé secrètes ses intentions, et même après qu'il les ait dévoilées, Kao Li-che avait toujours soutenu qu'il n'y avait aucune urgence à s'en préoccuper, et il y croyait dur comme fer. Il avait toujours considéré comme impensable qu'An Lou-chan déclenche les hostilités contre le gouvernement central, et voilà qu'aujourd'hui le barbare levait sans scrupules son armée contre la Cour.

Siuan-tsong avait une expression plus animée que d'ordinaire. La situation n'avait certes rien de bien réjouissant, mais l'excitation produisait cet effet sur le visage du vieux souverain. Cela faisait plusieurs années qu'il n'avait pas convoqué l'assemblée des notables pour recueillir leur avis, et voilà que, grâce à An Lou-chan, il retrouvait la place de souverain qui lui appartenait. Ce géant de sang-mêlé, en qui il avait mis toute sa confiance et son affection, à qui il avait accordé tant et tant de faveurs, l'avait traité d'une façon défiant l'imagination, accumulant tromperie sur tromperie pendant de longues années, pendant plus de dix ans : il était aujourd'hui obligé d'admettre cette vérité. Mais la Précieuse Epouse ne vit s'animer le visage de Siuan-tsong que l'espace d'un instant, et il reprit bientôt son étrange masque d'indifférence. Il ne manifestait ni colère ni chagrin, on eût dit qu'il n'avait d'autre choix que l'indifférence.

Yang Kouo-tchong, assis à côté de l'empereur, croisait et décroisait nerveusement ses doigts, lançant çà et là des regards durs. Son irritation se voyait au premier coup d'œil. Le jeune Premier ministre, il est vrai, avait percé à jour avant tout autre les intentions rebelles du barbare, mais il n'avait jamais pensé les voir prendre forme si vite sous ses propres yeux. Comment aurait-il pu imaginer qu'An Lou-chan marcherait sur la capitale à la tête d'une immense armée ? Etait-il possible que pareille chose soit réellement arrivée ? Mais, quoi qu'en pensât chacun des membres de l'assemblée, il n'en restait pas moins que les tambours de guerre de Yu-yang poursuivaient leur avancée, faisant toujours trembler le sol...

Yang Kouei-fei éclata soudain d'un rire incoercible. Elle ne faisait pas exception, et s'était elle aussi complètement méprise sur la personne d'An Lou-chan, mais son éclat de rire perçant avait une autre cause : le rempart censé la protéger faisait en ce moment marche contre elle, hérissé d'innombrables lames. Elle sentit tous les regards de l'assemblée se tourner simultanément vers elle, mais elle ne pouvait tout simplement plus s'arrêter de rire. « Ah, je ris maintenant ! » se disait-elle, et à cette pensée son hilarité redoublait. Oui, elle riait comme avait ri autrefois Pao-sseu, la favorite du roi Yeou, dans le palais construit sur les pentes de ce même mont du Cheval Noir. C'était la première fois, depuis qu'elle partageait la vie de Siuan-tsong qu'elle riait d'aussi bon cœur.

Son rire s'éteignit brutalement, et Yang Kouo-tchong la regarda d'un air sévère comme pour la réprimander d'exprimer pareille joie, avant de prendre la parole d'un ton solennel :

– J'avais prévenu Votre Majesté que cela arriverait. Et pas une fois seulement, ni même deux...

Siuan-tsong n'avait rien à répondre à ces paroles : c'était la vérité même. Yang Kouo-tchong poursuivit :

– Cependant, An Lou-chan est isolé pour l'instant. Le reste des officiers et des soldats n'est pas favorable à un soulèvement contre le gouvernement central, et la nouvelle de l'écrasement de la rébellion devrait parvenir ici même, au palais de la Pure Splendeur, avant dix jours.

A ces mots, comme sur un signal, tous les membres de l'assemblée se mirent à parler en même temps ; chacun y allait de son commentaire. Quand l'un des notables déclara que le véritable responsable de la situation était le défunt Premier ministre Li, cela déclencha des clameurs, comme si tous se remémoraient un fait d'une importance primordiale, oublié jusque-là. La haine abattit de nouveau son fouet sur le défunt Li Lin-fou. Lin-fou était sans aucun doute responsable du cruel manque de soldats à la capitale, qui empêchait la Cour de riposter à l'armée d'An Lou-chan. La politique du précédent Premier ministre, consistant à favoriser les généraux d'origine barbare, et à minimiser le pouvoir des généraux han sur les lignes défensives des frontières, afin de consolider sa propre position, pouvait certainement être considérée comme une cause lointaine du problème actuel.

Siuan-tsong leva la séance, suivi de Yang Kouei-fei, Yang Kouo-tchong et Kao Li-che. Après leur départ, les notables restants reprirent leur attitude songeuse du début de la réunion et restèrent longtemps silencieux. Ils n'avaient rien à se dire. Tout ce qu'ils savaient, c'était qu'il leur fallait maintenant rester confinés à leur poste, entre les murs du palais.

Des mesures d'urgence furent prises ce jour-là pour la défense de deux lieux stratégiques : le Ho-tong et la capitale orientale Lo-yang. On désigna des généraux pour se rendre sur place, mais les effectifs pour les accompagner posaient problème : il aurait fallu à chaque général plusieurs dizaines de milliers de soldats au minimum, or l'armée de réserve était pratiquement inexistante. La seule solution était d'enrôler d'urgence des paysans pour servir de soldats.

Le lendemain, Feng Tch'ang-ts'ing, commissaire impérial au commandement du An-si, fit son entrée à la Cour, et fut immédiatement envoyé au palais de la Pure Splendeur. Ce général inspira confiance aux notables : sa large stature et sa rude apparence avaient le don de rassurer. Lors de son audience avec l'empereur, il parla d'une voix tonnante, telle que personne au palais n'en avait entendue depuis longtemps.

– Nous vivons une ère paisible, aussi les insurrections sont-elles honnies du peuple. L'ordre doit continuer à régner, la force militaire doit prévaloir.

Il s'exprimait de façon étrange et incompréhensible.

– Je galoperai à bride abattue jusqu'à la capitale orientale. Une fois là, je ferai ouvrir les coffres de l'administration, et recruterai les hommes les plus courageux, puis je passerai le fleuve Jaune, et sous peu de jours, je serai de retour à la capitale avec la tête du barbare sous mon bras. Majesté, si tel est votre souhait, sa tête roulera bientôt à vos pieds, je m'y engage !

C'était là un discours on ne peut plus rassurant. Le jour même, Feng Tch'ang-ts'ing était nommé commissaire impérial au commandement des régions de Fan-yang et de P'ing-lou, et, au cours de la nuit, il quittait le mont du Cheval Noir pour Lo-yang, la capitale orientale. A partir de ce moment tout le palais de la Pure Splendeur fut en branle-bas de combat : on tenait conseil en permanence, des messagers étaient envoyés dans toutes les directions, de jour comme de nuit. Les mouvements de l'armée insurrectionnelle étaient suivis jour après jour, mais l'authenticité des nouvelles rapportées par les messagers donnaient chaque fois lieu à de bruyants débats : l'armée d'An Lou-chan progressait vers le sud avec une telle rapidité qu'on ne pouvait y croire.

Feng Tch'ang-ts'ing, à qui ses vantardises avaient valu le titre de commissaire impérial de Fan-yang et de

P'ing-lou, se montra fidèle à ses promesses et recruta des soldats dès son arrivée à Lo-yang ; en moins de dix jours, il avait rassemblé une armée de soixante mille hommes, et renforcé les défenses en coupant le pont de Ho-yang. Cette nouvelle ramena soudain l'optimisme au palais de la Pure Splendeur : Feng Tch'ang-ts'ing rapporterait bientôt la tête d'An Lou-chan, personne n'en doutait.

Siuan-tsong mit rapidement terme à son séjour au mont du Cheval Noir, et rentra au palais de Tch'ang-an le vingt et unième jour du onzième mois, six jours après l'annonce de la rébellion d'An Lou-chan. Le jour même, toutes les personnes en relation avec An Lou-chan dans la capitale furent exécutées ou condamnées à mort. An Ts'in-tsong, l'un des fils du barbare, fut exécuté. La mise en place de l'état d'urgence dans l'empire fut annoncée, des mutations de fonctionnaires prévues dans les provinces, et des commissaires impériaux à la défense du pays mis en poste sur tous les points stratégiques. Deux ou trois jours plus tard, un décret impérial donna l'ordre de route vers l'est à l'ensemble des régiments du corps expéditionnaire oriental. Wan, prince de Jong et cinquième fils de Siuan-tsong en serait le maréchal, et Kao Sien-tche le général en second. Parallèlement à cela, on recruta cent dix mille soldats, et ce nouveau corps d'armée fut dénommé « Armée des Guerriers du Ciel ». Ces soldats, rassemblés en moins de dix jours, étaient tous des jeunes gens de Tch'ang-an.

Kao Sien-tche quitta la capitale au début du onzième mois, à la tête de cinq cent mille soldats, pour se rendre en garnison à Chan-tcheou, à mi-chemin de Tch'ang-an et de Lo-yang. Wan, prince de Jong, n'était maréchal que de nom, et restait en fait à la capitale tandis que le commandement effectif de l'armée était confié tout entier à Kao Sien-tche. Ce général, originaire du royaume coréen de Kôrai, s'était auréolé de gloire militaire dans les batailles contre les villes fortes barbares. S'il portait aussi la flétrissure de la défaite de l'expédition d'autrefois au Territoire des Pierres, par-delà les Monts du Ciel, ses nombreux exploits lui avaient par ailleurs valu la réputation d'un grand général.

Au moment où Kao Sien-tche quittait Tch'ang-an, l'armée d'An Lou-chan venait de franchir en hâte le fleuve Jaune, et continuait inexorablement sa progression vers les terres du Ho-nan. Les troupes rebelles déferlaient à une incroyable vitesse, prenant toutes les villes fortifiées qu'elles traversaient, tuant tous ceux qui leur résistaient. Le huitième jour du douzième mois, ils arrivaient aux portes de la capitale orientale.

Feng Tch'ang-ts'ing, le général fanfaron, affronta l'armée d'An Lou-chan dans les faubourgs extérieurs de Lo-yang. C'était la première bataille que livraient ses troupes hétéroclites, et en face des soldats rebelles, coutumiers des campagnes menées sur les frontières, l'armée commandée par Feng Tch'ang-ts'ing n'était qu'une multitude confuse dépourvue du moindre entraînement. Sa défaite fut tout de suite assurée.

Le treizième jour du douzième mois, l'armée d'An Lou-chan entrait dans Lo-yang. Li Teng, Lou Yi et Kiang Ts'in-teng, chargés de défendre la capitale, périrent tous dans la bataille. Trente jours seulement s'étaient écoulés depuis qu'An Lou-chan avait brandi l'étendard de la révolte. Rassemblant les vaincus, Feng Tch'ang-ts'ing s'enfuit de Lo-yang, et battit en retraite jusqu'à Chan-tcheou, où il rejoignit l'armée de Kao Sien-tche. Puis les deux généraux abandonnèrent Chan-tcheou pour emmener leurs troupes en garnison à la Passe de T'ong, haut lieu stratégique où, pensaient-ils, il leur serait plus facile d'arrêter l'avancée des forces d'invasion.

La nouvelle de la chute de Lo-yang aux mains de l'ennemi fit frémir tout Tch'ang-an d'épouvante. Non seulement personne n'avait imaginé qu'An Lou-chan fondrait aussi rapidement sur le Sud, mais personne non plus n'avait prévu que la capitale orientale capitulerait si facilement.

Siuan-tsong trembla de rage en apprenant que Feng Tch'ang-ts'ing avait battu en retraite jusqu'à Chan-tcheou sans pouvoir contenir l'armée rebelle. A ses oreilles résonnait encore la voix du général affirmant qu'il lui ramènerait en trophée la tête du barbare et la ferait rouler à ses pieds. Après lui avoir accordé sa confiance et misé sur lui tous ses espoirs, il ne pouvait lui pardonner sa lâche défaite.

– Le général Feng Tch'ang-ts'ing doit reconquérir Lo-yang. Qu'on lui donne l'ordre de quitter immédiatement le Chan-si et de marcher sur la capitale orientale, laissa tomber l'empereur.

Mais avant même que son messager ait le temps de se mettre en route, la nouvelle lui parvenait que Feng Tch'ang-ts'ing, loin de se diriger vers Lo-yang, avait poursuivi son retrait jusqu'à la Passe de T'ong. Et non seulement lui, mais jusqu'à Kao Sien-tche, à qui il avait confié le commandement des cinq cent mille hommes du corps expéditionnaire oriental, qui avait battu en retraite sans même livrer combat, et se trouvait en garnison à la Passe de T'ong !

La fureur de Siuan-tsong dès cet instant ne connut plus de bornes. Quoi que pût lui dire son entourage, il ne voulait rien entendre ; les deux généraux n'étaient à ses yeux que des lâches.

– Qu'on les exécute tous les deux ! Qu'on leur tranche la tête, au beau milieu de leur camp !

Yang Kouo-tchong le premier, et avec lui tous les notables présents, affirmèrent d'une seule voix qu'il ne fallait absolument pas, dans les circonstances actuelles, perdre un seul homme, soldat ou général, sinon au combat. Siuan-tsong refusa de les écouter. La Précieuse Epouse n'intervenait jamais sur des sujets de ce genre, mais au fond de son cœur elle soutenait l'empereur : pour la première fois depuis des années, il avait retrouvé l'autorité qui sied à un monarque.

Feng Tch'ang-ts'ing et Kao Sien-tche furent donc exécutés le douzième jour du douzième mois, et Ko-chou Han, le commissaire impérial au commandement de la Droite du Long et du Ho-si, fut chargé à leur place de la défense de la Passe de T'ong. Ko-chou Han se trouvait à la capitale depuis le début de l'année, la maladie l'ayant empêché de regagner son poste, et voilà que ce nouveau poste lui était maintenant échu.

Avant de se mettre en marche vers la Passe de T'ong selon les ordres reçus, Ko-chou Han fut reçu en audience par l'empereur.

– Cet ordre est pour moi l'ultime occasion de servir Votre Majesté. Ces adieux me paraissent opportuns pour remercier Votre Majesté du fond du cœur pour toutes les faveurs dont elle m'a comblé au cours de ces longues années.

Cette façon de s'adresser à l'empereur n'était pas inhabituelle, mais comme la maladie empêchait Ko-chou Han d'articuler clairement, les mots rendaient dans sa bouche un son assez lugubre. Cela ressemblait plus à une visite d'adieu qu'au salut d'un guerrier partant pour le front. Yang Kouei-fei n'avait pas vu Ko-chou Han depuis deux ou trois ans : le guerrier autrefois auréolé de gloire militaire lui parut métamorphosé en vieillard ramolli. La Passe de T'ong était désormais le dernier bastion protégeant encore la Cour des T'ang. Si elle tombait à son tour, ils se trouveraient tous à la merci de l'ennemi, et la Kouei-fei se demandait si ce vieillard indolent marqué par la maladie convenait vraiment pour le rôle primordial de martial défenseur de la Passe de T'ong.

– Pendant de longues années, An Lou-chan et moi n'avons cessé de nous haïr mutuellement. A chacune de nos rencontres, j'ai eu envie de lui trancher le cou, et ce désir était, je crois, réciproque. Cette fois nous allons enfin en découdre sur le champ de bataille, et c'est ouvertement que nous nous battrons à mort. Alors, ou bien ma tête roulera, séparée de mon corps, sous la chaise de camp d'An Lou-chan, ou bien...

A ce point de son discours, Ko-chou Han fut pris d'une incoercible quinte de toux, qui l'empêcha de poursuivre, et laissa l'assemblée sur une impression de mauvais augure : tout le monde garda au fond des yeux cette vision de la tête de Ko-chou Han roulant sous la chaise de camp du chef rebelle.

Le lendemain, Ko-chou Han partit en campagne à la tête des quatre-vingt mille soldats de l'Armée des Guerriers du Ciel, qui était demeurée jusque-là à la capitale. Les cinq cent mille hommes dont Kao Sien-tche avait eu le commandement, ainsi que le corps d'armée de Feng Tch'ang-ts'ing, se trouvaient également sous le commandement de Ko-chou Han. Comme tous les soldats en déroute des différents fronts avaient rallié en masse la Passe de T'ong, le nombre total de soldats de l'armée des T'ang qui y étaient stationnés culminait à deux cent soixante mille, des Han pour la plupart, mêlés de quelques barbares.

Après le départ de Ko-chou Han, le silence se mit à régner sur Tch'ang-an désertée. A l'angoisse qui étreignait le cœur de chaque habitant en sachant l'immense armée d'An Lou-chan en marche contre la ville se mêlait maintenant une part d'espoir : le pouvoir de sortir le pays de l'impasse reposait entre les mains de Ko-chou Han.

Les hauts dignitaires, à commencer par Yang Kouo-tchong, n'avaient plus lors des assemblées que le nom de Ko-chou Han à la bouche. « Ko-chou Han, Ko-chou Han... » entendait-on répéter du matin au soir. Seul le sentiment de l'empereur Siuan-tsong différait légèrement. Non pas qu'il manquât de confiance envers son général, mais, quand il évoquait face à face l'énorme masse du guerrier rebelle et le vieux général accablé par la maladie, ce dernier ne sortait décidément pas vainqueur de la comparaison. En outre, l'empereur avait conscience d'un changement qui s'était produit en lui depuis l'éclatement de la révolte. Tel un lion assoupi s'éveillant brusquement à l'attaque d'un ennemi, Siuan-tsong sentait maintenant une énergie neuve vibrer autour de lui et en lui. Yang Kouei-fei s'était elle aussi rendu compte de cette transformation : le vieux chat plein de torpeur qui s'endormait chaque nuit dans ses bras s'était mué en jeune tigre. Ce tigre lui demanda une nuit :

– Et si je confiais au prince Heng les rênes de l'empire, afin de prendre moi-même le commandement du corps expéditionnaire ? Qu'en penses-tu ?

Cela posait un dilemme à la Précieuse Epouse, qui ne sut d'abord que répondre.

– Ne serait-il pas normal, dans un cas pareil, de prendre moi-même la tête de l'armée pour marcher vers le front, plutôt que de confier cette tâche à Ko-chou Han ?

Yang Kouei-fei contemplait son impérial époux : le voir revenir ainsi à la vie l'enchantait. Oui, il voulait punir de sa propre main l'ingrat qui avait brandi les armes contre lui, il voulait se dresser en personne face aux difficultés et comptait sur ses propres forces pour dénouer la crise de l'empire.

La Précieuse Épouse se sentit gagnée par une douce émotion. Depuis son arrivée le dixième mois de l'an vingt-huit de la Fondation (740), durant ces quinze années, ses rapports en tant que femme avec Siuan-tsong avaient connu des évolutions diverses, mais jamais encore elle n'avait eu de sentiments comparables à maintenant. L'homme qui se tenait en face d'elle n'avait jamais cessé d'être le tout-puissant monarque. Même s'il avait perdu sa vigueur ces dernières années, et si la vieillesse se lisait dans son regard, il avait continué à détenir le pouvoir de réaliser tous ses désirs au monde. Et voilà que se dressait devant lui un homme qui voulait lui arracher son trône, et le dépouiller de sa toute-puissance. Le siège du pouvoir avait vacillé, et Siuan-tsong ne pouvait plus réaliser tout ce qu'il voulait, si fort qu'il le souhaitât.

— Ah, diable de Sang-mêlé !

Cette exclamation lui échappait plusieurs fois par jour, et cette nuit-là encore, il la répéta :

— Diable de Sang-mêlé ! Je veux lui trancher la tête de mon propre sabre. Oui, c'est à moi qu'appartient cette tâche, non à Ko-chou Han !

C'est avec une certaine émotion que Yang Kouei-fei entendit ces mots. Elle se rappelait avoir vu autrefois An Lou-chan se livrer à une danse tournoyante de Sé-rinde. Son corps si gigantesque qu'il en était presque impotent s'était alors mis à tournoyer comme une toupie, à une prodigieuse vitesse. Certainement, c'est à Siuan-tsong et à nul autre qu'il revenait de plonger une lame acérée dans cette monstrueuse toupie en rotation. Ses tourbillons diminuant peu à peu de vitesse, An Lou-chan finirait par s'effondrer d'un bloc, sa poitrine flasque transpercée par la pointe du sabre. Et le sang jaillirait de son corps comme d'une source intarissable...

– Mon vœu le plus cher est de voir Votre Majesté prendre la tête de l'expédition, fit Yang Kouei-fei.

Le lendemain, elle reçut de nombreuses visites. Kao Li-che se présenta le premier. Depuis le début de la rébellion, il s'était fait on ne peut plus rare : les crises vitales de l'Etat avaient pour inconvénient de faire apparaître au grand jour les carences des eunuques. Ainsi Kao Li-che, qui remplissait la suprême fonction de grand général de la Cavalerie Hardie, n'avait en fait pas la moindre expérience ni connaissance de meneur de soldats, et s'il assistait aux réunions d'état-major, il n'avait pas l'occasion de s'y exprimer. Personne, d'ailleurs, n'aurait prêté l'oreille au vieil eunuque s'il avait tenté d'intervenir. En règle générale, les événements violents tels que les batailles ou les insurrections n'étaient pas son fort, et il les tenait en horreur. Ce n'était pas un simple rejet, mais l'effet d'une incompatibilité quasi physiologique : il se sentait beaucoup plus à l'aise au milieu des intrigues et des complots. Chaque jour il continuait à remplir fidèlement son service aux côtés de Siuan-tsong, mais il y perdait la santé, et était devenu l'ombre de lui-même.

– Sa Majesté envisage, semble-t-il, de confier les affaires du gouvernement au prince héritier pour prendre elle-même le commandement des opérations militaires. Ce... Ce... Cette idée est à abandonner, quoi qu'on en dise. Il est absolument impensable que le monarque du grand empire des T'ang parte en campagne contre un simple barbare. En découdre avec l'ennemi est le rôle de ses vassaux. Les projectiles volent, on entend siffler les flèches... Par le Ciel, pour vouloir se lancer au milieu de pareil vacarme, il faut qu'il soit sous l'emprise de quelque démon ! A cette seule pensée... J'ai peur. Ah, comme j'ai peur !

Tremblant de tous ses membres, Kao Li-che répéta :

– J'ai peur, j'ai peur !

L'épouvante de la bataille semblait posséder le vieil eunuque jusqu'au tréfonds de son cœur.

– Quoi qu'il en soit, il faut pacifier le pays au plus

vite. Le peuple doit vivre dans la paix et la sérénité, et si une bataille doit avoir lieu, il faut que ce soit loin d'ici. Pourquoi, aussi, si près de la capitale ?...

– J'ai moi-même encouragé Sa Majesté à partir en campagne, dit la Kouei-fei.

– Juste Ciel, mais pourquoi ? Ah, au point où nous en sommes, la terre va bientôt se fendre en deux, et les eaux du fleuve Jaune s'écouler à rebours ! Ah, voilà donc où nous en sommes arrivés !

Kao Li-che se leva, les bras dressés prenant le ciel à témoin de son effarement, et c'est dans cette attitude qu'il se précipita hors de la chambre de la Précieuse Épouse. Ne sachant plus où aller, il est possible qu'à cet instant il ait souhaité prendre son envol vers les cieux.

Puis Yang Kouo-tchong arriva, plein de morgue. Pénétrant dans la pièce, il resta debout pour déclarer :

– Altesse, si vous n'arrêtez pas l'empereur, nous allons au-devant de graves problèmes.

– Et pourquoi donc ?

– Il est extrêmement dangereux que le prince héritier assure l'intermède du pouvoir. S'il est nommé régent maintenant, l'empereur lui cédera facilement le trône dans un futur proche, ce qui serait fort embarrassant pour nous. Vous devez empêcher cela.

Sur ces brèves paroles, il se retira. Il était venu, de toute évidence, non pour obtenir de sa cousine qu'elle empêche l'empereur de partir en campagne, mais pour la réprimander de l'y avoir encouragé. Elle avait compris qu'il était en colère dès le premier coup d'œil. Il n'était guère souhaitable pour la maison Yang que la régence allât au prince Heng, qui n'avait jamais beaucoup apprécié leur toute-puissance, cela ne faisait aucun doute, et Yang Kouo-tchong était venu la blâmer d'avoir encouragé l'empereur à partir au lieu de penser d'abord à cela.

Mais Yang Kouei-fei, fidèle à elle-même, était aussi en colère de son côté contre Yang Kouo-tchong. Après tout, il était directement responsable de la situation où se trouvait actuellement le pays. Il avait aiguillonné le barbare jusqu'à ce qu'il se trouve acculé à allumer l'incendie de la révolte, et avait ainsi radicalement renversé les plans qu'elle-même nourrissait en secret.

Ses deux sœurs se présentèrent vers le soir. La dame de Ts'in était décédée environ un an plus tôt, et la duchesse de Kouo lui dit en tortillant son petit corps longiligne :

— Altesse, je viens vous présenter la plus importante requête de ma vie.

— De quoi s'agit-il ?

— Si jamais le prince héritier venait à accéder au trône, nous serions tous assassinés le jour même. Oui, tous les membres de la maison Yang, à l'exception de Votre Altesse, y perdraient la vie. Ce sera sa juste revanche, puisque nous n'avons fait jusqu'ici que lui causer des tourments. Il n'y a rien à redire à cela ; mais comme nous avons pu, grâce à Votre Altesse, jouir d'une vie capricieuse faite de luxe et de plaisirs, nous aimerions simplement la voir durer encore un peu. Grâce à Votre Altesse, je vis aujourd'hui un rêve si plaisant ! C'est véritablement un rêve : je viens d'une famille de basse extraction, et grâce à Votre Altesse la possibilité m'a été donnée de me parer des plus beaux atours, d'entrer et de sortir à ma guise de ce magnifique palais, enfin de vivre sans insatisfaction d'aucune sorte. De quoi s'agit-il donc sinon d'un rêve ? Née sous une étrange étoile, il m'est donné de vivre comme en songe, sans avoir jamais rien fait pour cela. Mon seul souhait est de voir durer encore un peu le rêve plaisant que je vis en ce moment.

L'arme principale de la dame de Kouo était son aptitude à exprimer toute chose sans détours et sans fioritures sur un ton plein de douceur. Elle n'avait qu'à se serrer langoureusement contre quelqu'un pour que la personne en question tombât sans résistance dans ses rets. Elle traitait durement ses inférieurs, ne se montrant aimable qu'envers ceux qui la surpassaient en rang. Elle était aussi menteuse et impudique, au point d'avoir autrefois suscité un incident en s'appuyant amoureusement contre Siuan-tsong. Sa jolie façade cachait donc de nombreux vices, mais elle était aussi d'une effrayante intelligence. La rumeur attribuait à la dame de Kouo et au Premier ministre une certaine inclination réciproque.

La Précieuse Epouse restait silencieuse. Sa ravissante et menue sœur s'était déjà servie d'elle sciemment à maintes reprises. Elle finit par lui répondre non sans méchanceté :

– Tout rêve doit finir un jour...

Un éclair traversa les yeux de la dame de Kouo.

– Rien de plus vrai. Les rêves ont tous une fin, mais je voudrais continuer de voir le mien jusqu'à sa fin naturelle.

– C'est-à-dire jusqu'à quand ?

– Jusqu'à l'entrée de l'armée rebelle à Tch'ang-an.

Elle avait brutalement exprimé ce que personne jusque-là n'avait osé dire, chacun espérant au fond que cela n'arriverait jamais.

– Si ce jour-là ne vient pas, nous aurons de la chance, mais s'il arrive, c'est toute la famille Yang qui devra alors s'éveiller de son rêve. Je voudrais ne jamais me réveiller, si ce n'est à ce moment-là. Il me serait très désagréable de finir victime des problèmes de la famille impériale. Si je dois de toute façon renoncer à la vie, je préfère que ce soit en martyre pour l'empire.

Cela fut dit d'un air grave, puis la dame de Kouo reprit son expression précédente.

– Je veux continuer à m'amuser, profiter de fêtes toujours plus plaisantes. Si vraiment cette vie n'est qu'un songe, alors qu'il soit toujours plus plaisant...

Elle s'interrompit brusquement, le visage ruisselant de larmes. Yang Kouei-fei se dit à part elle que si imiter les larmes était certainement un rôle tout à fait à la portée de la dame de Kouo, dans le cas présent son chagrin n'était sans doute pas feint. Cette femme que son étrange étoile, selon ses propres termes, avait hissée sur un piédestal tout constellé de gemmes, dissimulait certainement au fond d'elle-même une amertume incompréhensible au commun des mortels. Yang Kouei-fei, elle, la comprenait on ne peut mieux.

L'année suivante arriva : on était en l'An Quinze du Céleste Trésor (756). Au début du printemps, An Lou-

224

chan se proclama lui-même empereur de Ta Yen, et annonça l'inauguration de l'ère de l'Auguste Guerrier. Parmi les hommes à sa solde, il nomma Ta Si-siun président de la Chancellerie impériale, Tchang T'ong-jou président du département du Grand Secrétariat impérial, tandis que Kao Chang, Yen Tchouang et consorts en étaient nommés vice-présidents.

La nouvelle parvint immédiatement à Tch'ang-an. Dès qu'il en eut vent, l'empereur entra dans une fureur noire. Ce sang-mêlé, en qui il avait mis toute sa confiance pendant de si longues années, qu'il avait couvert de faveurs, se prenait maintenant pour l'empereur, et allait jusqu'à affubler l'empire, et même l'ère, de noms nouveaux ! An Lou-chan le rebelle, celui qui avait levé une armée contre lui avait suscité une violente colère chez Siuan-tsong : c'était là le courroux naturel d'un empereur envers le chef d'une armée subversive. Il s'agissait maintenant d'un phénomène bien différent : An Lou-chan n'était plus le général en chef de l'armée rebelle, mais un usurpateur qui s'attribuait le titre d'empereur. La Précieuse Epouse partageait sa rage. Le visage d'An Lou-chan lui demandant effrontément de l'adopter, ce visage dont elle n'avait jamais pu déterminer s'il exprimait la rouerie ou la sottise, lui apparaissait soudain sous un jour diabolique.

Les courtisans de la Cour des T'ang partageaient maintenant une haine unanime contre le sang-mêlé qui avait enfin dévoilé son vrai visage. Kao Li-che était la seule exception : quand il apprit que Lou-chan s'était proclamé empereur de Ta Yen, il se rendit aux appartements de la Kouei-fei.

– Votre Altesse a-t-elle entendu la nouvelle ? Voilà le sang-mêlé devenu empereur sans le vouloir ! On ne devient pas empereur sur ordre de quelqu'un. Simplement, il faut des territoires suffisants pour y établir un empire, une force militaire suffisante pour le protéger, et une poigne suffisante pour gouverner ces territoires et leurs habitants. Le sang-mêlé a acquis tout cela, sans dessein préalable.

Le vieil eunuque semblait plus calme et plus énergique que d'ordinaire.

– Jusqu'ici, il s'agissait d'envoyer l'armée impériale réprimer les rebelles. Hélas, à l'issue des combats nous n'y sommes pas parvenus. Mais maintenant, la situation est complètement différente : c'est d'un combat d'empire à empire qu'il s'agit. Si nous sommes battus maintenant, l'empire T'ang disparaîtra complètement, le vaste empire des T'ang ne sera plus qu'une infime partie de l'empire de Ta Yen.

C'étaient là des paroles cruelles. En raison de quel sentiment expliquait-il tout cela avec tant de soin et d'un air si heureux à la Précieuse Epouse ?

– Jamais le Ciel ne permettra pareille horreur !

Kao Li-che répondit à voix basse à cette exclamation :

– Altesse, écoutez-moi. N'est-ce pas exactement de cette façon que l'empire T'ang s'est constitué ? C'est toujours ainsi que naissent les empires.

– Mais alors, que va-t-il advenir du nôtre ?

– S'il est assez puissant, il anéantira celui de Ta Yen, et continuera comme par le passé. Mais s'il est trop faible, il sera anéanti et c'est celui de Ta Yen qui prendra sa place. Mais nul ne sait si l'empire T'ang est puissant ou faible. La puissance d'un empire ne dépend pas de son armée, non, c'est à la force de ses liens avec le peuple qu'elle se mesure. Voilà la vérité qui a échappé à Sa Majesté, à Votre Altesse, et à moi pareillement. Pour nous Sa Majesté est empereur des T'ang par mandat du Ciel. Le Ciel a confié le pays à Sa Majesté pour tenir en son nom les rênes du gouvernement. Ce gouvernement a-t-il été juste ou non ? Nous ne tarderons pas à l'apprendre. Il va sans dire qu'un empereur, étant un être humain, peut émettre des décrets erronés, ou accorder des postes importants à des gens qui ne les méritent pas. Il se peut aussi qu'il se désintéresse des problèmes de l'empire pour s'adonner exclusivement aux plaisirs charnels. Mais tout cela n'est rien et ne compte pas. Le fait que des gens comme moi aient reçu jusqu'à présent de si grandes faveurs, cela s'accordait-il aux desseins de l'Empereur Céleste ? Cela aussi est sans importance. Tout comme les eaux du fleuve Jaune entraînent tout dans leur sillage, ainsi un empereur doit-il gouverner. En temps ordinaire, nul ne peut juger de la valeur de son gouvernement. Nous-mêmes avons vécu jusqu'à aujourd'hui dans l'ignorance de cela, mais le temps est venu maintenant de l'apprendre avec certitude. Si le gouvernement de Sa Majesté a été juste, alors l'empire fondé par le sang-mêlé sombrera dans le néant, mais dans le cas contraire, il faut que Sa Majesté se résigne à son sort, et vous aussi, Altesse...

Quand Kao Li-che se tut enfin, il semblait qu'il avait parlé pendant des heures.

– Mais tout de même..., commença la Précieuse Epouse.

L'eunuque l'interrompit :

– Un instant ! Si Sa Majesté a gouverné justement, le peuple l'aidera. Ses loyaux sujets se lèveront en masse pour faire face au péril de l'empire, cela ne fait aucun doute. Mais si le gouvernement de l'empire n'a pas été équitable, il ne se trouvera pas un homme pour offrir sa vie par loyauté. Quoi qu'il en soit, les temps sont venus...

Il s'arrêta de parler avec une expression abattue, comme s'il était tout à coup démoralisé.

Dans les mots de cette vieille créature de sexe imprécis se sentait une certaine désillusion à constater l'absence de chevaliers et d'hommes forts dans l'empire à ce mauvais tournant de son histoire. Au cœur d'une situation où intrigues et stratagèmes n'étaient plus d'aucun secours, Kao Li-che n'avait plus rien à dire que la vérité.

Après le Nouvel An, les mouvements cessèrent quelque temps sur le front. Ko-chou Han, sur lequel reposait le sort de la nation tout entière, tenait dans une attente immobile son armée stationnée à la Passe de T'ong, tandis qu'An Lou-chan ne déplaçait plus son armée cantonnée à Lo-yang.

A la fin du premier mois, on apprit que Lou-chan était malade. Une de ses jambes avait, disait-on, enflé au point de le rendre presque impotent, et sa vue aussi avait terriblement baissé. La nouvelle paraissait assez sûre. L'état du chef des rebelles fournissait aux alliés la meilleure occasion de contre-attaquer. Les réunions se succédèrent au palais de Tch'ang-an, à l'issue desquelles des courriers furent dépêchés vers la Passe de T'ong, chargés de transmettre à Ko-chou Han l'ordre d'assaut. Mais aucun messager de Ko-chou Han ne se présenta pour apporter la réponse. Après enquête, on apprit que Ko-chou Han était lui aussi au plus mal : il était atteint d'hémiplégie, et souffrait d'une surdité totale.

Le début du deuxième mois vit un enchaînement de bonnes nouvelles : chaque jour on annonçait à la Cour des T'ang que dans telle ou telle province les barons avaient levé des soldats pour combattre Lou-chan. Des nouvelles de succès militaires, de défaites aussi, se succédaient. Pour parler comme Kao Li-che, on assistait dans tout le pays à une levée en masse de braves décidés à faire face à la crise et à sauver l'honneur de l'empire. L'instigateur de ce mouvement était Yen Kao-Feng Tch'ang-ts'ing, préfet de la commanderie de Heng-chan. Quand les soldats d'An Lou-chan avaient commencé à déferler vers le sud, toutes les villes fortes du Ho-pei avaient capitulé sans même se battre, et Yen Kao-Feng Tch'ang-ts'ing avait été le seul à résister et à refuser de livrer sa citadelle à l'ennemi. Il s'était ensuite battu contre le général rebelle Siang Ts'ien-nien, et avait repris quatorze citadelles de la région, dont celles de Tchao, de la Vaste-Paix, du Fleuve-Pur et de Bellevue. Mais au début de l'année, au moment même où la nouvelle de ces faits d'armes parvenait à la Cour des T'ang à Tch'ang-an, Yen Kao-Feng Tch'ang-ts'ing, encerclé par l'immense armée ennemie, fut fait prisonnier et traîné devant An Lou-chan pour être exécuté. Cette attristante nouvelle atteignit la capitale vers le milieu du deuxième mois.

Puis, jusqu'au troisième mois, il y eut quelques annonces sporadiques de victoires : Wou Wang-tche, préfet de la commanderie de Tong-ping, défit le général d'An Lou-chan Sie Yuan-t'ong à Tch'en Lieou, après quoi Li Kouang-pi et Kouo Tseu-yi livrèrent bataille contre Che Sseu-ming à Tsing King, et remportèrent une éclatante victoire. Yen Zhen-ts'ing marcha sur la commanderie de Wei, Tchang Siun se battit à Yong K'ieou· contre Ling Koua-tchao, un des généraux de Lou-chan, et le mit en déroute.

L'armée de Ko-chou Han était toujours en cantonnement à la Passe de T'ong. An K'ing-siu, fils légitime de Lou-chan, avait bien lancé une offensive contre la Passe vers la fin du premier mois, mais cela avait été l'unique bataille des deux armées, qui depuis avaient retrouvé leur calme.

Cette année-là, le printemps fut hâtif. Le quatrième mois amena avec lui une heureuse nouvelle : Kia-lan Tsin-ming, gouverneur militaire de Pei-hai, tenait les plaines du Nord sous son contrôle, à la tête de son armée. La population de Tch'ang-an, qui à un moment donné avait fui vers les campagnes, craignant l'arrivée imminente des troupes de Lou-chan, commença à réintégrer la capitale aux rues inondées par les premiers rayons du soleil printanier. Un bruit vraisemblable commençait à se propager : Lou-chan, ayant désormais fondé son propre empire et installé sa capitale à Lo-yang, s'était calmé et n'avait plus de raison d'envahir Tch'ang-an. Certains allaient même jusqu'à prétendre que Siuan-tsong et Lou-chan avaient conclu une trêve et que les armées face à face ne bougeraient pas.

Au début du quatrième mois, le gouvernement central tint assemblée sur assemblée. Dans chaque province des armées du bon droit s'étaient levées pour résister à Lou-chan, mais l'immobilité du gros des effectifs, bloqué à la Passe de T'ong, avait pour conséquence de laisser massacrer ces armées de résistance. D'aucuns soutenaient qu'il fallait lancer sans plus tarder une offensive depuis la Passe de T'ong, tandis que d'autres, plus prudents, s'y opposaient. Les partisans de la prudence étaient d'avis que Lou-chan ne pouvait laisser ses troupes indéfiniment en garnison à Lo-yang, et qu'il ne manquerait pas de repartir bientôt vers le nord. La victoire serait ainsi acquise, naturellement et sans combattre, aux forces impériales.

L'empereur Siuan-tsong prônait l'offensive immédiate, Yang Kouo-tchong soutenait la faction des prudents. Des réunions du conseil avaient lieu chaque jour, sans parvenir à les départager. Quand arrivait des provinces la nouvelle d'une défaite, les belliqueux se réveillaient : des émissaires partaient vers la Passe de T'ong communiquer l'ordre d'attaquer. Mais avant même l'arrivée du courrier sur les lieux, l'annonce d'un mouvement de troupes d'An Lou-chan suffisait à redonner le dessus aux prudents, et un nouveau messager était aussitôt envoyé à la Passe de T'ong pour annuler l'ordre précédent.

Kao Li-che assistait toujours aux assemblées en silence. Il savait très bien que personne ne l'aurait écouté même s'il avait pris la parole. Un jour, cependant, vers la fin du quatrième mois, Siuan-tsong lui demanda son avis.

— Mon ignorance en matière de stratégie militaire est totale mais je suppose que, si le gros des forces des deux armées se livrait bataille, l'armée la plus puissante remporterait la victoire, cependant je ne saurais dire lequel des deux adversaires est le plus fort. Nous pouvons gagner, comme nous pouvons perdre. Or une bataille ne doit être livrée qu'avec la certitude de la victoire, répondit Kao Li-che d'un ton grave.

Les notables appartenant au clan des prudents crurent Kao Li-che des leurs, mais la suite de son discours les en dissuada.

— Lancer une offensive à l'heure actuelle me paraît un plan d'action plein de faiblesses, mais les circonstances nous obligent à donner à Ko-chou Han l'ordre d'assaut. Peut-être serons-nous vaincus, peut-être vaincrons-nous... Faire du sort de l'empire l'enjeu d'un tel pari peut sembler ridicule mais, au point où nous en sommes, il n'y a pas d'alternative.

Cette fois, personne ne pipa mot. Les belliqueux avaient compris que Kao Li-che se ralliait à leur point de vue, mais pas de la manière la plus flatteuse. L'eunuque poursuivit :

— L'armée d'An Lou-chan ne tardera sans doute pas à émigrer vers des provinces où il lui sera plus facile de se ravitailler et, à ce moment-là, il sera trop tard. C'est à nous d'ouvrir les hostilités avant que l'armée de

Lou-chan ne s'ébranle. Si l'armée de l'empire T'ang ne se lève pas pour repousser les forces rebelles, au moment où elles menacent Tch'ang-an, la capitale, alors la honte de cette lâcheté entachera éternellement l'empereur. L'empire échappera peut-être momentanément à la crise, mais le cœur du peuple s'éloignera à jamais de l'empereur. Je suis d'avis qu'il faut défier Lou-chan au combat, avant qu'il ne s'en retourne vers les frontières du nord, même s'il faut mettre en jeu pour cela la survie de l'empire.

Un profond silence régnait sur l'assemblée. Si la démonstration du vieil eunuque était de prime abord irréfutable, on ne pouvait non plus y souscrire sans conditions. La conclusion de son discours lui ressemblait excessivement peu. Il avait dû quelque temps auparavant exposer à l'empereur les raisons qui s'opposaient à son départ en campagne, et cette fois il faisait exactement le contraire. Kao Li-che était las jusqu'à l'écœurement de ces événements qui maintenaient l'empire dans un état de tension permanente.

On entra dans le cinquième mois, et le conseil de guerre de la Cour des T'ang en était toujours à délibérer quotidiennement. Comme aucun des deux partis ne voulait céder, le débat s'éternisait entre les belliqueux affirmant qu'il fallait lancer au plus tôt les effectifs basés à la Passe de T'ong à l'attaque de Lo-yang, les prudents préférant attendre pour agir que les nécessités de ravitaillement poussent Lou-chan à remettre son armée en marche. Personne n'avait finalement pris en considération le conseil de Kao Li-che d'ordonner l'assaut pour sauver l'honneur des T'ang, sans tenir compte des réelles chances de victoire.

Vers la fin du cinquième mois, un vassal fit la remarque suivante à l'empereur :

– Les deux cent soixante mille soldats d'élite de l'empire T'ang sont sous le commandement exclusif de Ko-chou Han. Si ce général venait à se révolter et les menait vers l'ouest sous sa bannière, quel serait le destin de la Cour des T'ang ?

Personne n'avait encore jamais songé à cette éventualité, mais toute l'assistance changea de couleur sous l'effet percutant de ces paroles. L'attitude de Ko-chou Han, stationné depuis si longtemps à la Passe de T'ong à la tête d'une immense armée avait certes de quoi nourrir les soupçons. Si l'on prenait aussi en considération ses origines sérindiennes, les mêmes que Lou-chan, rien ne prouvait en effet qu'il n'allait pas un jour s'insurger, ni même qu'il n'était pas déjà de mèche avec le général rebelle. Une fois parvenu à ces conclusions, l'existence des belliqueux comme des prudents devenait caduque : on ne pouvait pas même se fier à ses alliés. Sur la demande pressante de Yang Kouo-tchong, trois mille gardes chargés des jardins impériaux, des Cinq Quartiers du Palais, et de la surveillances des pâtures furent rassemblés pour recevoir un entraînement de soldats, sous le commandement de Li Fou-tö. Afin de se tenir prêt à toute éventualité, dix mille jeunes conscrits furent en outre recrutés dans la capitale et placés en garnison à Pa-shang, sous le commandement de T'ou Kien-yun. Ces deux nouveaux régiments étaient plutôt destinés à se défendre le cas échéant contre Ko-chou Han qu'à parer une attaque d'An Lou-chan. Ces nouvelles mesures, suscitées à Tch'ang-an par un climat de peur et de suspicion, furent bientôt connues de Ko-chou Han, qui demanda aussitôt que les troupes en garnison à Pa-shang soient placées sous son propre commandement à la Passe de T'ong. T'ou Kien-yun se rendit immédiatement à la Passe de T'ong pour régler le malentendu, mais l'affaire se solda par son exécution des mains de Ko-chou Han.

L'affaire jeta l'effroi parmi les notables de Tch'ang-an. Force messagers furent dépêchés à la Passe de T'ong, avec pour mission de transmettre à Ko-chou Han l'ordre de mettre immédiatement ses soldats en marche. Ko-chou Han envoya en réponse un courrier chargé d'un message pour l'empereur :

– Faisant usage de ses troupes pour la première fois depuis longtemps, Lou-chan va maintenant rebrousser chemin. Nous devons préparer une attaque surprise. Il tombera à coup sûr dans le piège dès qu'il se mettra en route. Nous verrons le rebelle venir de loin, et la victoire est à nous si nous l'attaquons avec rapidité. L'armée impériale stationnée dans le défilé abrupt de T'ong écrasera sans coup férir les forces rebelles. La victoire est à nous si nous maintenons fermement nos positions. En ce moment les brutalités du rebelle lui font perdre des hommes, ses troupes s'amenuisent de jour en jour, la mutinerie couve. Par conséquent nous devons remporter la victoire sans nous en mêler et en évitant une guerre de longue haleine. Le point essentiel est de remporter la victoire par une attaque éclair et d'être aussi rapide que possible. Ce n'est pas le moment de rassembler en grand nombre des recrues supplémentaires des provinces. J'implore Votre Majesté d'attendre quelque temps.

La situation correspondait peut-être à la description de Ko-chou Han, mais on ne pouvait exclure que ce rapport soit destiné à couvrir quelque autre stratagème. La Cour des T'ang débattit à nombreuses reprises quant aux intentions réelles de Ko-chou Han. Un messager fut finalement envoyé à la Passe de T'ong pour transmettre une fois de plus l'ordre de route. Comme cette fois l'ordre émanait non de Yang Kouo-tchong mais de l'empereur en personne. Ko-chou Han n'avait plus d'autre choix que de s'y soumettre.

Le dixième jour du sixième mois, les deux cent soixante mille hommes sous le commandement de Ko-chou Han quittèrent la Passe, et rencontrèrent dans la plaine de l'ouest de la sous-préfecture de Ling-pao les troupes de Ts'ouei K'ien-yeou, un général subordonné de Lou-chan. Il s'agissait du premier combat important des deux camps, et ce fut une bataille décisive qui engageait leurs destinées futures.

Peu de temps après le début des combats parvint à la capitale la nouvelle que Ko-chou Han avait été battu à plate couture et ses troupes entièrement décimées. A la Cour cependant, personne n'ajouta foi à la défaite, n'imaginant pas qu'ils pouvaient être vaincus si facilement ; ni l'empereur Siuan-tsong, ni son Premier ministre n'arrivaient à croire que l'immense armée impériale de plus de deux cent mille hommes ait pu être ainsi anéantie au bout d'une journée de combat.

Sans daigner recevoir le messager annonçant la défaite, Siuan-tsong envoya à l'aube du onzième jour le général Li Fou-tö à la Passe de T'ong, à la tête de son régiment de gardes des pâtures. Un étrange calme se mit à flotter sur Tch'ang-an après le départ de Li Fou-tö. Ce jour-là, après le coucher du soleil, on ne vit pas les feux habituellement allumés sur les remparts des forteresses situées à trois lieues de la capitale. Dans toutes les garnisons établies dans un rayon de trois lieues autour de Tch'ang-an, des sentinelles allumaient ces brasiers chaque soir à l'approche de la nuit pour signaler à la capitale que le calme régnait dans les districts alentour sous leur contrôle. Si l'on ne voyait pas de feux cette nuit-là, c'est qu'il n'y avait plus personne pour les allumer, la totalité des effectifs des garnisons environnantes ayant été décimée dans la bataille. Pour la première fois, la Cour des T'ang comprit à quel point la situation était inquiétante : les forces postées au défilé de T'ong pour protéger la capitale avaient été anéanties, et plus aucun obstacle ne se dressait désormais sur la route de l'immense armée ennemie pour empêcher l'invasion de Tch'ang-an.

Yang Kouo-tchong réunit sans délai tous les hauts fonctionnaires de la Cour dans la salle du conseil. Plus rien ne permettait de douter de la réalité de la défaite, leur dit-il, et il fallait trouver d'urgence un moyen de sauver l'empire de cette situation désespérée. Seul le silence lui répondit.

– Voilà dix ans pour ma part que je vous tiens informés des vues subversives de Lou-chan, sans qu'aucun de vous ne m'accorde crédit. Ce qui arrive aujourd'hui ne saurait être imputable à une erreur du Premier ministre.

Sur ces mots, Yang Kouo-tchong rompit la séance d'un air indigné. Les réunions du conseil étaient désormais inutiles, il le savait. Les dignitaires assemblés quittèrent eux aussi leurs sièges, conscients que si tout était perdu, il leur restait un certain nombre de préparatifs à faire pour leur propre compte.

A partir de ce moment, le vacarme des émeutes qui agitaient toutes les avenues et les quartiers de la ville commença à se propager jusqu'aux abords du palais. La ville ne flambait pas, et pourtant le ciel était rouge. Le vent était tombé, il régnait une étrange chaleur lourde pareille à celle d'une nuit d'incendies. Tout ce que la ville comptait d'habitants, hommes et femmes, se démenait vainement, hurlant, s'enfuyant ou courant çà et là comme si c'était la fin du monde.

Dans son pavillon, la Précieuse Epouse calmait ses suivantes que la peur affolait. Depuis la clôture de l'assemblée, Kao Li-che avait fait des allées et venues incessantes entre les appartements de l'empereur et ceux de la Kouei-fei. Il fit une énième apparition au pavillon pour annoncer à la Précieuse Epouse que Siuan-tsong venait de décider, sous la pression de Yang Kouo-tchong, de la dame de Kouo et consorts, de fuir au pays de Chou, berceau de la famille Yang. Le pays de Chou avait beau être le berceau de sa famille, c'était pour Yang Kouei-fei une terre inconnue. Elle y était née, certes, mais ce n'est pas là qu'elle avait été élevée, qu'elle avait grandi. Aussi n'éprouvait-elle pas le moindre soulagement à l'idée de se rendre dans cette contrée.

Le lendemain, le douzième jour du sixième mois, on ne comptait plus qu'une ou deux personnes parmi la dizaine de fonctionnaires normalement en service au palais. L'empereur déménagea au Pavillon de l'Effort Politique puis décréta son départ en campagne à la tête des troupes impériales. Yang Kouei-fei elle-même, quand elle eut vent de cette annonce, la crut un instant véridique mais Kao Li-che vint lui expliquer qu'il s'agissait d'un simple prétexte et que la Cour allait en fait déménager au Sseu-tch'ouan. Ce décret annonçant une expédition militaire était un dernier expédient destiné à parer à l'éventualité d'une insurrection populaire. Il n'y eut personne, cependant, pour croire à la réalité de ce départ en campagne, rendu peu plausible par l'absence de tout corps d'armée digne de ce nom.

Une annonce tomba au beau milieu du désordre : le préfet de la capitale, Wei Fang-tsin, était nommé au poste de président du tribunal des censeurs, cumulé avec celui de commissaire impérial extraordinaire, tandis que le sous-préfet de la capitale, Ts'ouei Kouang-yan, devenu préfet, était assigné à la garde de la capitale occidentale pendant l'absence de la Cour. La garde de l'ensemble palatial était en outre confiée au général Pien Ling-tch'eng. Siuan-tsong quitta ce jour-là le palais de l'Heureux Plaisir pour celui de la Grande Clarté, où il régla les affaires politiques.

Cette journée agitée se termina ; vint la nuit. La fuite de l'empereur de Tch'ang-an fut organisée dans le plus grand secret, sous les directives de Yang Kouo-tchong. Le général de la garde impériale Tch'en Siuan-li mit ses troupes en ordre, et apprêta neuf cents chevaux sans attirer l'attention de quiconque.

A l'aube du treizième jour, la Précieuse Epouse se leva à l'annonce de la visite de Kao Li-che. Debout dans l'entrée de la pièce, il demanda dès qu'elle apparut :

– Avez-vous pu vous reposer ?

– J'ai bien dormi, répondit-elle.

En réalité cela faisait deux ou trois nuits qu'elle ne trouvait plus le sommeil. Dès qu'elle s'assoupissait, elle se mettait à faire un rêve dont la tristesse infinie l'éveillait aussitôt. Au réveil elle avait oublié le contenu du rêve, seul demeurait ce sentiment de tristesse.

– Le moment est venu d'accompagner Sa Majesté au pays de Chou. Il vous reste une heure avant le départ, pour prendre votre repas et achever vos préparatifs.

– Je suis certaine que l'empereur ne se sent pas enclin à faire ce voyage. Je devine ses sentiments, et en ai le cœur déchiré.

La Précieuse Epouse se sentait pleine de compassion pour le vieux monarque contraint d'abandonner la capitale pour une contrée lointaine. Tout cela n'était qu'un rêve, la dame de Kouo l'avait bien dit ! Si la dame de Kouo et ses sœurs avaient vécu un rêve prolongé, il n'en allait pas autrement pour elle, pensait-elle en revoyant toutes les années vécues depuis ce dixième mois de l'ère de la Fondation où l'empereur l'avait mandée au palais de la Pure Splendeur, encore appelé à l'époque palais des Sources Chaudes. Elle avait vingt-deux ans lors de sa première entrevue avec Siuan-tsong, et trente-huit aujourd'hui : seize ans que se prolongeait le songe...

L'escorte de Siuan-tsong se composait du Premier ministre Yang Kouo-tchong, accompagné de Wei Kien-sou et Wei Fang-tsin, puis de princes de sa parenté, de concubines, de princesses de sang impérial, et de certains de ses petits-enfants. Il avait en outre pour garde du corps le général Tch'en Siuan-li à la tête des soldats de la garde impériale. Il s'agissait au total d'une imposante procession de plus de trois mille personnes. Tous les membres de la maison Yang étaient bien entendu du voyage, mais la dame de Kouo ainsi que P'ei-jou, l'épouse de Yang Kouo-tchong, avaient toutes deux quitté Tch'ang-an en avant-garde au cours de la nuit précédente. Ce genre d'habiles précautions était bien dans le style de la duchesse de Kouo.

– Tout de même, je me demande dans quel état doit se sentir Yang Kouo-tchong ! fit la Kouei-fei.

Il était généralement admis que Yang Kouo-tchong était le principal responsable des calamités qui avaient fondu sur l'empire.

– Le Premier ministre Yang n'a plus de temps pour l'introspection. La simple organisation de ce voyage secret à Chou est déjà bien assez compliquée, mais il lui incombe également de préparer la capitale à l'absence de Sa Majesté, d'entrer en contact avec les commissaires impériaux de chaque région, de leur donner des directives, sans compter les diverses affaires politiques à régler. Il doit assumer seul tout cela : il n'y a plus personne pour l'assister. Sur ce point, il est certainement digne d'éloges, et nul autre que lui ne pourrait s'acquitter de cette tâche. Aux premières lueurs du jour, le palanquin impérial quittera le palais par la porte de l'Ouest... Le Premier ministre aura-t-il le temps d'ici là de mettre en ordre toutes les affaires politiques ?

Kao Li-che avait pris du recul par rapport à son ancien protégé et l'observait maintenant froidement se débattre pour achever de mettre en ordre les affaires de l'Etat avant le départ du cortège.

Yang Kouo-tchong n'était pas le seul à s'affairer. Depuis que la Précieuse Epouse leur avait annoncé cette fuite inattendue vers la province, les suivantes et les eunuques attachés à son service, oubliant leur habituelle réserve, s'étaient mis à faire leurs préparatifs de voyage dans la confusion la plus extrême, pleurant, hurlant et courant dans tous les sens.

Enfin, tous les participants au voyage vers le pays de Chou se trouvèrent assemblés dans la cour, devant la porte de l'Eternelle Lamentation : c'était l'heure où le monde est encore profondément plongé dans les ténèbres de la nuit. La famille impériale, et tous ceux qui avaient vécu jusque-là dans l'enceinte du palais, quittaient ces lieux pour toujours. Siuan-tsong enfourcha son cheval, la Précieuse Epouse monta dans son palanquin. Bientôt le groupe aux atours bigarrés sortit par la porte de l'Eternelle Lamentation, située à l'ouest des jardins impériaux, certains en palanquin, d'autres à cheval, d'autres encore à pied, avec parmi eux des suivantes, des eunuques, des soldats en tenue de campagne. Au moment où la procession quittait la cité impériale, une pluie fine se mit à tomber.

Le cortège impérial en fuite atteignit les berges de la Wei vers le moment où le ciel commençait à blanchir du côté de l'est. A Tch'ang-an, le calme régnait encore : en dehors des courtisans restés confinés au palais, personne n'était au courant de la fuite de l'empereur.

Franchissant un pont de fortune jeté sur la Wei, la procession passa dans la province de S'ien-yang sur la rive opposée. Après avoir traversé la rivière, Yang Kouo-tchong allait ordonner aux soldats de brûler le pont, quand Siuan-tsong l'arrêta sous prétexte qu'il pourrait servir à d'autres loyaux sujets en fuite. L'empereur ordonna à Kao Li-che d'attendre jusqu'à l'heure de midi, et de le rejoindre seulement à ce moment-là, après avoir détruit la passerelle. Puis Siuan-tsong envoya l'eunuque Wang Lo-ts'ing en éclaireur, avec ordre d'informer les fonctionnaires des commanderies de

238

la province de rester à leurs postes. Mais Wang Lo-tsing ne revint jamais : il avait pris le large en compagnie du sous-préfet de la province.

Quand les fuyards arrivèrent au relais de poste de Wang-sien au Sien-yang, le soleil était haut dans le ciel. Là, on voulut rassembler tous les officiels, mais personne ne répondit à l'appel. Le pavillon des cuisines impériales devait envoyer des vivres, mais elles n'étaient pas encore parvenues à destination. Yang Kouo-tchong trouva à acheter des gâteaux de riz à la mode barbare et les présenta à l'empereur. Peu après les habitants de la bourgade se virent offrir les reliefs du déjeuner impérial : ils firent la queue en se battant presque pour manger ce riz avec les doigts. Après quoi le repas préparé par les cuisines impériales arriva.

Le premier repas du voyage avait eu lieu dans de telles conditions que le problème du ravitaillement ne pouvait manquer de se poser par la suite. Des soldats furent dépêchés dans les villes-étapes sur la route que l'empereur devait parcourir pour y demander des vivres, mais ils furent loin de rassembler la quantité escomptée.

Au même moment, les émeutes éclataient dans la capitale. Des visiteurs étaient attendus ce jour-là à la Cour, et quand ils se présentèrent aux portes du palais, les trois corps de la garde impériale les accueillirent solennellement en levant les bâtons qui étaient l'insigne de leur charge. Mais dès qu'ils eurent ouvert les portes, tous les gens du palais se précipitèrent au-dehors dans le plus grand désordre. Tout ce monde courait dans tous les sens dans un vent de folie, criant à la ronde que l'empereur avait fui, sans que nul ne sache quelle direction il avait prise. Parti du palais, le tumulte se propagea avec la rapidité de l'éclair dans les cent dix quartiers de la capitale. Jusqu'ici, l'agitation avait été provoquée par ceux qui cherchaient à échapper aux désordres de la guerre, mais l'origine de ces nouveaux troubles était bien différente : le menu peuple se rua en pagaille à l'intérieur du palais pour en piller les trésors. Certains profanèrent le sol du palais en y entrant à dos d'âne, tandis que d'autres saccageaient le trésor impérial. Le feu prit dans une aile du palais. Bientôt les résidences princières disséminées çà et là dans la capitale connurent le même sort. Au milieu du désordre inouï qui régnait dans les rues de Tch'ang-an, certains des habitants abandonnèrent leurs demeures pour fuir dans les collines avoisinantes. A tous les carrefours, des flots de gens visant différentes directions mêlaient leurs tourbillons en une énorme bousculade.

Pendant ce temps, le cortège impérial avait progressé tout le jour à travers la vaste plaine, continuellement détrempée par le crachin. La présence des femmes retardait l'allure. Les faibles ondulations de la plaine desséchée par l'été s'étendaient à perte de vue, seules quelques tombes impériales de l'époque Han parsemaient l'horizon désert. Le cortège arriva vers minuit à la Citadelle d'Or : cette marche commencée à l'aube ne les avait menés qu'à quatre ou cinq lieues à l'ouest de la capitale. Les prenant sans doute pour une avant-garde de l'armée d'An Lou-chan, le sous-préfet avait fui, et tous les habitants du district sans exception avaient déserté leurs maisons. En procédant à l'inspection de la suite impériale, on s'aperçut de l'absence de Yuan Sseu-yun, un intendant du palais intérieur, mais personne ne le signala. L'intérieur sans lampes du relais de poste de la Citadelle d'Or était sombre : tous s'allongèrent pêle-mêle dans l'obscurité, sans distinction de rang, pour prendre quelque repos. A l'aube, Wang Sseu-li, un général en second de Lou-chan qui avait déserté, vint se joindre au groupe. Ce Wang Sseu-li leur apprit la capture de Ko-chou Han. Siuan-tsong nomma immédiatement Wang Sseu-li commissaire impérial au commandement de la Droite du Long et du Ho-si, et lui enjoignit de rejoindre sa garnison, d'y rassembler les troupes dispersées et d'attendre l'occasion de lancer une offensive vers l'est.

Le lendemain, la pluie avait cessé mais il régnait une chaleur intense sur la plaine dénudée, sans l'ombre d'un arbre. Comme la veille, le cortège progressa dans la plaine, souffrant de la faim, de la chaleur et du manque d'eau. A mi-chemin, la route se séparait en deux : une direction indiquait le Kan-sou et l'autre le

Sseu-tch'ouan. Peu après le passage de l'intersection, des signes inquiétants commencèrent à émaner de la garde impériale sous le commandement de Tch'en Siuan-li : les soldats quittaient les rangs, se déplaçaient à leur guise ; dès qu'une agglomération se présentait, ils y entraient en désordre pour faire main basse sur la nourriture.

Au crépuscule, ils atteignirent le relais de Ma-wei. Là encore, le sous-préfet avait fui, et les habitants du district s'étaient terrés on ne sait où. Sous l'effet de la faim et de l'épuisement, les soldats se laissaient aller à la violence. Non seulement les légions de la garde, mais leur commandant lui-même, Tch'en Siuan-li, s'adressaient à tout le monde d'un ton coléreux, sans aucun souci du protocole. L'eunuque Li Pou-kouo vint en intermédiaire de Tch'en Siuan-li réclamer du prince impérial Heng l'exécution du principal responsable des malheurs de l'empire, c'est-à-dire Yang Kouo-tchong. Les rayons du soleil couchant ensanglantaient le visage du jeune eunuque, debout face à l'héritier du trône dans un coin de la cour du relais de Ma-wei. Juste à ce moment, une vingtaine de soldats tourfans bloquèrent le passage de Yang Kouo-tchong qui s'apprêtait à pénétrer à cheval dans la cour. Ces Tourfans, des émissaires envoyés par le Tibet à Tch'ang-an, s'étaient trouvés accidentellement mêlés à la fuite de Siuan-tsong. Ayant suivi le déplacement de l'empereur jusque-là, ils venaient se plaindre à Yang Kouo-tchong du manque de vivres. Les Tibétains réclamaient donc à grands cris un nouvel approvisionnement de nourriture, quand un des subordonnés de Tch'en Siuan-li, témoin de la scène, se mit à hurler :

– Regardez ! Yang Kouo-tchong fomente la révolte avec les barbares !

Ses cris de rage réitérés firent se lever d'un bond les soldats qui occupaient la cour. Partie d'on ne sait où, une première flèche vint s'abattre sur la selle du Premier ministre avant de rebondir à terre. En un éclair, Yang Kouo-tchong roula à bas de son cheval, et se mit à courir vers la porte Ouest. Tous les soldats se jetèrent à sa poursuite, accourant, sabre au clair, comme des loups assoiffés de sang.

Ils revinrent de la porte Ouest, la tête de Yang Kouo-tchong fichée au bout d'une lance. Ce reste macabre fut exposé devant la porte extérieure du relais. Ni Siuan, fils de Yang Kouo-tchong, vice-président du ministère des Finances, ni la dame de Han ni leurs gens n'échappèrent au péril : les uns après les autres, ils furent passés au fil de l'épée.

Le président du tribunal des censeurs Wei Fang-ts'in apparut dans la cour.

– Pourquoi avez-vous assassiné le Premier ministre ? hurla-t-il, mais l'instant d'après un groupe de soldats l'assaillaient.

Quand ils se séparèrent, Wei Fang-ts'ing n'était plus qu'un cadavre affaissé sur le sol. A la nouvelle de la mutinerie, Wei Sou accourut sur les lieux, pour être lui aussi attaqué par les soldats en révolte : le sang jailli de sa tête et rougit la terre avant même qu'il ait pu proférer une parole. Il échappa de justesse à la mort grâce à ce cri parti de nulle part : « Ne tuez pas le ministre Wei ! » Ivres de sang, les soldats encerclèrent le bâtiment principal du relais de poste.

Dès qu'il apprit l'insurrection, Siuan-tsong, qui se trouvait dans le pavillon du relais, sortit pour tenter d'apaiser les soldats, sans parvenir à calmer le tumulte. S'avançant alors, Tch'en Siuan-li s'adressa au vieux monarque déchu :

– Kouo-tchong a déjà été exécuté, mais la véritable cause de la révolte d'An Lou-chan se trouve à l'intérieur de ces appartements. Plaise au Ciel, Majesté, que, passant outre les sentiments, vous fassiez respecter la loi !

Siuan-tsong savait parfaitement qui désignait les termes « véritable cause de la révolte » : à l'exception de la Précieuse Epouse, tous les membres clés de la maison Yang étaient déjà tombés sous le fer des soldats.

Rentrant dans le pavillon, l'empereur Siuan-tsong resta debout, hébété. Wei-o, un secrétaire de la préfecture de la capitale, s'avança vers lui.

– Majesté, il n'y a plus d'autre moyen maintenant pour apaiser la colère des soldats. La situation est telle que le danger pourrait se retourner contre vous. Décidez promptement, je vous en conjure !

– Mais la Kouei-fei n'a jamais quitté les appartements intérieurs. Bien qu'elle fasse partie de la famille de Yang Kouo-tchong, elle n'a rien à voir avec lui, balbutia Siuan-tsong, puis il se tourna vers Kao Li-che, qui était resté debout, silencieux, à ses côtés.

Quelles étaient alors les intimes pensées de l'eunuque ? Son visage raviné par l'âge n'en livrait rien, et ne différait pas le moins du monde de l'ordinaire.

Mais bientôt il redressa la tête pour émettre une voix étrange que personne ne lui connaissait : on n'aurait pu dire s'il riait ou sanglotait, mais ses mots, s'étirant longuement comme une mélopée, avaient un sens bien précis :

– Son Altesse la Précieuse Epouse n'a commis aucun crime. Qui oserait la traiter de criminelle ? Cependant officiers et soldats de la garde impériale ont déjà mis à mort le Premier ministre Yang. En gardant plus longtemps la Précieuse Epouse à ses côtés, Votre Majesté rend sa propre sécurité précaire. Je supplie Votre Majesté de bien réfléchir. Il est maintenant de première nécessité d'apaiser le cœur de la légion impériale. La paix de l'armée est primordiale pour la paix de l'empire.

Pour la première fois depuis longtemps, Kao Li-che avait retrouvé sa place de sincère conseiller de l'empereur. Jusqu'ici, il avait finalement toujours conservé son sang-froid à seule fin de se protéger lui-même, et si ses propres intérêts avaient parfois coïncidé avec ceux de l'Etat, ils s'étaient parfois aussi trouvés en contradiction. Kao Li-che avait recouvré son sang-froid. Son dévouement à la cause de l'empereur ne pouvait lui faire oublier les exigences de Tch'en Siuan-li, dressé maintenant face à lui en redoutable détenteur du pouvoir.

– Accomplis la chose de tes propres mains, face au sanctuaire bouddhiste, sans faire usage du sabre, fit Siuan-tsong au bout d'un moment.

La Précieuse Epouse attendait dans la pièce obscure, installée sur une chaise qu'elle avait tirée près de la fenêtre.

– Altesse, vos derniers instants sont venus.

A ces mots de l'eunuque, elle changea de couleur, puis se reprit :

– Oui, j'ai appris que tous les membres de la famille Yang avaient été exécutés sur ordre de Tch'en Siuan-li. Tch'en Siuan-li est un guerrier à la probité reconnue, jamais il ne s'est trompé en conseillant Sa Majesté, je le sais mieux que quiconque.

– Votre Altesse n'a aucun crime à se reprocher, dit Kao Li-che.

– Le Premier ministre Yang a plongé l'empire dans le chaos, et s'il a pu agir ainsi, c'est justement grâce à ma présence au palais. Comment peux-tu prétendre que moi, épouse impériale, n'ait commis aucun crime ?

Yang Kouei-fei se leva de son siège. En cet instant, elle n'était plus qu'amour pour le souverain. Kao Li-che sortit dans le jardin intérieur, où se trouvait un petit sanctuaire bouddhiste. L'eunuque serrait entre ses mains une étoffe destinée à étrangler la Précieuse Epouse. Debout sous les jujubiers qui encadraient le temple, Kao Li-che leva les yeux vers le ciel où le crépuscule commençait à poindre, et attendit que Yang Kouei-fei se rapprochât de lui. Il se tourna bientôt vers son dos. Sans nul doute, le vieil eunuque s'acquitta de la mission dont il était chargé avec plus de sang-froid que quiconque : il serra l'étoffe plusieurs fois de toutes ses forces, afin que jamais ne se ranimât ce corps de femme d'une ineffable somptuosité, abandonné de tout son poids entre ses bras. C'est ainsi, grâce à la rébellion d'An Lou-chan, que Yang Kouei-fei termina ses trente-huit ans de vie en martyre de l'empire, sans avoir jamais ressemblé à la princesse Tai-ping, à dame Wei, ni à l'impératrice Wou.

Chargeant sur un palanquin le cadavre de la Précieuse Epouse qui reposait dans ses bras, Kao Li-che l'amena dans la cour du relais. Tchang Sseu-li s'approcha pour l'examiner.

– Très bien, fit-il.

Puis il ôta son casque, défit son armure, et attendit le jugement de son crime. Mais Siuan-tsong ne le punit pas, et lui ordonna seulement d'admonester ses soldats. Ceux-ci, leur excitation refroidie, quittèrent les uns après les autres la cour du relais. Kao Li-che alla ensevelir de ses mains le corps de Yang Kouei-fei à proximité du relais de Ma-wei, dans un coin de la plaine, au pied d'un talus à l'entrée de la route menant au pays de Chou.

La dame de Kouo et son fils P'ei Houei, ainsi que l'épouse de Kouo-tchong P'ei Jou et son jeune fils Si, avaient déjà atteint Tch'en K'iang avec leur suite, mais dès que la nouvelle de l'exécution du Premier ministre fut connue, le sous-préfet lança les soldats à leur poursuite. La dame de Kouo se dissimula dans un bois de bambous pour aider résolument ceux qui l'accompagnaient à mettre fin à leurs jours de leur propre épée. Elle avait l'intention de se suicider la dernière, mais ne réussit pas à s'infliger une blessure mortelle. Capturée et jetée en prison, elle demanda, respirant péniblement :

– Soldats de l'empereur... ou rebelles ?

– Les deux ! répondirent ses geôliers.

La dame de Kouo mourut étouffée : le long rêve joyeux avait pris fin.

A mi-chemin du pays de Chou, Siuan-tsong se sépara du prince héritier et des soldats qui l'accompagnaient : il ordonna au prince Heng d'arrêter là le cours de son voyage et de rentrer apaiser le peuple. Quant à lui, traversant les défilés abrupts au moyen de ponts suspendus entre les précipices, il franchit le col du Pavillon-de-l'Epée, pour atteindre Kin-t'i-tch'eng (actuelle Tch'eng-tou) en un peu plus d'un mois.

Durant l'année que Siuan-tsong passa au pays de Chou, le Ciel se fit de nouveau l'allié de la Cour des T'ang, et les bonnes nouvelles se succédèrent dans son palais d'exil : le couronnement du prince héritier Heng à Ling-wou, les victoires remportées par le général Kouo Tseu-yi, l'aide apportée par les tribus ouigours, la mort violente d'An Lou-chan, enfin la reprise de Tch'ang-an et de Lo-yang.

Le onzième mois de la deuxième année de Tche-tö (757), Siuan-tsong quitta son exil et regagna Tch'ang-an. Po Kyu-yi décrit ainsi le retour de l'empereur, traversant à nouveau le relais de Ma-wei où reposait la Précieuse Epouse :

« Le ciel se meut, le soleil tourne, et, rentrant enfin,
[l'empereur
Atteint le lieu funeste : il demeure éperdu, doutant de
[passer outre.
Au pied des talus de Ma-wei, dans la glaise et le sable,
Il ne distingue plus la place, à présent vide, où trépassa
[la belle au visage de jade.
Le prince et ses suivants s'interrogent des yeux, et tous
[de pleurs mouillent leurs robes.
Puis, vers l'est, à la capitale, par leurs chevaux se
[laissent ramener.
Au retour, étangs et jardins, tout est comme autrefois,
Le Sublime Lac et ses nénuphars, le palais des Jours-
[sans-Terme avec ses saules.
Aux nénuphars ressemblaient son visage, les saules
[font penser à ses sourcils. » [3]

Dès son retour à la capitale, Siuan-tsong envoya un émissaire accomplir les cérémonies pour l'âme de la défunte et voulut organiser de nouvelles funérailles, mais il dut renoncer à son projet devant l'opposition générale. Une autre source raconte cependant qu'il donna l'ordre à un eunuque de transférer ailleurs en secret les restes de Yang Kouei-fei. Le cadavre ainsi que les vêtements qui l'enveloppaient avaient, dit-on, complètement disparu, et il ne restait plus que le sachet de brocart autrefois posé sur sa poitrine. Quoi qu'il en soit, il est certain que les nénuphars du Sublime Lac devaient rappeler à Siuan-tsong le visage de

---

3. Voir « La concubine impériale Prunus » dans la *Biographie des regrets éternels* (Editions Philippe Picquier).

la belle, et les saules du palais des Jours-sans-Terme évoquer ses sourcils.

La postérité nous a laissé encore une histoire concernant la concubine Prunus. Après son retour à la capitale, Siuan-tsong eut en rêve une entrevue avec Prunus qui lui conta ses griefs. Suivant ses indications, il fit faire des fouilles au pied d'un des prunus du Sublime Lac, et le cadavre de Prunus y fut retrouvé. Il portait les traces d'une blessure au sabre, était enveloppé d'un châle de brocart et reposait dans un fût enfoui à trois pieds sous terre, dit ce récit, probablement postérieur aux événements. L'auteur fait apparaître Prunus comme une femme au destin tragique, victime de la jalousie de Yang Kouei-fei.

A Lo-yang, An Lou-chan était non seulement atteint de cécité totale, mais il souffrait d'anthrax et était sujet à des crises de délire. Il vivait reclus dans son palais, et même ses vassaux les plus proches ne l'apercevaient que rarement. Une de ses favorites, dame Touan, donna naissance à un enfant, à qui il voulut donner le titre de prince héritier à la place de K'ing-siu, ce qui lui attira la haine de celui-ci, et c'est finalement sous les coups de son propre fils que Lou-chan mourut, un an à peine après avoir fondé l'empire de Ta Yen. Voici comment les *Nouveaux Ecrits des T'ang* décrivent les derniers instants d'An Lou-chan : « Cette nuit-là, Yen Tchouang et K'ing-siu s'étaient embusqués derrière les portes avec leurs sbires. Le fils du sanglier, pénétrant sous les tentures du lit, entailla le ventre de Lou-chan avec un grand sabre. Après avoir vainement tenté de saisir le sabre posé à côté de son oreiller, Lou-chan s'accrocha au pilier du lit : ''Les rebelles sont dans ma propre maison !'' s'exclama-t-il à juste titre, avant de tomber mort sur son lit, le ventre déchiré. Il était âgé de plus de cinquante ans. »

Le *Miroir général de l'histoire* note que plusieurs centaines de litres de sang s'écoulèrent de son ventre. Quoi qu'il en soit, An Lou-chan, le fils rebelle venu d'Asie centrale, qui avait tenté de renverser l'empire des T'ang, connut ainsi une fin prématurée.

On trouve dans les *Ecrits des T'ang* le récit des dernières années de Kao Li-che : rentré du pays de Chou en même temps que l'empereur Siuan-tsong, il fut banni à Wou-tcheou la première année de l'ère du Début Supérieur (760). Réhabilité par la suite, il mourut sur le chemin de son retour à la capitale, sous le règne de Sou-tsong (l'ancien prince Heng) qui, dit-on, considérait le vieil eunuque comme son frère aîné. Kao Li-che disparaissait ainsi deux ans avant Siuan-tsong, qui mourut, lui, à l'âge de soixante-dix-huit ans. Mais d'après une autre source, Siuan-tsong et Sou-tsong avaient déjà tous deux rendu l'âme lorsque Kao Li-che revint de sa terre d'exil de Wou-tcheou, et cela se passait sous l'empereur suivant de la dynastie. Laquelle de ces deux versions est correcte ? Nul ne le sait...

Achevé d'imprimer
sur les presses de
l'imprimerie Robert
200, avenue de Coulin
13420 Gémenos

Dépôt légal : avril 1995